GÊNERO E DESIGUALDADES

GÊNERO E DESIGUALDADES

LIMITES DA DEMOCRACIA NO BRASIL

FLÁVIA BIROLI

Esta publicação recebeu apoio do CNPq (405604/2013-0) e da FAP-DF (0193.000832/2015).

Direção editorial	Ivana Jinkings
Edição	Isabella Marcatti
Assistência editorial	Thaisa Burani e Carolina Yassui
Preparação	Ivone Benedetti
Revisão	Thais Rimkus
Coordenação de produção	Livia Campos
Capa	Antonio Kehl *sobre* Dey *[ou* Green Girl*] (acrílico sobre madeira), de Edgar Garcia*
Diagramação	Crayon Editorial

Equipe de apoio: Allan Jones, Ana Carolina Meira, Ana Yumi Kajiki, André Albert, Artur Renzo, Bibiana Leme, Camilla Rillo, Eduardo Marques, Elaine Ramos, Frederico Indiani, Heleni Andrade, Isabella Barboza, Ivam Oliveira, Kim Doria, Marlene Baptista, Maurício Barbosa, Renato Soares, Thaís Barros, Tulio Candiotto

CIP-BRASIL. CATALOGAÇÃO NA PUBLICAÇÃO
SINDICATO NACIONAL DOS EDITORES DE LIVROS, RJ

B523g

Biroli, Flávia, 1975-
Gênero e desigualdades : os limites da democracia no Brasil / Flávia Biroli. - 1. ed. - São Paulo : Boitempo, 2018.

Inclui bibliografia
ISBN 978-85-7559-604-3

1. Sociologia. 2. Ciência política. I. Título.

17-46758 CDD: 306
CDU: 316.7

1ª edição: fevereiro de 2018
1ª reimpressão: julho de 2018; 2ª reimpressão: março de 2019

BOITEMPO EDITORIAL
Jinkings Editores Associados Ltda.
Rua Pereira Leite, 373
05442-000 São Paulo SP
Tel.: (11) 3875-7250 / 3875-7285
editor@boitempoeditorial.com.br | www.boitempoeditorial.com.br
www.blogdaboitempo.com.br | www.facebook.com/boitempo
www.twitter.com/editoraboitempo | www.youtube.com/tvboitempo

Para Marcelo e Mateus,
mais uma vez.
E também para Marta.

SUMÁRIO

INTRODUÇÃO

Nas últimas décadas, a posição relativa de mulheres e homens modificou--se profundamente no Brasil e em outras partes do mundo. Houve transformações na vivência e na compreensão dos papéis de gênero e das relações em que estes ganham realidade. Nos debates teóricos e no ativismo, foi desafiado o binário feminino-masculino, com as características e os valores associados a cada um de seus termos. E isso não se deu apenas no âmbito da sexualidade. A identidade do grupo "mulheres" vem sendo posta em questão de maneira sistemática pelas feministas negras e pelas feministas socialistas, ao menos desde os anos 1960. A crítica não nasceu nesse ponto, é claro. Mas o debate que se estabeleceu a partir de meados do século XX alterou radicalmente o pensamento e o ativismo feministas, que passaram a operar com noções mais complexas das experiências e das necessidades das mulheres, vistas em suas diferenças e do prisma das desigualdades de classe, raça, etnia, sexualidade, geração.

A análise das relações de gênero nas décadas recentes nos leva, assim, a intensas transformações na produção de conhecimento, tanto quanto nas experiências cotidianas das pessoas. Em conjunto, trata-se de reconfigurações que abrangem da sexualidade às relações de trabalho, da vivência do que é percebido como íntimo e pessoal aos padrões de participação na esfera pública. Sendo tantas as dimensões da vida que estão em jogo, não seriam poucas as controvérsias. No campo feminista, no espaço mais amplo de articulação das posições progressistas, mas também na sua incorporação à agenda liberal e nas reações conservadoras, gênero é uma questão política aguda.

O olhar que assumo neste livro é possibilitado pelo acúmulo dos estudos de gênero nas últimas décadas, internacionalmente e no Brasil, pela sofisticação do conhecimento nessa área e pelas muitas interpelações que os movimentos feministas têm feito a quem se dedique a estudar as relações de poder nas sociedades contemporâneas. É um olhar que ganha forma porque as posições de gênero, em suas conexões com outros eixos das identidades e das opressões, passaram a ser levadas em conta de modo mais sistemático nas pesquisas, no debate internacional e nas Ciências Sociais brasileiras.

Este livro é, também, um enfrentamento com os limites impostos a essas mudanças. Por isso, não é dessas, particularmente, que ele trata, mas, sim, das tensões entre mudanças, permanências e reações. Situado no contexto brasileiro, mobiliza teorias e dados que pudemos acumular e qualificar nas últimas décadas com o objetivo de compreender em que ponto estamos, isto é, quais impasses se apresentam quando temos como referência a construção de relações de gênero que sejam mais justas.

Para responder a esse desafio, analiso cinco temáticas, que correspondem a cada um dos cinco capítulos que seguem esta introdução: 1) divisão sexual do trabalho; 2) cuidado e responsabilidades; 3) família e maternidade; 4) aborto, sexualidade e autonomia; 5) feminismos e atuação política. Percorrendo debates teóricos e incorporando elementos empíricos e contextuais nesses eixos, faço diagnósticos das transformações recentes e de seus limites. Interessa-me, em especial, colaborar para a compreensão da persistência de padrões desiguais, injustos e violentos e de caminhos para sua superação. Os cinco eixos escolhidos para a análise não esgotam os problemas que precisam ser levados em conta para que essa compreensão seja possível, mas permitem considerar problemas que entendo serem incontornáveis.

Embora o campo das teorias feministas da política seja amplo e heterogêneo, há duas premissas que fundam a crítica da democracia que dele emerge. Elas são as bases sobre as quais se assentam as discussões aqui desenvolvidas. A primeira é que o que se passa nos espaços definidos como privados e domésticos é significativo para a análise da democracia. Se as relações de poder nesses espaços destoam de valores de referência igualitários e da forma institucionalizada que assumem na esfera pública, temos um problema. Por isso, o feminismo contesta as noções autonomizadas da política, expondo suas conexões com dinâmicas sociais nas quais se estabelecem as desigualdades e as assimetrias no exercício de influência e no exercício mais direto do poder político.

A segunda premissa é que a análise da posição concreta dos indivíduos nas relações de poder, consideradas as formas que essa posição assume na vivência cotidiana, é necessária para se avaliarem direitos constituídos e disputas por direitos. Historicamente, a posição relativa das mulheres expõe a baixa efetividade de direitos que foram universalizados nas sociedades ocidentais, mesmo dos mais fundamentais, como o direito à integridade física. O entendimento que assumo aqui é que essa baixa efetividade não indica um caminho "incompleto" nem um "desvio" na universalização dos direitos, mas é constitutiva das instituições e das regras informais que organizam as relações de poder. O advento do mundo moderno pode ser caracterizado e compreendido de diferentes maneiras. É certo que não correspondeu à superação do patriarcado, aqui brevemente definido como um complexo heterogêneo, mas estruturado, de padrões que implicam desvantagens para as mulheres e permitem aos homens dispor do corpo, do tempo, da energia de trabalho e da energia criativa destas. É ativado de forma concreta, nas instituições e nas relações cotidianas.

A primeira e a segunda premissa encontram-se estreitamente relacionadas. Uma visão abstrata da cidadania e dos direitos não é capaz de lidar com as hierarquias que organizam a vida privada e, menos ainda, com os circuitos que se estabelecem a partir dessas hierarquias, restringindo a participação das mulheres na esfera pública. Exclui as experiências de muitas pessoas, enquanto alça a de algumas outras à posição de universalidade.

A configuração das fronteiras entre esfera pública e esfera privada implica lugares distintos para mulheres e homens. Não quero, com isso, afirmar que todos os homens e todas as mulheres são posicionados de maneira idêntica, mas que, para a participação das mulheres na esfera pública, impõem-se filtros que estão vinculados às responsabilidades a elas atribuídas na esfera privada e à construção de sentidos do feminino que ainda guardam relação com a noção de domesticidade.

Quando a dualidade entre público e privado não é problematizada – o que é majoritário nas teorias da democracia –, as relações de poder na esfera privada não são computadas na compreensão de *como os indivíduos se tornaram quem são* e dos limites desiguais para atuarem, individual e coletivamente. Em outras palavras, a vida doméstica, em um conjunto diferenciado de práticas que se estende da divisão sexual do trabalho à economia política dos afetos, da responsabilização desigual pelo cotidiano da vida à norma heterossexual, é desconsiderada como fator que define as possibilidades de atuação na vida pública.

O primeiro passo para a problematização dessa dualidade é entender que ela não é natural. Só assim as disputas em torno do que é definido como privado e do que é definido como público podem ser compreendidas na sua relevância política. Elas são um problema de primeira ordem para as democracias porque traçam fronteiras entre experiências, problemas e necessidades, atribuindo-lhes peso e legitimidade diferenciados. O que está em jogo é o que terá relevância política e, claro, *quem* será reconhecido como capaz de interferir nos debates. Nesse ponto, apresenta-se outra questão, que tem especial relevância para a produção de conhecimento: enquanto alguns problemas são alçados à condição de problemas "gerais", outros são sistematicamente situados como "particulares".

Isso é, sem dúvida, o que ocorre com muitas das temáticas discutidas neste livro. A divisão sexual do trabalho, por exemplo, não é tratada como tema para a democracia e é reduzida ao universo das preocupações de gênero ou das mulheres. No entanto – como mostro no primeiro capítulo –, ela é organizadora do acesso a recursos fundamentais para a autonomia e a participação em diferentes dimensões da vida pública, para o acesso a recursos e reconhecimento. O efeito dessa redução é que "problemáticas que atravessam as relações sociais, ao serem circunscritas a espaços 'específicos', são isoladas e perdem todo alcance e extensão"[1]. Como esclareço no livro, o que está em questão é a conformação do debate público, a delimitação da política.

A dualidade entre o público e o privado constitui papéis, produz o gênero. Mas não o faz da mesma forma para todas as mulheres. Assim, ao mesmo tempo que estou atenta à reprodução das hierarquias *de gênero*, analiso-a nas *convergências* entre gênero, raça, classe e sexualidade.

Além de não descolar artificialmente as transformações das estruturas em que seus contornos são evidenciados e das disputas políticas em que elas são postas em xeque ou moduladas, procuro expor as ambiguidades presentes nos avanços ocorridos nas últimas décadas, da perspectiva das desigualdades entre as mulheres. Como registraram Helena Hirata e Danièle Kergoat, estamos,

> pela primeira vez na história do capitalismo, [diante] de uma camada de mulheres cujos interesses diretos (não mediados como antes pelos homens: pai, esposo, amante) opõem-se frontalmente aos interesses daquelas que foram atingidas pela generalização do tempo parcial, pelos empregos em serviços muito mal remunerados e não reconhecidos socialmente e, de maneira mais geral, pela precariedade.[2]

Assim como na França, que é a referência das autoras nesse comentário, o acesso das mulheres a posições de alta remuneração aumentou também no

---

1 Elizabeth Souza-Lobo, *A classe operária tem dois sexos: trabalho, dominação e resistência* (São Paulo, Fundação Perseu Abramo, 2011 [1991]), p. 149.

2 Helena Hirata e Danièle Kergoat, "Novas configurações da divisão sexual do trabalho", *Cadernos de Pesquisa*, v. 37, n. 132, 2007, p. 601.

Brasil e em outros países latino-americanos. E por aqui isso tem se dado ao mesmo tempo que a precarização do trabalho atinge especialmente as mulheres. Desse modo, acentua-se e torna-se mais direto o antagonismo de interesses entre as mulheres, entre mulheres que estão na posição de empresárias e proprietárias de grandes empresas e mulheres assalariadas ou dependentes da renda proveniente do trabalho assalariado de familiares.

Não houve, entendo, um momento em que tenha sido possível falar no interesse das mulheres no singular, como se todas estivessem na mesma posição. É cada vez mais difícil sustentar a ideia de que existe uma opressão "comum", específica às mulheres, como a definiu Christine Delphy em uma análise de 1970, em que situava essa opressão justamente na divisão sexual do trabalho[3]. Mas o acesso a posições de poder no mundo do trabalho é um exemplo claro de que as desigualdades de gênero permanecem mesmo entre os estratos mais ricos e com maior acesso à educação formal: o chamado "teto de vidro" tem sido constatado nas empresas, na burocracia de Estado e na política, definindo limites mesmo para as mulheres que tiveram oportunidades semelhantes às de seus colegas homens e que são mais escolarizadas do que eles. Há uma questão de gênero, embora o fato de tomá-la isoladamente reduza o potencial da crítica.

Qual é o horizonte para a transformação? O acesso de mulheres a posições de poder pode ser tomado como um signo de mudança, mas, se essa mudança permanece situada nos limites de outras hierarquias e formas de exploração, seu benefício é circunscrito ao de algumas vidas privilegiadas. O acesso de uma minoria de mulheres brancas a cargos de alta remuneração é um dos signos do enfraquecimento da associação histórica entre mulher e domesticidade, que esteve presente na legislação e no cotidiano da sociedade brasileira até muito recentemente. O fato de que continue a ser um eixo dos conflitos relativos aos papéis de gênero expõe padrões misóginos e sexistas ainda existentes. Entendo que isso seja significativo. Mas os níveis e as formas atuais de exploração do trabalho não nos permitem falar de "mulheres", no sentido abstrato ao qual a visão liberal da emancipação feminina faz referência, mas de "mulheres trabalhadoras", de "mulheres negras", de "mulheres imigrantes". Este livro assume, assim, uma perspectiva crítica em relação aos limites de demandas por inclusão que não ponham em xeque privilégios e hierarquias.

---

3 Christine Delphy, *L'ennemi principal*, v. 1: *Économie politique du patriarcat* (Paris, Syllepse, 2013 [1997]).

A divisão sexual do trabalho, tema do capítulo 1, não tem o mesmo significado para todas as mulheres, não se organiza da mesma forma dentro ou fora das casas. Ela é determinante da posição desigual de mulheres e homens, mas seu efeito só poderá ser compreendido se levarmos em conta que ela *produz o gênero* – no entanto, o produz de modos diferenciados, em conjunto com outras variáveis. No capítulo 2, o tema do cuidado permite expor as dimensões ideológicas e socioeconômicas da atribuição do cuidado prioritariamente às mulheres. Mas, também aqui, esse não pode ser o limite da análise, uma vez que o problema central é a alocação desigual das responsabilidades e o acesso precário da maior parte da população a cuidados necessários, à saúde, a garantias de proteção social e contra a violência.

As mulheres assumem o cuidado das crianças, dos idosos e das pessoas com necessidades especiais em grau desproporcional em relação aos homens. Isso ocorre tanto quando o fazem como parte de suas funções cotidianas na vida doméstica – e, portanto, sem serem remuneradas por isso – como quando são cuidadoras ou trabalhadoras domésticas remuneradas. As mulheres que exercem o cuidado como trabalho remunerado e aquelas que o exercem sem remuneração e sem a possibilidade de terceirizar parte dele a trabalhadoras remuneradas são aquelas que, inversamente, estão mais distantes de ter acesso ao cuidado qualificado, isto é, de receber cuidado quando ele se faz necessário. Uma das faces cruéis da responsabilização desigual é a atribuição às mães não apenas de tarefas cotidianas, mas da responsabilidade por "educar" e "proteger" seus filhos, em ambientes sociais nos quais o Estado não apenas se esquiva de fornecer garantias básicas, como a proteção à vida, como também viola direitos formalmente constituídos.

O capítulo 2 apresenta o cuidado como problema político de primeira ordem. Considera, também, seu potencial ético-político, tomando-se como referência o fato básico de que todas necessitamos de cuidado. Nele, contrapõe-se a noção de responsabilidade social à ideia de indivíduos atomizados, imersos em relações de mercado. Dessa perspectiva, a crítica aos padrões vigentes expõe as desvantagens que decorrem do trabalho de cuidar de alguém e as desigualdades no acesso ao cuidado necessário, quando prevalece a lógica concorrencial de mercado. Os padrões atuais do capitalismo, com a redução das garantias a trabalhadoras e trabalhadores, tornam mais agudas as dificuldades para que se estabeleçam relações solidárias e sejam atendidas as necessidades múltiplas de cuidado. Os futuros possíveis que se desenham quando levadas em conta as relações de cuidado são muito distintos daqueles projetados pelas ações conjuntas do privatismo neoliberal e do reacionarismo moral.

É com o debate sobre trabalho, cuidado e democracia, desenvolvido nos primeiros dois capítulos, que chego à temática da família, objeto do capítulo 3. Esta é situada tanto no campo das disputas entre valores morais quanto no de uma economia política. Entendo que um aspecto não é explicável sem que se discuta sua conexão com o outro. A literatura feminista mobilizada, que sistematizo na primeira parte do capítulo, permite assentar a compreensão das disputas referentes à família em dois eixos: o do controle sobre as mulheres, os corpos e a sexualidade, e o do papel do Estado na alocação de recursos. Neste último, o que está em questão é a definição de quais responsabilidades são vistas como coletivas, quais são tidas como privadas e, portanto, concernentes às famílias como entidades ou aos indivíduos. Essa literatura também permite analisar criticamente o ideal da maternidade, discutindo os limites da valorização das mulheres no papel de mães, algo que tem estado presente no contexto atual tanto em movimentos conservadores quanto em movimentos que se entendem como progressistas, mas ancoram suas lutas em discursos naturalistas.

As disputas em torno da família ocorrem, hoje, em um contexto marcado pelo fortalecimento dos feminismos e pelo adensamento de reações protagonizadas por grupos religiosos conservadores, que mobilizam recursos econômicos e simbólicos para fazer valer suas visões. A autoridade do Estado e de coletividades específicas sobre os agrupamentos familiares e o exercício de poder por parte de alguns indivíduos (os homens, tidos na legislação até muito recentemente como "chefes da família") sobre os demais membros da família são tematizados em várias iniciativas em curso na política brasileira, das quais trato no capítulo 3, mas também no capítulo 4, quando discuto as políticas do aborto e da sexualidade. Em suas reações não apenas aos movimentos feministas e LGBT, mas, em escala ampla, às transformações sociais significativas – na sociabilidade, na vivência dos afetos, na conjugalidade e na parentalidade –, opõem-se à união homoafetiva, à "perspectiva de gênero" nas políticas públicas e no ensino, à afirmação da autonomia das mulheres.

A análise da "defesa da família", que apresento nos capítulos 3 e 4, explicita que não estamos diante de algo que possa ser definido estritamente como conservadorismo, isto é, como ação pela conservação dos padrões correntes. O que temos diante de nós neste início de século XXI, de modo peculiar no Brasil e em outros países latino-americanos, são *reações* que procuram revitalizar as resiliências, retomar e aprofundar o controle e a regulação sobre as mulheres, sobre seu corpo, e limitar subjetividades em transformação. Falo, assim, de *reações* conservadoras, acentuando, desde já, a relevância do primeiro termo.

Atores políticos conservadores têm recorrido a uma suposta defesa da família na construção de suas identidades políticas. Isso não significa que procurem de fato tornar mais sólidos os laços familiares existentes. Trata-se de reações a transformações profundas nos papéis sociais, na conjugalidade, na sexualidade. Atuam para restringir a pluralidade dos arranjos familiares e pelo retorno a padrões sociais de controle que foram, em muitos sentidos, superados no cotidiano das pessoas e nos marcos legais adotados no ciclo democrático iniciado com a Constituição de 1988 e consolidados em vários aspectos no Código Civil de 2002, bem como em decisões posteriores da justiça brasileira e em compromissos internacionais assumidos pelo país.

Também nas políticas do aborto, discutidas no capítulo 4, estamos diante de um contexto marcado por ambivalências. No Brasil, aborto é crime, com três exceções: gestação resultante de estupro, risco de vida para a mãe (vigentes desde o Código Penal de 1940) e casos de anencefalia fetal (desde decisão do Supremo Tribunal Federal [STF] em 2012). Enquanto nos anos recentes as reações ao direito ao aborto se acentuaram no Congresso Nacional, avolumando-se o número de iniciativas parlamentares que põem em xeque as exceções existentes e têm como objetivo retroceder na legislação e ampliar a criminalização das mulheres, muitas coisas estão ocorrendo em sentido oposto. O debate e a luta pelo direito ao aborto têm-se ampliado entre as mulheres brasileiras. No segundo semestre de 2015, amplas manifestações de rua em defesa desse direito tomaram conta de cidades em diferentes estados e regiões do país; foram motivadas por um projeto de lei que, se aprovado, dificultaria o acesso de mulheres vítimas de estupro a atendimento na rede pública de saúde. Em 2016, o Supremo Tribunal Federal proferiu uma decisão que respalda o direito amplo ao aborto e, em 2017, foi apresentada à mesma corte uma ação pela descriminalização do aborto até a 12ª semana de gestação. Depois disso, uma nova ação ao Supremo Tribunal Federal apresentou o pedido de Rebecca Mendes de que pudesse interromper uma gestação indesejada, com segurança e sem que fosse, por isso, enquadrada como criminosa. O pedido foi recusado pelo tribunal no mesmo momento em que avança na Câmara dos Deputados a tramitação de uma Proposta de Emenda à Constituição (PEC) que, caso venha a ser aprovada em Plenário, poderá significar a criminalização das exceções já previstas em lei.

O livro situa o debate teórico sobre o aborto – contribuição fundamental dos feminismos para a crítica aos limites da democracia –, mas traz, sobretudo, subsídios para a reflexão, em perspectiva histórica, sobre as disputas que ocorrem atualmente no Brasil em torno do direito das mulheres a interromper uma gestação e a controlar sua capacidade reprodutiva. Analiso a correlação de forças e os efeitos da atuação de movimentos feministas e LGBT no âmbito estatal, assim como as controvérsias e as reações que se apresentaram. Trata-se de um caminho para se compreenderem disputas que, conjugadas, desaguaram na deposição da presidenta Dilma Rousseff em 2016.

Aproximo-me, assim, da temática do capítulo 5, que discute os obstáculos à participação política das mulheres, sem perder de vista sua atuação efetiva em momentos-chave da história recente do Brasil. Apesar da legislação nacional de cotas, que estabelece há duas décadas que 30% das candidaturas nas eleições proporcionais devem ser ocupadas por mulheres, permanecemos largamente sub-representadas, ocupando cerca de 10% dos cargos políticos eletivos. Nesse cenário, o Brasil elegeu e reelegeu uma mulher, Dilma Rousseff, para a Presidência da República, em 2010 e 2014. O golpe parlamentar que a afastou em 2016 foi marcado pela misoginia, ativando estereótipos de gênero que pareciam ter sido empurrados para as franjas do debate político brasileiro nas últimas décadas. Acumulam-se, no contexto atual, investidas contra as mulheres na política, contestações à sua competência como atores políticos e ações contrárias a direitos que foram estabelecidos como resultado de demandas e lutas históricas.

Mantendo a adesão a uma compreensão ampla da política, discuto a atuação das mulheres para além dos processos eleitorais. Os movimentos feministas e de mulheres atuaram sistematicamente junto ao Estado no ciclo democrático iniciado em 1988, e isso se acentuou a partir de 2003, com a chegada do Partido dos Trabalhadores (PT) ao governo federal. Analiso a atuação dos movimentos junto ao Estado nesse ciclo, considerando também, brevemente, a renovação do ativismo feminista. Trata-se de um feminismo diferente na sua forma de organizar-se e de manifestar-se, em que têm papel importante mulheres jovens e suas interações no ambiente da internet. É descentralizado e mesmo fragmentado, mas mostra uma capilaridade social que é, por si só, um acontecimento político. O livro termina, como não poderia deixar de ser, discutindo os desafios que se apresentam à agenda e às lutas feministas.

São discussões que ancoram a política na vida cotidiana, ao mesmo tempo que expõem as disputas no âmbito das instituições, já que elas constituem o ambiente em que a individualidade e os afetos são vividos, em que as preferências tomam forma, em que o tempo e outros recursos se fazem menos ou mais disponíveis, em que o trabalho dentro e fora de casa é desempenhado, em que a contestação se apresenta.

Foi o acúmulo de resultados do debate teórico feminista sobre a política que permitiu as análises aqui realizadas. A institucionalização da área de estudos de gênero no Brasil, em universidades, associações e eventos acadêmicos, assim como o financiamento de pesquisas por editais lançados pelas agências brasileiras de fomento nos anos 2000, tem sido imprescindível para que possamos produzir conhecimento, elaborar diagnósticos fundamentados, vislumbrar alternativas. No momento em que este livro é finalizado, as universidades públicas e a ciência brasileira estão sendo afetadas de modo direto pela predominância da lógica da "austeridade", isto é, pela retirada de recursos de áreas socialmente relevantes, como a educação, a ciência e a tecnologia, reduzindo a face pública do Estado e ampliando os processos de precarização e insegurança. Investimentos públicos em pesquisa são fundamentais porque, sem eles, é a lógica de mercado que define o que merece ser conhecido, restringindo o leque de alternativas às que são lucrativas.

Este livro não teria sido possível sem o apoio de agências públicas de financiamento, como CNPq, Capes e FAP-DF, que possibilitaram o desenvolvimento das pesquisas que fundamentam os capítulos e minha participação em eventos nacionais e internacionais, onde pude apresentá-las, engajando-me em diálogos produtivos com colegas e estudantes de diferentes instituições. Ele tampouco teria sido possível sem os recursos e as garantias para o trabalho intelectual que encontrei na Universidade de Brasília (UnB) nos anos recentes. No Instituto de Ciência Política (Ipol) da UnB e, em especial, no Grupo de Pesquisa sobre Democracia e Desigualdades (Demodê), encontrei um ambiente de diálogo e cooperação pelo qual sou muito grata. Agradeço, em especial, aos colegas e amigos do Demodê, Luis Felipe Miguel, Danusa Marques, Carlos Machado e Thiago Trindade, e a Marilde Loiola de Menezes, que se dedicou com competência à construção de um ambiente favorável à pesquisa no Ipol. Às estudantes com quem dialoguei em sala de aula, mas principalmente àquelas que orientei no período, registro meu agradecimento. Fernanda Mota, Rayani Mariano, Denise Mantovani, Viviane Gonçalves Freitas, Débora Françolin e Maíres Barbosa, para citar apenas algumas entre aquelas com quem tenho tido o prazer de conviver, trouxeram-me questões e dúvidas, na produção dos seus trabalhos, que me puseram a pensar e informam as análises deste livro. Não poderia deixar de agradecer a colegas com quem tenho dialogado em diversas oportunidades e que, em eventos e dinâmicas de discussão nos últimos anos, contribuíram com comentários para versões preliminares de discussões aqui apresentadas, levantaram problemas e questões nas oportunidades que tive de apresentá-las. Cito nominalmente Céli Pinto, Clara Araújo, Franck Mata Machado Tavares, Lourdes Bandeira, Luciana Ballestrin, Maria Lígia Granado Elias, Maria das Dores Campos Machado, Marlise Matos e Ricardo Fabrino Mendonça. Embora não seja possível nomear todas as pesquisadoras e os pesquisadores que contribuíram com comentários e observações em palestras e apresentações que fiz nos últimos anos em várias universidades nem estudantes da UnB que trouxeram problemas e questões para a sala de aula nas disciplinas de Gênero e Política e Teorias da Democracia, registro meu agradecimento a elas e eles. Estou certa de que ajudaram a qualificar a discussão apresentada neste livro. Agradeço também à amiga e parceira no enfrentamento das desigualdades de gênero, Natália de Oliveira Fontoura, pelo apoio, inclusive logístico, no processo de escrita deste livro.

No capítulo 1, revi e atualizei as discussões contidas no artigo "Divisão sexual do trabalho e democracia"[4]. O capítulo 2 é uma versão bastante modificada e ampliada dos argumentos presentes no artigo "Responsabilidades, cuidado e democracia"[5]. Os capítulos 2, 3 e 4 foram originalmente escritos para este livro e também dialogam com minha produção nos anos recentes, retomando em alguns pontos reflexões e argumentos presentes em livros, capítulos e artigos nos quais discuto as temáticas da família, do aborto, da participação política e da atuação dos movimentos feministas. O trabalho individual emerge numa malha complexa de interações e colaborações. As conferências e aulas que proferi sobre os temas deste livro, no período, certamente conformam o que aqui apresento, assim como o diálogo já mencionado com colegas e estudantes em simpósios, seminários, congressos e aulas.

[4] *Dados*, v. 59, n. 3, 2016, p. 719-54.

[5] *Revista Brasileira de Ciência Política*, n. 18, 2015, p. 81-117.

Devo registrar, ainda, que este livro tem raízes em outro, *Feminismo e política: uma introdução*, que escrevi em coautoria com Luis Felipe Miguel e foi publicado pela Boitempo em 2014. Muito do que aqui discuto soma-se às discussões apresentadas naquela obra. Amplio, no caso, o foco em temáticas que considero fundamentais para explicar os padrões atuais das desigualdades de gênero, situando-as no contexto brasileiro.

Por fim, agradeço a duas pessoas que estão presentes em cada palavra, em cada momento em que escrevi e deixei de escrever: Marcelo e Mateus. Enquanto este livro era finalizado, passei tanto por problemas de saúde, felizmente superados, quanto pela tristeza profunda com o desmonte acelerado do Estado democrático e das garantias sociais no Brasil após o golpe de 2016, que lamentavelmente continua em curso enquanto escrevo estas linhas. O apoio incondicional do Marcelo e a intensidade afetiva e criativa do Mateus, carregada de futuros, me possibilitaram terminar o livro – e, o que é melhor, terminá-lo ansiosa por dar andamento a novos projetos, novos escritos, que permitam entender e confrontar a degradação das democracias na quadra presente do capitalismo neoliberal.

1
DIVISÃO SEXUAL DO TRABALHO

Falar de divisão sexual do trabalho é tocar no que vem sendo definido, historicamente, como trabalho de mulher, competência de mulher, lugar de mulher. E, claro, nas consequências dessas classificações. As hierarquias de gênero, classe e raça não são explicáveis sem que se leve em conta essa divisão, que produz, ao mesmo tempo, identidades, vantagens e desvantagens. Muitas das percepções sobre quem somos no mundo, o que representamos para as pessoas próximas e o nosso papel na sociedade estão relacionadas à divisão sexual do trabalho. Nela se definem, também, dificuldades cotidianas que vão conformando trajetórias, possibilidades diferenciadas na vida de mulheres e homens. Trata-se de questão sensível, ainda, porque confere a todas as mulheres uma posição semelhante (a elas são atribuídas tarefas de que os homens são liberados) e porque as distingue dos outros atores (elas são diferentemente marcadas e oneradas pela divisão de tarefas e responsabilidades segundo os recursos que detêm para "driblar" o tempo e a energia que tais tarefas requerem).

Acompanhando tendências verificadas em outros países latino-americanos, foi nas últimas décadas do século XX que o perfil do acesso das mulheres brasileiras à educação e ao trabalho remunerado se alterou significativamente. Entre 1970 e o início do século seguinte, o percentual de mulheres economicamente ativas passou de 18,5% para cerca de 55%, tendo alcançado um teto de 59% em 2005. Modificaram-se, assim, os ritmos e as feições da vida cotidiana. A posição delas se modificou, também, no acesso à escolarização. Hoje têm, em média, mais tempo de educação formal do que os homens, passando a ser maioria entre as pessoas matriculadas no ensino superior. Apesar disso, a diferença entre o rendimento médio das mulheres e o dos homens permanece em torno de 25%, e a profissionalização não garantiu acesso igualitário às diferentes ocupações[1]. Em

[1] Luana Simões Pinheiro et al., *Mulheres e trabalho: breve análise do período 2004-2014*, Ipea, nota técnica n. 24, 2016, p. 3-28.

todos os casos, é na conjugação entre gênero, classe e raça que as posições relativas se estabelecem de fato. Na pirâmide de renda e no acesso a postos de trabalho, à escolarização e à profissionalização, as mulheres brancas estão mais próximas dos padrões de oportunidades dos homens brancos e apresentam vantagens em relação aos homens negros. São as mulheres negras, acompanhadas de seus filhos, que integram a faixa mais pauperizada da população.

A divisão sexual do trabalho incide sobre mulheres e homens em conjunto com sua posição de classe e com o racismo estrutural. Não é possível, assim, pressupor que os privilégios estão sempre entre os homens, e as desvantagens e as formas mais acentuadas de exploração, entre as mulheres. Como afirmou Heleieth Saffioti, "se as mulheres da classe dominante nunca puderam dominar os homens de sua classe, puderam, por outro lado, dispor concreta e livremente da força de trabalho de homens e mulheres da classe dominada"[2]. Quando se observa a distribuição, na população, do trabalho precarizado, as mulheres negras estão na posição de maior desvantagem. Elas são 39% das pessoas que exercem esse tipo de trabalho, seguidas pelos homens negros (31,6%), pelas mulheres brancas (27%) e, por fim, pelos homens brancos (20,6%)[3]. Se acrescentarmos a esses dados o fato de que 98% das pessoas que exercem trabalho doméstico remunerado são mulheres e que, entre estas, muitas estão inseridas em relações precarizadas de trabalho, teremos um dos eixos em que a divisão sexual do trabalho se funde com as hierarquias entre mulheres, permitindo padrões cruzados de exploração. Em 2013, quando foi aprovada a legislação que equipara os direitos das trabalhadoras domésticas aos dos demais trabalhadores no Brasil, apenas 31,8% delas tinham carteira assinada. A formalização cresceu com a legislação, em um período de redução do percentual de mulheres ocupadas como trabalhadoras domésticas. Nos dois casos, as tendências parecem estar sendo invertidas, em novo ciclo de concentração de renda, agravado pela aprovação, em 2017, de leis que reduzem as garantias para trabalhadoras e trabalhadores.

O gênero não se configura de maneira independente em relação à raça e à classe social nem é acessório relativamente a essas variáveis. De fato, na conformação conjunta do capitalismo e do patriarcado em seus padrões atuais, as

---

2 Heleieth Saffioti, *A mulher na sociedade de classes: mito e realidade* (3. ed., São Paulo, Expressão Popular, 2013 [1969]), p. 133.

3 Luana Simões Pinheiro et al., "Mulheres e trabalho", cit.

mulheres são posicionadas como um grupo onerado pelo cotidiano de trabalho prestado gratuitamente, direcionado a ocupações específicas, menos remunerado que os homens que desempenham as mesmas atividades e sub-representado na política. Pretendo mostrar aqui que esses quatro elementos estão conectados de forma significativa, o que permite explicar elos importantes das desigualdades correntes. Argumento que *a divisão sexual do trabalho é um lócus importante da produção do gênero*. O fato de ela não incidir igualmente sobre todas as mulheres implica que a produção do gênero que assim se dá é racializada e atende a uma dinâmica de classe.

Parto, assim, de dois pressupostos ancorados na literatura e em um conjunto de dados, que serão discutidos neste capítulo para apresentar a divisão sexual do trabalho como problema teórico e como problema empírico situado. O primeiro deles é que a divisão sexual do trabalho é uma base fundamental sobre a qual se assentam hierarquias de gênero nas sociedades contemporâneas, ativando restrições e desvantagens que modulam as trajetórias das mulheres. O segundo pressuposto é que as hierarquias de gênero assumem formas diferenciadas segundo a posição de classe e raça das mulheres. A divisão sexual do trabalho, no entanto, não se detém nos limites das vantagens de classe e raça; impacta também as mulheres privilegiadas, porém com consequências distintas daquelas que se impõem à maioria das mulheres.

A partir desses dois pressupostos, que serão desenvolvidos com vagar neste capítulo, é que se define a hipótese que procuro aqui demonstrar e que conecta a divisão sexual do trabalho aos padrões de participação política. Entendo que a divisão sexual do trabalho doméstico incide nas possibilidades de participação política das mulheres porque corresponde à alocação desigual de recursos fundamentais para essa participação, em especial o tempo livre e a renda.

Estudos feitos no Brasil, em consonância com a literatura internacional sobre participação política, têm mostrado que práticas e valores que sustentam a divisão sexual do trabalho fundada em concepções convencionais do feminino e do masculino têm impacto no acesso das mulheres a cargos políticos[4] e que "a ausência da mulher na esfera política não pode ser posta unicamente na

---

[4] Ver Clara Araújo e Maria Celi Scalon, "Gênero e a distância entre a intenção e o gesto", *Revista Brasileira de Ciência Política*, v. 21, n. 62, 2006, p. 45-68; Clara Araújo e José Eustáquio Diniz Alves, "Impactos de indicadores sociais e do sistema eleitoral sobre as chances das mulheres nas eleições e suas interações com as cotas", *Dados*, v. 50, n. 3, 2007, p. 535-77; Luis Felipe Miguel e Flávia Biroli, *Caleidoscópio convexo: mulheres, política e mídia* (São Paulo, Editora da Unesp, 2011).

conta dos limites da democracia liberal", com o funcionamento seletivo de suas instituições e suas "limitações estruturais para incluir novos sujeitos"[5].

Embora as hierarquias de classe e raça incidam na definição de quem tem acesso aos espaços de poder, a divisão sexual do trabalho e as formas da construção do feminino a ela relacionadas fazem com que as mulheres tenham chances relativamente menores do que os homens de ocupar posições na política institucional e de dar expressão política, no debate público, a perspectivas, necessidades e interesses relacionados à sua posição social. Têm, com isso, menores possibilidades também de influenciar as decisões e a produção das normas que as afetam diretamente. A cidadania das mulheres é, portanto, comprometida pela divisão sexual do trabalho, que em suas formas correntes contribui para criar obstáculos ao acesso a ocupações e recursos, à participação política autônoma e, numa frente menos discutida neste capítulo, à autonomia decisória na vida doméstica e íntima[6].

Examino, a seguir, abordagens que colocam a divisão do trabalho no centro da dinâmica de opressão das mulheres e da produção do gênero. Tais abordagens entendem que essa relação é fundamental para a compreensão não apenas da posição desigual das mulheres, mas também, de forma mais ampla, da organização das relações de poder nas sociedades contemporâneas. Depois disso, trato do segundo pressuposto, discutindo a produção do gênero nas relações de trabalho como algo que se dá na interseção com classe (numa concepção que, assumo desde já, desliza entre classe e renda) e raça. Por fim, desenvolvo o problema central deste capítulo, que conecta a divisão sexual do trabalho à sub-representação política das mulheres.

Divisão sexual do trabalho e posição desigual das mulheres

A divisão sexual do trabalho não é tema novo nem pouco discutido nas últimas décadas. O estudo das formas assumidas pelo trabalho feminino foi definido

---

[5] Céli Regina J. Pinto, "Feminismo, história e poder", *Revista de Sociologia e Política*, v. 18, n. 36, 2010, p. 22.

[6] Para a noção de autonomia decisória, ver Jean Cohen, "Rethinking Privacy: Autonomy, Identity, and the Abortion Controversy", em Jeff Weintraub e Krishan Kumar (orgs.), *Public and Private in Thought and Practice* (Chicago, The University of Chicago Press, 1997). Para análises anteriores em que assumo essa perspectiva, ver Flávia Biroli, *Autonomia e desigualdades de gênero: contribuições do feminismo para a crítica democrática* (Niterói/Valinhos, Eduff/Horizonte, 2013) e "Autonomia e justiça no debate teórico sobre aborto: implicações teóricas e políticas", *Revista Brasileira de Ciência Política*, n. 15, 2014, p. 37-68.

como "a porta de entrada dos estudos sobre a mulher na academia brasileira", "tendo sido o primeiro [tema] a logo conquistar o selo da legitimidade" nas universidades do país[7]. É o problema central da obra que pode ser considerada pioneira das pesquisas contemporâneas sobre a posição das mulheres na sociedade brasileira: *A mulher na sociedade de classes*, de Heleieth Saffioti, publicada pela primeira vez em 1969.

As pesquisas sobre gênero e trabalho compartilham o entendimento de que a divisão sexual do trabalho permeia as relações sociais e é fundamental na sua organização. Sua problematização permite questionar "categorias e métodos que aprendemos a considerar neutros", como constatou, ainda nos anos 1980, Elizabeth Souza-Lobo[8]. Isso não significa, no entanto, que a questão tenha sido incorporada como problema, seja nos estudos sobre trabalho – que podem padecer, ainda citando Souza-Lobo, de categorias "sexualmente cegas" –, seja nos estudos sobre gênero, nos quais a conexão com a divisão sexual do trabalho nem sempre avança para além da menção desta como enquadramento teórico adotado de partida.

Isso remete, sem dúvida, a uma dinâmica mais ampla de resistências de diversos tipos, no campo das Ciências Sociais, que fixam "fronteiras entre teorias gerais e particulares", compartimentando "problemáticas que atravessam as relações sociais e [que], ao serem circunscritas a espaços 'específicos', são isoladas e perdem todo alcance e extensão"[9]. Essa dinâmica é, ao mesmo tempo, característica dos processos de especialização e do isolamento de problemas, experiências e atores em nichos que não são incorporados às teorias nem às explicações de caráter mais geral. Esses nichos se definem internamente às disciplinas, mas também atuam na produção das fronteiras disciplinares, seletivas na sua permeabilidade a temas e problemas. Assim, se na Sociologia a divisão sexual do trabalho ganhou terreno, mas permanece ainda como questão específica, na Ciência Política não alcança nem mesmo esse estatuto.

Hirata e Kergoat, em um balanço feito décadas depois e mais centrado na produção francesa, chamam atenção para outro limite: a noção de "divisão

---

[7] Cristina Bruschini, "Trabalho feminino: trajetória de um tema, perspectiva para o futuro", *Estudos Feministas*, v. 2, n. 3, 1994, citada em Magda Neves, "Anotações sobre gênero e trabalho", *Cadernos de Pesquisa*, v. 43, n. 149, 2013, p. 405.

[8] Elizabeth Souza-Lobo, *A classe operária tem dois sexos: trabalho, dominação e resistência* (São Paulo, Fundação Perseu Abramo, 2011 [1991]), p. 149.

[9] Idem.

sexual do trabalho" se tornaria mais comum nas Ciências Humanas, porém de uma forma que reduz sua radicalidade, apresentando descrições desprovidas de conotação conceitual[10]. No mesmo texto, elas constatam a menor atenção ao trabalho doméstico a partir dos anos 1990. Este passaria a figurar de maneira fraca "em termos como 'dupla jornada', 'acúmulo' e 'conciliação de tarefas', como se fosse apenas um apêndice do trabalho assalariado"[11].

Joan Williams, que, por sua vez, concentra-se nas pesquisas feitas nos Estados Unidos, afirma que o par trabalho-família foi o tema predominante nos anos 1980, mas teria sido suplantado, nas décadas seguintes, pelos estudos sobre os pares sexo-violência (nos anos 1990) e identidade-sexualidade (nos anos 2000)[12]. Não é algo que encontre correspondência no caso brasileiro. Sexualidade e violência foram, sem dúvida, temáticas que tiveram atenção crescente também no Brasil, mas sem que a perda de espaço dos estudos sobre gênero e trabalho ocorresse em igual medida. Uma explicação pode estar no fato de que, a partir dos anos 1970, a presença das mulheres na população economicamente ativa se ampliou, triplicando entre essa década e os anos 2000. Foi também nesse período que a ampliação da escolarização e as mudanças nos padrões de inserção das mulheres no trabalho remunerado permitiram desafiar a disparidade salarial entre eles e elas, reduzida ao longo dos anos, mas mantida, como dito, em torno de 25%.

Essas parecem ser algumas das razões para a atenção dada, no ambiente acadêmico brasileiro, às conexões entre gênero e trabalho nas décadas de 1990 e 2000. As principais revistas feministas brasileiras publicaram dossiês sobre o tema nos anos 2000, e a produção das pesquisas tem sido contínua[13], mas

---

[10] Ver Helena Hirata e Danièle Kergoat, "Novas configurações da divisão sexual do trabalho", *Cadernos de Pesquisa*, v. 37, n. 132, 2007, p. 595-609.

[11] Ibidem, p. 599.

[12] Joan C. Williams, *Reshaping the Work-Family Debate: Why Men and Class Matter* (Cambridge, Harvard University Press, 2010), p. 112-3.

[13] São três dossiês. Foram publicados na revista *Pagu* em 2002 e em 2009 e organizados, respectivamente, por Ângela Araújo Carneiro e por Nadya Araujo Guimarães, que também foi a organizadora de um dossiê na revista *Estudos Feministas* em 2004. Magda Neves, no artigo "Anotações sobre gênero e trabalho" (*Cadernos de Pesquisa*, v. 43, n. 149, 2013, p. 404-21), menciona ainda um dossiê da revista *Sociologias* do ano 2000, mas a relação entre trabalho e gênero, embora apareça em alguns textos, não é central no dossiê nem nos artigos. Um exemplo da produção continuada de pesquisas sobre o tema no Brasil é o da equipe de pesquisadoras da Fundação Carlos Chagas. Entre suas contribuições está o *Banco de dados sobre o trabalho das mulheres*, disponível em: <www.fcc.org.br/bdmulheres/index.php?area=home>; acessado em: 30 dez. 2017.

comumente passa ao largo do problema da democracia e das conexões entre política e trabalho[14]. A hipótese que aqui levanto para explicar essa inserção no debate acadêmico brasileiro remete às fronteiras disciplinares: a maior parte dos estudos sobre a divisão sexual do trabalho está concentrada na área da Sociologia, como dito, enquanto o tema é praticamente ausente na Ciência Política. O problema é que, segundo sustento neste capítulo, essa divisão tem impacto profundo nas democracias contemporâneas, uma vez que o equilíbrio entre trabalho remunerado e não remunerado e o acesso diferenciado a ocupações incidem nas hierarquias que definem as possibilidades de participação política, pensada não apenas como ocupação de cargos, mas também como engajamento em ações políticas, mais amplamente – algo que será discutido no capítulo 5.

Nos debates teóricos que se tornaram referência para as análises sobre gênero e trabalho, nas últimas décadas, foram as abordagens feministas marxistas que deram maior atenção a esse nexo. A posição das mulheres nas relações de trabalho está no cerne das formas de exploração que caracterizam a dominação de gênero (ou o patriarcado). Trata-se de um conjunto variado de abordagens, atravessado pelo problema da correlação entre a divisão do trabalho doméstico não remunerado, a divisão do trabalho remunerado e as relações de poder nas sociedades contemporâneas.

Em textos publicados a partir dos anos 1970 e reunidos nos dois volumes de *L'ennemi principal*, Christine Delphy definiu capitalismo e patriarcado como sistemas distintos, que se sobrepõem e incidem um sobre o outro; dessa forma, a autora assumiu a posição de representante destacada das teorias feministas dos sistemas duais[15]. De modo semelhante – sem me demorar em diferenças pouco significativas, para meus argumentos neste texto, entre as autoras –, Michèle Barrett afirmaria que a divisão sexual do trabalho não pode ser

---

[14] Uma busca feita com as palavras-chave "trabalho", "trabalho doméstico" e "trabalho doméstico remunerado" nas edições disponíveis na plataforma Scielo das revistas *Estudos Feministas* e *Pagu* (as principais publicações feministas acadêmicas brasileiras) rendeu 27 e 24 artigos, respectivamente. Outra busca, feita nas mesmas revistas, com a combinação das palavras "trabalho" *e* "democracia" ou "trabalho" *e* "política" não teve como retorno nenhum artigo. As buscas foram feitas em setembro de 2015, quando estavam disponíveis no Scielo (<www.scielo.org.br>) 41 números da revista *Estudos Feministas*, publicados entre 2001 e 2015, e 28 números da revista *Pagu*, publicados no mesmo período.

[15] Christine Delphy, *L'ennemi principal*, v. 1: *Économie politique du patriarcat* (Paris, Syllepse, 2013 [1997]), e v. 2: *Penser le genre* (Paris, Syllepse, 2013 [2001]).

atribuída a nenhuma necessidade histórica do capitalismo. Uma explicação que deixasse de levar isso em conta produziria uma fusão equivocada entre uma tendência geral – a separação entre casa e ambiente de trabalho – e sua forma histórica particular. Essa forma particular é que corresponde à divisão sexual do trabalho. Por meio dela, um problema incontornável – "quem tomaria conta das crianças?" (e, podemos complementar, dos doentes, das pessoas com deficiência e dos idosos) – foi resolvido "em benefício dos homens", lançando mão de "uma ideologia de gênero que precede o capitalismo"[16]. Ativamente incorporada pelos capitalistas, mas também pelos trabalhadores organizados, fez parte da luta sindical, manifestando-se na aposta em salários que possibilitassem *aos homens* sustentar *a família*. A separação entre a casa e o trabalho serviu, assim, para justificar hierarquias dentro e fora do espaço doméstico familiar, ultrapassando o universo burguês.

O fato de a industrialização ter transferido parte da produção realizada no espaço doméstico para as fábricas não restringiu a casa a espaço *reprodutivo*. A responsabilização desigual de mulheres e homens por um trabalho que se define, assim, como *produtivo e não remunerado* seria a base do sistema patriarcal no capitalismo. O patriarcado, como sistema político, consistiria numa estrutura de exploração do trabalho das mulheres pelos homens. Seu núcleo, nessa perspectiva, é a divisão sexual do trabalho, em que se configurariam dois grupos (ou classes): as mulheres, que têm sua força de trabalho apropriada, e os homens, que se beneficiam coletivamente desse sistema[17].

A distinção entre trabalho remunerado e não remunerado é, assim, um ponto central. O trabalho que as mulheres fornecem sem remuneração, como aquele que está implicado na criação dos filhos e no cotidiano das atividades domésticas, deixa os homens livres para se engajar no trabalho remunerado. São elas *apenas* que fornecem esse tipo de trabalho gratuitamente, e essa *gratuidade* se define numa relação: o casamento. É nele que o trabalho gratuito

---

[16] Michèle Barrett, *Women's Oppression Today: The Marxist/Feminist Encounter* (Londres, Verso, 1988 [1980]), p. 164-5. Para Barrett, essa ideologia foi ativamente incorporada não apenas pelos capitalistas, mas também pelos trabalhadores organizados. A aposta em um salário capaz de sustentar a família, *para os homens*, em vez da luta pela elevação de todos os salários, é uma das formas mais explícitas dessa incorporação. A afirmação de diferenças nas habilidades teve, também, um papel na divisão do trabalho. É definidora de hierarquias que valorizam desigualmente as atividades e as pessoas que as realizam. Ver também ibidem, p. 167-72.

[17] Christine Delphy e Diana Leonard, *Familiar Exploitation: A New Analysis on Marriage in Contemporary Western Societies* (Cambridge, Polity Press, 2004 [1992]).

das mulheres pode ser caracterizado como não produtivo. Os produtos que não têm valor quando decorrem do trabalho da mulher em casa passam, no entanto, a ter valor econômico fora de casa, quando atendem às necessidades de outras pessoas que não o marido[18]. Vale observar que, para Delphy, isso inclui a preparação de alimentos, a lavagem de roupas, mas também o cuidado das crianças e as formas de apoio moral e de trabalho sexual e reprodutivo que têm sido parte do casamento (algo que será retomado no próximo capítulo). Daí a afirmação de que, "se um homem se casa com sua empregada doméstica ou com uma prostituta, o mesmo trabalho e a mesma mulher repentinamente se tornam não remunerados e 'improdutivos'"[19].

Os efeitos dessa forma de exploração não permanecem, no entanto, nos limites da casa. As "obrigações familiares" restringem e moldam as ocupações fora de casa, ao mesmo tempo que se tornam um pretexto para ampliar a exploração capitalista do trabalho remunerado das mulheres[20].

Essa exploração se daria em dois níveis: um coletivo e um individual. O primeiro consistiria em "atribuir coletivamente a responsabilidade pelas crianças às mulheres e liberar coletivamente os homens" dessas mesmas responsabilidades[21]. É sobre a apropriação coletiva do trabalho das mulheres que se organizaria a exploração individual, isto é, a apropriação do trabalho de cada mulher pelo próprio marido. Como a isenção do homem é coletiva e institucionalizada, um homem pode "exigir como retorno pela sua participação na provisão financeira das crianças a totalidade da força de trabalho de sua mulher"[22].

Essa exploração, no entanto, não termina no casamento. E poderíamos acrescentar que não se esgota em formas convencionais da conjugalidade, em que os homens podem estar posicionados como provedores. Com o divórcio, as mulheres permanecem responsáveis pelas crianças e vivenciam desdobramentos da apropriação do seu trabalho: por um lado, os limites na sua formação e sua profissionalização, derivados das responsabilidades assumidas durante o casamento; por outro, os limites que se impõem pelo fato de *permanecerem* as principais responsáveis pelas crianças quando termina o casamento.

---

[18] Christine Delphy, *L'ennemi principal*, v. 1, cit., p. 123.

[19] Christine Delphy e Diana Leonard, *Familiar Exploitation*, cit., p. 84; aqui, em tradução minha.

[20] Christine Delphy, *L'ennemi principal*, v. 1, cit., p. 51.

[21] Ibidem, p. 131.

[22] Ibidem, p. 133.

Assim, se as mulheres casadas são as que sofrem diretamente a "opressão comum" fundada na divisão do trabalho, as restrições sofridas pelas divorciadas e pelas solteiras com filhos expõem o caráter sistêmico e institucionalizado da opressão: elas vivenciam os custos ampliados da ruptura com os padrões de dependência vigentes, sendo essa ruptura voluntária ou não. Em suma, é justamente o caráter institucional da exploração no casamento que torna potencialmente ruim a situação das mulheres fora dele, a ponto de o casamento aparecer como um mal menor – como "a melhor carreira, economicamente falando"[23].

Trata-se de uma dinâmica que define padrões conjugais, afetivos e ocupacionais e incide na construção dos direitos. A divisão sexual do trabalho doméstico, em seu entrelaçamento com a organização do trabalho assalariado no capitalismo, explicaria, por exemplo, o fato de a jornada de trabalho "normal" ser aquela de um indivíduo liberado do trabalho cotidiano necessário para sua própria manutenção[24]. Se considerarmos o fato de que estão em questão o acesso ao tempo livre e à renda – ponto central para a discussão que aqui proponho –, teremos uma base para o entendimento de que as possibilidades de participação no sistema político não variam apenas segundo a posição socioeconômica relativa da unidade familiar (medida, por exemplo, pela renda média familiar e pelo tipo de ocupação à qual o chefe de família tem acesso), mas guardam correspondência com as hierarquias *de gênero*.

A produção francesa que se define e se orienta pelo conceito de "relações sociais de sexo" também abordou, a partir dos anos 1980, a relação entre o mundo do trabalho remunerado, o do trabalho doméstico e a configuração das hierarquias de gênero[25]. Hirata e Kergoat, num balanço dessa produção, constatam a "plasticidade" dessas relações, destacando que, embora em algumas sociedades, como a francesa, a "condição feminina" tenha sem dúvida melhorado, a distância entre mulheres e homens continua significativa[26]. Tempo livre e renda são eixos fundamentais dessa distância. O aumento paulatino do

---

[23] Ibidem, p. 126. Na análise da adesão das mulheres a práticas e valores que compõem a dinâmica que as oprime, as teorias feministas contribuíram para um entendimento mais complexo do modo como são produzidas as preferências e como se efetivam as escolhas. Discuti isso em outro lugar, ressaltando as condições sociais nas quais as escolhas são feitas e os processos, materiais e simbólicos, nos quais são produzidas as preferências que as justificam. Ver Flávia Biroli, *Autonomia e desigualdades de gênero*, cit.

[24] Christine Delphy, *L'ennemi principal*, v. 1, cit., p. 126.

[25] Danièle Kergoat, *Les ouvrières* (Paris, Le Sycomore, 1982).

[26] Helena Hirata e Danièle Kergoat, "Novas configurações da divisão sexual do trabalho", cit.

número de mulheres em posições de poder e cargos de alta remuneração tem-se mostrado duplamente ineficaz. Não tem sido capaz de romper o chamado teto de vidro para outras que partilham com elas origem e condições profissionais e, principalmente, não implica mudanças para as assalariadas, posicionadas em atividades mal remuneradas e precarizadas. Nos poucos anos que separam a escrita deste livro da publicação dessa análise pelas autoras, reduziram-se em diversos países as garantias para trabalhadoras e trabalhadores. No Brasil, a aprovação da "terceirização irrestrita" e de jornadas "flexíveis" de trabalho tendem a aprofundar as desigualdades já existentes.

A posição de desvantagem das mulheres atualiza-se, assim, nos novos padrões de organização do trabalho no capitalismo. Uma análise como essa encontra possibilidades de diálogo com a abordagem histórica de Sylvia Walby, que, segundo ela mesma, amplia análises sistêmicas anteriores[27]. Embora mantenha a relevância das relações na esfera doméstico-familiar, seu olhar se desloca para as relações de trabalho fora da casa no mundo contemporâneo[28].

Na sua forma prévia à intensificação do processo de industrialização – e seu olhar é para o modo como se deu esse processo na Europa ocidental, em especial na Grã-Bretanha –, o patriarcado teria sido caracterizado pela *exclusão* das mulheres e pelo controle direto de um homem sobre uma mulher, exercido da sua posição de marido ou de pai. A família estava no centro dessa dinâmica de opressão, por ela denominada "patriarcado privado". Mudanças históricas diretamente relacionadas às formas assumidas pelo capitalismo em sua fase industrial teriam atuado para que essas relações se modificassem.

A visão de Walby é de que a opressão das mulheres permaneceu, porém transformada. "Elas não são mais barradas das arenas públicas, mas são ainda assim subordinadas nessas arenas"; a expropriação de seu trabalho se daria agora de forma mais coletiva do que individual, e a casa, que continuaria a ser

[27] Sylvia Walby, *Theorizing Patriarchy* (Oxford, Basil Blackwell, 1990).

[28] O conjunto completo dos argumentos que Walby elenca na sua crítica aos sistemas duais está em ibidem, p. 40. Seu diálogo crítico mais específico é com a posição de Heidi Hartmann, para quem, no capitalismo, o sistema de controle mais direto e pessoal, característico do patriarcado, teria sido *recodificado* em um sistema mediado por instituições sociais. Ver, de Hartmann, "The Family as the Locus of Gender, Class and Political Struggle: The Example of Housework", *Signs*, v. 6, n. 3, 1981, e "The Unhappy Marriage of Marxism and Feminism: Towards a More Progressive Union", em Linda Nicolson (org.), *The Second Wave: A Reader in Feminist Theory* (Nova York, Routledge, 1997); sobre a recodificação do patriarcado no capitalismo, ver especialmente "The Unhappy Marriage of Marxism and Feminism", cit., p. 207.

um espaço de opressão, já não seria o principal lugar em que transcorre a vida das mulheres[29]. No "patriarcado público", Estado e mercado de trabalho passariam a ser as dimensões em que as coerções se organizam e se institucionalizam. Novas formas de inclusão seriam acompanhadas de formas também renovadas de opressão e controle.

O vínculo entre trabalho remunerado e trabalho doméstico não remunerado no âmbito familiar permaneceria significativo, mas, além de não ser exclusivo na construção das hierarquias entre mulheres e homens, não poderia ser apresentado como origem da cadeia causal que as posiciona desigualmente nas sociedades ocidentais contemporâneas: a opressão e as desigualdades de gênero, analisadas em nível estrutural, se organizariam numa dinâmica que vai *do mercado para a família*[30].

A família, por sua vez, assumiria formas cada vez mais diversificadas. Sem aderir a uma visão unidimensional das causalidades, Walby vê nas transformações internas do capitalismo incentivos e pressões que tiveram efeito na reorganização da vida doméstica, em especial na domesticidade das mulheres. Para ela, a demanda por força de trabalho em diferentes momentos nos séculos XIX e XX esteve em conflito com a estratégia do patriarcado privado de manter as mulheres em casa e privatizar seu trabalho. Vale lembrar, no entanto, que foi essa privatização que tornou mais barata a mão de obra feminina, em comparação à masculina. Ela explicaria as dificuldades na luta por direitos trabalhistas por parte das mulheres, como o direito à equiparação salarial. A permanência da atribuição desigual das responsabilidades pela vida doméstica, sobretudo pela criação dos filhos, seria ainda um fator que, como dito anteriormente, tornaria mais aguda a exploração da mão de obra feminina, pelo fato de acarretar a descontinuidade das trajetórias profissionais e provocar maiores conflitos entre as exigências domésticas e o cotidiano de trabalho fora de casa.

As mudanças políticas conquistadas pela chamada primeira onda do feminismo – expressão utilizada por algumas autoras para caracterizar as lutas por direitos entre o século XIX e meados do século XX, como o direito ao voto e à propriedade, o acesso à educação e, mais lentamente, o direito a deixar um casamento – criaram um contexto favorável para o acesso ao trabalho remunerado,

---

[29] Sylvia Walby, *Theorizing Patriarchy*, cit., p. 178.

[30] Ibidem, p. 57.

o que por sua vez aumentou potencialmente a independência das mulheres – para, por exemplo, deixar *de fato* um casamento, já que o direito ao divórcio pode significar pouco quando as alternativas para o próprio sustento e o dos filhos são restritas. O comportamento sexual também se modificaria, segundo ela, em decorrência dessas novas condições materiais. A vitória da primeira onda do feminismo deu-se, sobretudo, "no nível político do Estado", enquanto "as mudanças daí decorrentes no nível econômico criaram a possibilidade material para que as mulheres tirassem vantagem da sua independência legal"[31]. Mudanças significativas na posição relativa das mulheres seriam um resultado combinado das forças capitalistas e das lutas feministas[32], argumento que aqui incluo com ressalvas. As lutas das mulheres apresentaram-se também a partir de projetos anticapitalistas, confrontando não apenas o domínio masculino, mas as relações de classe e de raça. Em outras palavras, a combinação entre o capitalismo e o feminismo burguês é parte da história[33], mas não é toda a história.

Ainda assim, a perspectiva apresentada por Sylvia Walby ajuda-nos a compreender a conformação de gênero da esfera pública moderna e sua atualização nas sociedades contemporâneas. Para ela, os direitos formais importam, e isso pode ser admitido sem que se negue o fato de que eles são vivenciados em condições desiguais por mulheres e homens[34]. Seguindo ainda seu argumento, há dimensões políticas e econômicas na conformação do ambiente em que as mulheres e os movimentos feministas fizeram suas escolhas, e o acesso desigual das mulheres ao trabalho remunerado remete a questões "de poder material assim como de valores normativos"[35].

Em conjunto, as abordagens que discuti até o momento destacam os constrangimentos materiais que constituem as escolhas feitas pelas mulheres, deixando claro que não são suas "escolhas" que geram esses constrangimentos, mas sim o contrário. As motivações podem não se apresentar para os próprios indivíduos como desdobramentos das estruturas que as configuraram[36].

---

[31] Ibidem, p. 185; aqui, em tradução minha.

[32] Ibidem, p. 59.

[33] Nancy Fraser, "Feminism, Capitalism, and the Cunning of History", em *Fortunes of Feminism: From State-Managed Capitalism to Neoliberal Crisis* (Nova York, Verso, 2013), p. 209-26.

[34] Sylvia Walby, *Theorizing Patriarchy*, cit., p. 180.

[35] Ibidem, p. 57; aqui, em tradução minha.

[36] Ibidem, p. 58.

Justamente por isso, motivações e escolhas deveriam ser situadas na dinâmica social em que são produzidas, não explicadas numa dimensão individual e de uma perspectiva voluntarista[37].

Os interesses capitalistas e as formas correntes de exploração do trabalho incidem sobre a vida doméstica, a conjugalidade, a divisão cotidiana das tarefas, a possibilidade mesma de fruição do tempo por mulheres e homens. A alocação das responsabilidades na vida cotidiana, por sua vez, pode coibir ou facilitar a atuação em outras esferas da vida, entre elas a do trabalho e a da política institucional.

Há mais do que dependência das mulheres em relação a homens específicos alimentando esses circuitos hoje. A "ideologia da dependência emocional, física e 'moral'"[38] pode não ter desaparecido, mas certamente se modificou com a ampliação do acesso das mulheres ao trabalho remunerado e à educação formal e com os deslocamentos na dupla moral sexual a partir de meados do século XX. A atuação dos movimentos feministas para a redefinição dos direitos e a ressignificação das relações de gênero teve impacto na construção das identidades tanto quanto no contexto institucional e normativo em que as escolhas das mulheres são feitas. As diferenças entre a ideologia familista e a organização de fato da família, que sempre foram relevantes, ampliaram-se[39]. Embora não tenha havido um momento em que o modelo provedor/dona de casa pudesse ser vivido por todas as famílias, este passou a ter maior centralidade como referência e, portanto, nas expectativas e nas normas vigentes até meados do século XX. De lá para cá, os arranjos familiares são cada vez mais plurais e diversos, como discuto no capítulo 3.

A família *permanece, ainda assim, como nexo na produção do gênero e da opressão às mulheres*. Mas a noção de dependência parece ser hoje menos adequada, em especial quando se pretende caracterizar por meio dela a relação entre mulheres e homens no casamento. Opto, assim, pela noção de *vulnerabilidade*, que entendo corresponder mais adequadamente à posição desigual das mulheres hoje. Os arranjos familiares e os padrões da divisão sexual do trabalho modificaram-se, mas continuam a implicar, nas suas formas correntes,

---

[37] Ver Flávia Biroli, *Autonomia e desigualdades de gênero*, cit., 2013; Christine Delphy e Diana Leonard, *Familiar Exploitation*, cit.; Carole Pateman, *The Problem of Political Obligation: A Critique of Liberal Theory* (Berkeley-CA, University of California Press, 1985 [1979]).

[38] Michèle Barrett, *Women's Oppression Today*, cit., p. 179.

[39] Ibidem, p. 204-5.

maior vulnerabilidade relativa para as mulheres, em especial as mais pobres. O diagnóstico dessa vulnerabilidade relativa não implica, como se verá a seguir, a pressuposição de que todas as mulheres são igualmente impactadas por esses arranjos e padrões. A exploração do trabalho e a expropriação do tempo e da energia das mulheres não têm apenas homens na outra ponta das relações cotidianas que as efetivam.

Posições diferenciadas: convergências entre gênero, raça e classe

Afirmei que a divisão sexual do trabalho produz o gênero, ainda que não o faça isoladamente. A literatura mobilizada destaca a divisão sexual do trabalho como base para a opressão das mulheres: o gênero é, assim, produzido na forma da exploração do trabalho das mulheres e da vulnerabilidade relativa que incide sobre elas. Para ser mais precisa, diferenças codificadas como "naturalmente" femininas ou masculinas, imprimindo às vivências uma concepção dual e binária de gênero, decorrem da atribuição distinta de habilidades, tarefas e alternativas na construção da vida de mulheres e homens. Essas diferenças não se estabelecem da mesma forma para elas e para eles, uma vez que presumem normas masculinas e são mobilizadas para justificar as desvantagens econômicas das mulheres[40].

Em algumas das abordagens mobilizadas, o foco na divisão sexual do trabalho tem como desdobramento a definição das mulheres como grupo que ganha unidade em contraposição aos homens, melhor dizendo, às vantagens deles na atribuição diferenciada das responsabilidades nessa forma binária de construção do gênero. A divisão sexual do trabalho possibilitaria ressaltar uma forma de opressão comum às mulheres[41], da qual decorre a definição das mulheres como classe cujos interesses estariam em conflito com os interesses da classe que as exploraria, os homens. É algo que se desloca quando essa exploração deixa de ser a de uma mulher por um homem, no casamento, como na análise de Sylvia Walby. Permanece, no entanto, a compreensão de que a divisão sexual do trabalho afeta as mulheres como grupo.

Há, de fato, um tipo de exploração que se efetiva porque o trabalho doméstico é realizado *pelas mulheres*, mas isso não significa que seja realizado nas mesmas condições por mulheres brancas e negras, pelas mais ricas e pelas mais

---

40 Joan C. Williams, *Reshaping the Work-Family Debate*, cit., p. 128.

41 Christine Delphy, *L'ennemi principal*, v. 1, cit., p. 50.

pobres ou por mulheres de diferentes partes do mundo. Ao mesmo tempo, o acesso ao mercado de trabalho também se dá de forma distinta, segundo raça, posição de classe e nacionalidade, se levarmos em conta os fluxos migratórios. Na conexão entre divisão sexual do trabalho não remunerado e trabalho remunerado, a vida das mulheres se organiza de maneiras distintas, segundo a posição que elas ocupem em outros eixos nos quais se definem vantagens e desvantagens.

Entendo, assim, que a divisão sexual do trabalho produz o gênero, de fato, mas essa produção se dá na convergência entre gênero, classe, raça e nacionalidade, para incluir na discussão variáveis implicadas diretamente nas relações de trabalho. Em outras palavras, a produção do gênero não ocorre de forma isolada de outras variáveis que, em dado contexto, são relevantes no posicionamento e na identificação das pessoas, assim como no seu acesso a espaços e recursos[42]. Como afirma Elizabeth Spelman, as mulheres vivem em um mundo no qual não há apenas sexismo, mas racismo, classismo e outras formas de opressão, em um mundo, portanto, em que "o 'problema da diferença' é na realidade o problema do privilégio"[43].

Se concordarmos – e é essa minha posição – que as diferenças se definem na forma de privilégios e desvantagens, não estaremos tratando de uma questão identitária, mas de *posições* que ganham sentido em hierarquias[44].

O fato de serem mulheres "pode antecipar algo sobre as restrições e expectativas" que se apresentem[45], mas é justamente porque as mulheres não estão sempre em desvantagem que a generalização da posição de algumas mulheres foi denunciada como forma de tornar invisíveis as experiências de outras mulheres e as relações de poder que as diferenciam. Tomemos como exemplo a maternidade, à qual retornarei nos próximos capítulos. As expectativas e os julgamentos que conferem sentido à maternagem não são igualmente mobilizados ou não incidem da mesma forma sobre grupos diversos de mulheres. Mesmo que essas expectativas, que tomaram forma inicialmente no ambiente da burguesia europeia no século XIX, atravessem diferentes classes sociais e

---

42 Flávia Biroli e Luis Felipe Miguel, "Gênero, raça, classe: dominações cruzadas e convergências na reprodução das desigualdades", *Mediações*, v. 20, n. 2, 2015, p. 27-55.

43 Elizabeth Spelman, *Inessential Woman: Problems of Exclusion in Feminist Thought* (Boston, Beacon, 1988), p. 162.

44 Flávia Biroli e Luis Felipe Miguel, "Gênero, raça, classe", cit.

45 Iris Marion Young, *Intersecting Voices: Dilemmas of Gender, Political Philosophy, and Policy* (Princeton, Princeton University Press, 1997), p. 32.

sejam ativadas em contextos culturais distintos – e há boas razões para entendermos que isso se dê[46] –, os constrangimentos materiais e ideológicos que se impõem às mulheres variam e são vivenciados de maneiras diversificadas, de acordo com a classe social, com a raça e, nesse caso, de modo muito central, também com a sexualidade.

A denúncia da maternidade como dispositivo de poder nem sempre incorporou o fato de que a recusa à autonomia reprodutiva não se deu e não se dá ainda das mesmas maneiras para mulheres brancas e negras (é algo a que retornarei no capítulo 4). Quando se levam em consideração raça e classe, outras dimensões da maternidade são reveladas em suas conexões com a cidadania, a precariedade e a luta política. Entre as feministas negras, a mobilização da maternidade como símbolo de poder vem sendo compreendida como reação à violência e ao racismo que oprime seus filhos, não como uma forma de ação política de menor valor ou maturidade[47]. Não se trata, entendo, de uma nova forma de idealização, mas do reconhecimento de que o "matriarcado da miséria"[48] produz identidades e ações políticas.

Do mesmo modo, a divisão sexual do trabalho não se organizou historicamente segundo um padrão único. Os padrões variam quando se considera a posição de diferentes mulheres (e homens), levando em conta as relações de classe e de raça. Embora tenham sido e continuem sendo os beneficiários da exploração do trabalho doméstico realizado pelas mulheres, os homens também não formam, é claro, um grupo homogêneo. Assim como a posição das mulheres na divisão sexual do trabalho é desigual, os homens "não se beneficiam igualmente do sexismo"[49] nem das vantagens que decorrem dessa divisão. A "exploração comum a todas"[50] não é vivida da mesma maneira, assim como o benefício que os homens auferem dela não põe todos no mesmo patamar nas hierarquias que organizam o mundo do trabalho. Uma questão importante na divisão do trabalho, o contraponto entre o "salário familiar" ganho pelos homens

---

46 Ver Elisabeth Badinter, *O amor incerto: história do amor maternal do século XVII ao século XX* (trad. Miguel Serras Pereira, Lisboa, Relógio d'Água, 1985 [1980]); Flávia Biroli, *Família: novos conceitos* (São Paulo, Fundação Perseu Abramo, 2014).

47 Patricia Hill Collins, *Black Feminist Thought: Knowledge, Consciousness, and the Politics of Empowerment* (Nova York/Londres, Routledge, 2009 [2000]), p. 209.

48 Sueli Carneiro, *Racismo, sexismo e desigualdade no Brasil* (São Paulo, Selo Negro, 2011), p. 127.

49 bell hooks, *Feminist Theory: From Margin to Center* (2. ed., Nova York/Boston, South End, 1984), p. 69.

50 Christine Delphy, *L'ennemi principal*, v. 1, cit., p. 54.

e a domesticidade das mulheres, reflete uma experiência bastante particular[51]. Daí o entendimento de que a defesa do "salário familiar" pelos trabalhadores organizados foi uma estratégia equivocada que promoveu divisões na classe trabalhadora, resultando em benefícios não para *os homens*, mas para os capitalistas[52], embora se possa pensar que há vantagens pontuais para os homens no cotidiano.

Em contrapartida, nem é preciso evocar a ideia de família como refúgio – idealização esta que, sem dúvida, não condiz com as condições concretas de vida de muitas mulheres e crianças[53] – para perceber que o contraste entre a casa como restrição e o mundo público como libertação é uma visão marcada pela experiência de um grupo específico de mulheres. Quando a posição nas relações de trabalho fora da casa implica exploração e é impactada pelo racismo, a vida familiar pode possibilitar formas de cooperação e afeto que se apresentem como alternativas às violências sofridas fora de seus limites.

A ideia de que o trabalho remunerado libertaria as mulheres foi vista por feministas negras e provenientes das classes trabalhadoras como uma idealização fincada na experiência de mulheres brancas, com acesso a carreiras profissionais capazes de oferecer um grau relativamente elevado de autonomia e remuneração. O trabalho assalariado "para as mulheres da classe trabalhadora que ganham muitas vezes menos do que o salário mínimo e recebem poucos benefícios, quando os recebem, significa a continuidade da exploração de classe"[54]. Como lembra Patricia Hill Collins, há algo bastante evidente que precisa ser levado em conta na construção da crítica feminista: muitas mulheres negras desempenham trabalho alienante não remunerado – como o trabalho doméstico infindável das avós e das mães solteiras – e remunerado – como o trabalho doméstico assalariado, o trabalho de limpeza em estabelecimentos comerciais e de passar roupas em lavanderias. O acesso a esse tipo de trabalho não assume, assim, cotidiana e historicamente, o mesmo sentido que o acesso ao trabalho pelas mulheres brancas que puderam trilhar carreiras profissionais. Nessas circunstâncias, a família pode funcionar como um dos poucos mecanismos de suporte para as pessoas. Nela, "apesar do sexismo", seria possível a

---

[51] Ver, por exemplo, a crítica de bell hooks em *Feminist Theory*, cit., ao livro de Betty Friedan, *The Feminine Mystique* (Nova York, Norton, 2001 [1963]).

[52] Michèle Barrett, *Women's Oppression Today*, cit.; Johanna Brenner, *Women and the Politics of Class* (Nova York, Monthly Review, 2000).

[53] Flávia Biroli, *Família*, cit.; Christine Delphy e Diana Leonard, *Familiar Exploitation*, cit.

[54] bell hooks, *Feminist Theory*, cit., p. 61; aqui, em tradução minha.

experiência da dignidade e do valor próprio, "uma humanização que não é experienciada no mundo exterior, onde confrontamos todas as formas de opressão"[55]. Daí a crítica de que a "desvalorização da vida familiar na discussão feminista muitas vezes reflete a natureza de classe do movimento"[56], deixando de fora essa dimensão das relações. Por outro lado, ainda que a maioria das mulheres não tenha emprego satisfatório, tomar parte da esfera pública por meio da inserção no mundo do trabalho, em vez de permanecer na rotina de isolamento e trabalho doméstico repetitivo, é considerado um bem por muitas delas[57].

Assim, o acesso ao trabalho remunerado se dá de forma diferenciada não apenas entre homens e mulheres, mas também entre diferentes grupos de mulheres. O mesmo ocorre no que diz respeito ao exercício de trabalho não remunerado dentro de casa e às formas que a dependência e a vulnerabilidade poderão assumir durante o casamento ou depois do seu término.

Os dados sobre renda e chefia familiar colaboram para confirmar essa interpretação. É crescente o número de mulheres na posição de chefes de família, isto é, de principais ou únicas responsáveis pela renda familiar. Em 1995, 22,9% das famílias brasileiras tinham mulheres como chefes; em 2013, esse percentual havia subido para 38,8%. A renda média *per capita* dos domicílios em que o chefe de família é homem permanece, no entanto, superior: é 10,9% maior do que a dos domicílios chefiados por mulheres. Um dado importante para a interpretação dessa desvantagem é que, entre as famílias chefiadas por mulheres, 42,6% são formadas por mulheres com seus filhos (contra 22,9% formadas por casais com seus filhos). Já entre as famílias chefiadas por homens, apenas 3,6% são formadas por homens com seus filhos (contra 57,3% formadas por casais com seus filhos)[58].

---

[55] Ibidem, p. 38; aqui, em tradução minha.

[56] Ibidem, p. 39; aqui, em tradução minha.

[57] Ver, de Luis Felipe Miguel e Flávia Biroli, *Feminismo e política: uma introdução* (São Paulo, Boitempo, 2014), a partir da obra fundamental de Angela Davis, *Mulheres, raça e classe* (São Paulo, Boitempo, 2016 [1981]), p. 243; e Cynthia Sarti, *A família como espelho: um estudo sobre a moral dos pobres* (7. ed. São Paulo, Cortez, 2011), p. 100. Para uma abordagem alternativa à perspectiva burguesa da emancipação e da vida doméstica familiar, conferir também Aleksandra Kollontai, "Communism and the Family", em *Selected Writings* (Nova York, Norton, 1977 [1921]), p. 250-60.

[58] Instituto de Pesquisa Econômica Aplicada (Ipea), *Retrato das desigualdades de gênero e raça* (Brasília, Ipea, 2014).

Vale observar que mais da metade dos domicílios chefiados por mulheres tem à frente mulheres negras. Do ponto de vista dos arranjos familiares, são poucas as diferenças. Entre os domicílios chefiados por mulheres, o número dos que são formados por mulheres com seus filhos é pouco maior entre as mulheres negras (chegando a 17,7%) do que entre as mulheres brancas (em que perfaz 15,2%). A maior diferença entre os dois grupos está na renda. A disparidade é, nesse caso, bem maior do que a existente entre os domicílios chefiados por mulheres e os chefiados por homens, indicando que a questão racial é um elemento incontornável para o entendimento dessas assimetrias. Nos domicílios chefiados por mulheres brancas, a renda domiciliar *per capita* é 47,3% maior do que nos chefiados por mulheres negras – e 40% maior do que nos chefiados por homens negros[59].

Esses dados parecem afastar a possibilidade de se compreender a vulnerabilidade relativa das mulheres como uma questão *feminina*. Em vez disso, é preciso compreender a vulnerabilidade relativa de *determinadas mulheres*. A correlação entre trabalho não remunerado, trabalho remunerado e arranjos familiares tem efeitos distintos se consideramos as mulheres negras e as mulheres brancas. A divisão sexual do trabalho permanece ativa para os dois grupos, razão pela qual aqui se assume uma perspectiva interseccional.

O acesso diferenciado ao tempo, diretamente relacionado ao engajamento nas tarefas domésticas, mostra que faz sentido pensar a alocação de responsabilidades segundo uma perspectiva de gênero. Entre as mulheres com mais de 16 anos, 87,6% dizem realizar trabalhos domésticos, o que só se verifica em 45,8% dos homens na mesma faixa etária. Do mesmo modo, entre as mulheres com 10 anos de idade ou mais, o número médio de horas semanais dedicadas ao trabalho doméstico é de 23,8, mais do que o dobro do deles, que é de 10,1 horas[60].

Em conjunto, os dados indicam que o padrão atual de privatização das relações familiares incide desigualmente sobre as mulheres e onera sobretudo aquelas que não têm recursos para a contratação de serviços no mercado. A responsabilização "da família", quando o assunto é o cuidado de filhos e idosos e o atendimento a necessidades cotidianas como a de preparação dos alimentos, por exemplo, corresponde predominantemente à responsabilização das mulheres.

---

59 Idem.

60 Idem.

Também aqui permanecem as assimetrias entre mulheres e homens, mas se definem em conjunto com as variáveis de classe e de raça. O acesso à educação, que hoje, no Brasil, é maior entre as mulheres do que entre os homens, tem efeitos distintos para elas e para eles. A média de tempo de estudo entre as pessoas com mais de 15 anos era, em 2013, de 7,8 anos para os homens e de 8,2 anos para as mulheres. Quanto maior o nível de escolaridade *das mulheres*, no entanto, maior é a diferença entre sua renda média e a dos homens[61]. Por outro lado, a diferença no tempo de estudo se amplia quando consideramos a raça. Entre os homens brancos na mesma faixa etária, ainda em 2013, a média é de 8,7 anos; entre os negros, é de 6,9 anos; entre as mulheres brancas, é de 9 anos; entre as negras, é de 7,4 anos[62].

O acesso das mulheres a profissões de prestígio, assim como a presença maior de *determinadas mulheres* em ocupações marcadas pela precariedade, expõe essas formas cruzadas de desvantagem. Isso é claramente mostrado pela análise feita por Cristina Bruschini e Maria Rosa Lombardi sobre os dois polos da presença das mulheres no trabalho remunerado nos últimos anos do século XX[63]. Em um dos polos, o do trabalho doméstico, concentravam-se, em 1997, 18% das mulheres empregadas. Também em 1997, 16% das mulheres empregadas tinham ocupações que figuram entre as profissões técnicas, como medicina, arquitetura, engenharia, advocacia e carreiras jurídicas. Entre as primeiras, temos um perfil de mulheres jovens, de baixa escolaridade, realizando trabalho precário e pouco especializado, caracterizado por longas rotinas e baixa remuneração. Entre as profissionais das áreas técnicas, há também um grande percentual de mulheres jovens, o que é explicado por seu acesso mais recente a essas profissões. Nesse caso, o nível de escolarização é alto, e os rendimentos são bastante superiores aos das mulheres do primeiro polo. Os polos voltam a se unir na forma de hierarquia e diferença, não de semelhança e compartilhamento de posições, pois "é no trabalho das empregadas domésticas que as profissionais frequentemente irão se apoiar para poder se dedicar à própria carreira"[64].

---

[61] Ângela M. C. Araújo e Maria Rosa Lombardi, "Trabalho informal, gênero e raça no Brasil do início do século XXI", *Cadernos de Pesquisa*, v. 43, 2013, p. 452-77.

[62] Ipea, *Retrato das desigualdades de gênero e raça*, cit.

[63] Cristina Bruschini e Maria Rosa Lombardi, "A bipolaridade do trabalho feminino no Brasil contemporâneo", *Cadernos de Pesquisa*, n. 110, 2000.

[64] Ibidem, p. 101.

Vale observar que, em 2013, ano em que foi aprovada no Brasil, pela primeira vez, a legislação que equipara o trabalho doméstico remunerado a outros tipos de trabalho, o número de trabalhadoras domésticas havia se reduzido bastante em comparação ao que era em 1997, ano de referência dos dados discutidos por Bruschini e Lombardi. O percentual de mulheres negras que exerciam trabalho doméstico era, no entanto, de 18,6%, bem próximo do percentual total das mulheres que exerciam trabalho doméstico remunerado em 1997, que era de 18%. Já o de mulheres brancas era de 10,6%. Cabe examinar também a questão da precariedade dos contratos nessa ocupação. Em 2009, aproximadamente uma em cada quatro mulheres empregadas no trabalho doméstico tinha carteira assinada, e 0,5% delas – o que corresponde a cerca de 30 mil mulheres – não tinha renda própria, isto é, encontrava-se numa situação semelhante à de trabalho escravo[65]. Em 2013, apenas 31,8% delas tinham carteira assinada, mas esse percentual fica abaixo dos 30% quando se consideram apenas as mulheres negras e abaixo dos 20% nas regiões Norte e Nordeste do país[66]. A reversão recente da queda no número de mulheres ocupadas no trabalho doméstico remunerado, que vinha se firmando desde 2009, associada à redução dos direitos trabalhistas após o golpe de 2016, atuará nesse cenário de desigualdades regionais e étnico-raciais.

A divisão sexual do trabalho está ancorada na naturalização de relações de autoridade e subordinação, que são apresentadas como se fossem fundadas na biologia e/ou justificadas racialmente. Em conjunto, as restrições impostas por gênero, raça e classe social conformam escolhas, impõem desigualmente responsabilidades e incitam a determinadas ocupações, ao mesmo tempo que bloqueiam ou dificultam o acesso a outras.

A "atribuição de diferenças categoriais", que ocorre "por meio de referências a características corporais e, portanto, por meio de referências a supostas certezas biológicas"[67], é ativada de maneiras diversas. Está presente nas justificativas que romantizam os papéis, como no caso da ideologia maternalista – as mulheres cuidariam mais das crianças porque possuiriam tendências naturais para tal cuidado, não porque os homens são socialmente liberados dessa função. Está presente, também, na subalternização característica das ideologias racistas

---

[65] Ipea, *Retrato das desigualdades de gênero e raça* (4. ed., Brasília, Ipea, 2011).

[66] Idem, *Retrato das desigualdades de gênero e raça* (Brasília, Ipea, 2014).

[67] Ina Kerner, "Tudo é interseccional?", *Novos Estudos*, n. 93, 2012, p. 46.

– as mulheres negras realizariam o trabalho remunerado de limpeza porque essa ocupação estaria de acordo com suas habilidades enquanto mulheres negras. No primeiro caso, serve para justificar assimetrias entre mulheres e homens; no segundo, para justificar assimetrias entre mulheres tanto quanto entre mulheres e homens.

Nesta seção, procurei expor o fato de que a produção do gênero na divisão do trabalho não se faz de maneira isolada em relação à classe e à raça. As desigualdades de gênero *assim compreendidas* constituem os limites da democracia. É sobre isso que falo a seguir, retomando mais diretamente a hipótese enunciada na apresentação deste capítulo, de que a divisão sexual do trabalho doméstico implica menor acesso das mulheres a tempo livre e a renda, com impacto nas suas possibilidades de participação política.

Divisão sexual do trabalho, gênero e democracia

Na imensa maioria das análises da democracia, a suspensão da divisão sexual do trabalho como problema político é correlata da invisibilidade da posição das mulheres e, em especial, das relações de gênero. A abordagem restrita da democracia, em que a política é autonomizada relativamente ao cotidiano e às relações sociais, é o que possibilita essa atitude. Entendo que ela é um pilar importante da "despolitização da teoria política"[68]. Por outro lado, numa teoria política "politizada", atenta às disputas e às hierarquias que conformam e limitam a democracia, a divisão sexual do trabalho seria um desafio para a problematização das formas aceitas de autoridade e subordinação, assim como para as explicações sobre os limites à participação política – ainda que se trate dos limites à participação das mulheres, estamos falando de desvantagens que incidem sobre um contingente de pessoas que corresponde a mais da metade da população.

As relações de autoridade que produzem a subordinação das mulheres são tecidas por múltiplos fatores. A dupla moral sexual, a tolerância à violência que as atinge por serem mulheres, a ideologia maternalista e os limites para o controle autônomo da sua capacidade reprodutiva são alguns deles. A divisão sexual do trabalho apresenta-se como variável específica (ainda que não independente), determinante para a compreensão de como se organizam as hierarquias de

[68] Carole Pateman, "Soberania individual e propriedade na pessoa", *Revista Brasileira de Ciência Política*, n. 1, 2009 [2002], p. 175-6 e 198-9.

gênero. Ela está presente, também, na composição dos outros fatores mencionados, ainda que as conexões não se estabeleçam sempre numa mesma direção, em que a primeira pudesse ser tomada como fundamento das demais ou como causalidade direta. Tomemos como exemplo a violência doméstica: os obstáculos para que as mulheres deixem relacionamentos e lares violentos têm como componente importante, embora não exclusivo, o fato de que, em virtude dos padrões sociais expostos anteriormente, sua posição relativa implica condições materiais e cotidianas desvantajosas e de maior vulnerabilidade em relação aos homens, sobretudo quando têm filhos pequenos.

A divisão sexual do trabalho tem caráter estruturante, como também procurei mostrar. Ela não é expressão das escolhas de mulheres e homens, mas constitui estruturas que são ativadas pela responsabilização desigual de umas e outros pelo trabalho doméstico, definindo condições favoráveis à sua reprodução. Essas estruturas são constitutivas das possibilidades de ação, uma vez que restringem as alternativas, incitam julgamentos, que são apresentados como de base biológica (aptidões e tendências que seriam naturais a mulheres e homens), e fundamentam formas de organização da vida que, apresentadas como como naturais ou necessárias, alimentam essas mesmas estruturas, garantindo assim sua reprodução.

Por isso entendo que *a divisão sexual do trabalho é produtora do gênero*, ainda que não o seja isoladamente. Ela compõe as dinâmicas que dão forma à dualidade feminino-masculino, ao mesmo tempo que posiciona as mulheres diferente e desigualmente segundo classe e raça.

A análise de sua relação com a democracia, aqui proposta, é orientada por algumas premissas decorrentes das abordagens teóricas e dos elementos empíricos já discutidos neste capítulo. Em primeiro lugar, a divisão sexual do trabalho não pode ser explicada no âmbito da individualidade, das escolhas voluntárias dos indivíduos. Ela as conforma e circunscreve. Essa divisão pode ser compreendida como estruturante de identidades e alternativas. Nessa condição, é ativada pelas instituições, pelas políticas públicas (ou pela ausência de certas políticas) e, em conexão com elas, pelas formas simbólicas de afirmação do feminino e do masculino em outras dimensões das relações de gênero.

Por fim, como procurei mostrar nas discussões anteriores, quem realiza trabalho doméstico enfrenta restrições no acesso a recursos políticos fundamentais, entre os quais estão: tempo livre, remuneração e redes de contato. Ao mesmo tempo, as competências e as habilidades desenvolvidas para a realização desse trabalho, embora significativas e desafiadoras, são desvalorizadas e pouco reconhecidas na esfera pública política.

Apesar disso, os debates correntes sobre democracia pouco incorporam os problemas aqui tratados. A *subinclusão*[69] da divisão sexual do trabalho na agenda política e na agenda das teorias da democracia pode ser atribuída a dois fatores. O primeiro deriva das assimetrias entre mulheres e homens. Para os homens – que são maioria na política institucional, ocupando cerca de 90% dos assentos na Câmara dos Deputados e mantendo larga distância do percentual de mulheres, tanto nesse como em outros espaços e níveis da política institucional –, a carga desigual produzida pela divisão sexual do trabalho e a precariedade no exercício do trabalho doméstico remunerado não são de fato problemas prioritários. Passam longe da sua experiência, não se definindo assim como questões que os tocam diretamente. Por serem, em sua maioria, não homens genéricos, mas homens brancos pertencentes aos estratos com maior remuneração média e maior escolaridade, sua experiência – já *per si* diferente daquela das mulheres que realizam cotidianamente o trabalho doméstico – distancia-se ainda mais quando se toma como referência, por exemplo, a experiência das mulheres que realizam trabalho doméstico remunerado. Em resumo, suas características os situam na posição de quem exerce menos trabalho doméstico, por serem homens, e na posição de patrões nas relações de trabalho doméstico remunerado.

Os dados já apresentados sobre tempo médio semanal dedicado ao trabalho doméstico são significativos. A correlação entre ocupação remunerada e cuidado com os filhos também reforça esse raciocínio, considerando as implicações da responsabilização desigual pela vida cotidiana para as mulheres. Em 2012, somente 20,3% das mulheres com filhos de até 3 anos de idade tinham todos os filhos em creche. Entre as que tinham todos os filhos em creche, 72,9% estavam ocupadas; esse índice cai para 42,6% quando se consideram as mulheres que não tinham nenhum dos filhos em creche[70].

Para *elas*, que, como vimos, dedicam ao trabalho doméstico mais que o dobro do tempo que *eles* dedicam e são responsabilizadas prioritariamente

---

[69] Kimberlé Crenshaw, "Documento para o encontro de especialistas em aspectos da discriminação racial relativos ao gênero", *Revista Estudos Feministas*, ano 10, 2002.

[70] Secretaria de Políticas para as Mulheres (SPM), *Relatório anual socioeconômico da mulher*, 2014 (Brasília, SPM, 2015).

pelas crianças, a disponibilidade de creches é uma questão fundamental. Mas não o é para *eles*, que, no entanto, têm maior acesso aos espaços decisórios. A agenda política pode, assim, ser profundamente unilateral quando as mulheres não têm acesso igualitário à definição coletiva e à expressão pública de suas necessidades e seus interesses, sobretudo nos espaços em que necessidades e interesses podem desdobrar-se em agenda e exercício de influência.

O segundo fator deriva das assimetrias *entre mulheres*, tanto quanto entre mulheres e homens. O conjunto de problemas que a divisão do trabalho suscita, nesse caso, pode ter baixa prioridade não apenas para os homens, mas também para muitas mulheres. Para um grupo determinado de mulheres, ele pode não assumir a forma de obstáculo para sua atuação na vida pública porque elas têm a possibilidade de contratar o trabalho doméstico remunerado de outras mulheres. Nessa condição, os problemas não estão ausentes (mesmo as mulheres em posição vantajosa dedicam mais tempo aos afazeres domésticos do que os homens, como visto), mas seu impacto é reduzido pelo acesso a produtos e pela contratação dos serviços de outras mulheres. Por isso, podem não ser "percebido[s] como um problema de gênero porque não faz[em] parte da experiência das mulheres dos grupos dominantes"[71]. Embora esse grupo seja minoritário entre as mulheres, é sua posição que predomina entre as que ocupam cargos políticos.

Este é, parece-me, um ponto fundamental para compreender tanto o impacto diferenciado da divisão sexual do trabalho quanto a pouca atenção dada à sua relação com os limites das democracias: a divisão sexual do trabalho existe na forma de privilégio, tanto quanto na de desvantagem e opressão. Nas relações assim estabelecidas, estão no polo do privilégio aqueles que têm presença maior na política institucional e, como tal, maiores possibilidades de influenciar a agenda pública e a formulação de leis e políticas. Está no polo da desvantagem e da opressão justamente quem tem menores possibilidades de ocupar espaços e exercer influência no sistema político, isto é, as mulheres, em especial mulheres negras, pobres e imigrantes.

Em outras palavras, quanto mais a divisão sexual do trabalho doméstico incide como problema e obstáculo na vida das pessoas, mais distantes estão elas do sistema político. Quanto mais envolvidas estão com o trabalho doméstico

[71] Kimberlé Crenshaw, "Documento para o encontro de especialistas em aspectos da discriminação racial relativos ao gênero", cit., p. 176.

cotidiano, menores e menos efetivos são os instrumentos de que dispõem para politizar as desvantagens que vivenciam e as hierarquias assim estruturadas.

Para quem não realiza trabalho doméstico, pode não ser evidente que este toma tempo e restringe outras formas de atuação na sociedade. Podemos entender que na divisão sexual do trabalho se configura uma forma daquilo que Joan Tronto definiu como "irresponsabilidade dos privilegiados"[72]. Por estarem numa condição vantajosa dada previamente, algumas pessoas podem agir como se não se tratasse de uma vantagem. Por exemplo, aqueles que nunca terão de se preocupar com a limpeza cotidiana da casa nem do ambiente de trabalho podem tratá-la como irrelevante ou simplesmente deixar de enxergá-la; ela continuará a ser feita, de maneira que, *de fato, para eles*, não exige tempo, esforço e energia. As relações são estruturadas de tal modo que os libera da carga das responsabilidades atribuídas a outras pessoas. Sua experiência está tão distante daquilo que é vivenciado pelas pessoas para quem essas relações implicam desvantagens que eles podem agir como se essas desvantagens não existissem.

Tronto alerta para o fato de que esse mecanismo é simultaneamente moral e político[73]. De uma perspectiva moral, algumas pessoas podem eximir-se das responsabilidades alegando que *suas* responsabilidades seriam de outro tipo (e, acrescento, superiores, dada a desvalorização do trabalho de que estão sendo liberadas e a sobrevalorização do trabalho que exercem); de uma perspectiva política, algumas pessoas podem atribuir responsabilidades a outras, sem terem de justificar essa atribuição desigual ou a alocação também desigual de recursos que ela implica.

A divisão sexual do trabalho não produz sozinha o acesso desigual ao sistema político, mas é um dos seus "gargalos". Abaixo, elenco alguns fatores que têm conexão com a divisão sexual do trabalho e funcionam como obstáculos à participação política das mulheres. A discussão sobre representação e participação de mulheres na política será retomada de maneira mais sistemática no capítulo 6 deste livro.

As mulheres atuam politicamente a despeito da divisão sexual do trabalho. Mas, para elas, o custo dessa atuação se amplia. Uma das dificuldades está em *julgamentos e pressões sociais*, na maior dificuldade para conciliar relacionamentos

---

72 Joan Tronto, *Caring Democracy: Markets, Equality, and Justice* (Nova York, New York University Press, 2013), p. 58.

73 Idem.

e vida familiar com atuação política. Isso ocorre porque o trabalho político exige uma rotina que contrasta com as expectativas correntes de cuidado dos filhos e responsabilidade cotidiana pela vida doméstica.

Apresenta-se, também, na forma de restrições concretas no acesso a *tempo*, uma vez que se espera delas – mas não deles – que o envolvimento com sindicatos, militância, partidos políticos e mesmo com a carreira seja equilibrado com a vida doméstica familiar. A divisão sexual do trabalho consome desigualmente tempo de mulheres e homens. Ainda que isso se dê de forma assimétrica entre as mulheres, pelas razões já discutidas, pode ser tomada como um fator para a explicação da menor participação política das mulheres, para sua posição de grupo sub-representado na política.

Essa mesma dinâmica, de responsabilização desigual e restrições no acesso ao tempo, sobretudo quando as mulheres têm filhos pequenos, orienta sua presença no mercado de trabalho e seu acesso à *renda*. Como visto neste capítulo, os homens têm renda maior do que as mulheres, mesmo em um contexto em que o acesso delas ao ensino formal é maior do que o deles. Entre elas, o acesso a ocupações remuneradas tem correlação com a presença ou não dos filhos em creches, como também foi mencionado anteriormente.

Ainda uma vez, essa dinâmica que lhes rouba tempo e recursos (e, sistematicamente, de mais tarefas domésticas cotidianas) pode também reduzir o acesso a *redes de contato* que ampliariam as possibilidades de construção de uma carreira política e mesmo de acesso a movimentos e espaços de organização coletiva.

Vale destacar que, em conjunto, as variáveis consideradas reduzem as possibilidades de transposição da atuação política cotidiana no âmbito local, no comunitário, assim como nos movimentos sociais, para a política eleitoral e para outras formas do exercício direto de influência política.

Fatores que podemos entender como ideológicos (por exemplo, a naturalização das competências e das habilidades) e fatores materiais e da ordem do acesso assimétrico a recursos (como a remuneração desigual e o acesso também desigual a tempo livre) atuam em conjunto como estímulos ou desestímulos à participação na vida pública e, especificamente, na política. A dimensão ideológica e a dimensão material/de recursos se complementam. A remuneração pelo trabalho define-se numa escala em que o que é historicamente associado ao feminino tem menor valor; o acesso ao tempo, por sua vez, organiza-se de formas distintas pela naturalização de determinadas responsabilidades como femininas e/ou maternas.

Há, assim, elementos suficientes para que a conexão entre divisão sexual do trabalho e democracia seja considerada e, ao menos, colocada na posição de hipótese para ser testada em pesquisas teóricas e empíricas.

A análise do trabalho realizado na esfera familiar evidencia as hierarquias que organizam as relações dentro e fora dela. Daí a importância de que as seguintes perguntas sejam parte das indagações feitas por pesquisadoras e pesquisadores na análise das desigualdades sociais e a da democracia: quem produz? Quem cuida? Como se define a partilha do tempo e da energia entre trabalho remunerado e não remunerado?

São perguntas diretamente ligadas àquelas que, segundo Sylvia Walby[74], estão na base dos estudos de gênero e trabalho: por que as mulheres ganham menos do que os homens? Por que as mulheres se engajam menos em trabalho remunerado do que os homens? Por que as mulheres têm ocupações diferentes das dos homens?

A conexão que destaco neste capítulo é, por sua vez, entre os problemas assim definidos e os limites da participação política nas democracias. Entendo que as perguntas citadas são necessárias para que se possa responder adequadamente a uma outra: por que as mulheres têm menor presença que os homens na política institucional e, portanto, menor capacidade de influência, como grupo?

A disputa pelos limites do que é e do que não é político é um dos pontos principais de conflito no capitalismo tardio[75]. Ela é marcada pela compreensão, hegemônica na Ciência Política e no pensamento político em sentido mais amplo, de que a política é uma esfera distinta e antagônica relativamente à vida doméstica e ao mercado, que constituiriam esferas privadas.

Os movimentos feministas, assim como os movimentos antirracistas, vêm desempenhando papel significativo nessas disputas ao questionarem as fronteiras entre o que é e o que não é político[76]. Tiveram sucesso historicamente em muitas frentes, mas esse êxito depende de um longo processo de ressemantização das hierarquias e das opressões cotidianas, para o qual contam com menos recursos (discursivos, materiais e na forma de posições ocupadas no sistema político) do que os grupos privilegiados.

---

[74] Sylvia Walby, *Theorizing Patriarchy*, cit., p. 25.

[75] Nancy Fraser, *Fortunes of Feminism*, cit., p. 60.

[76] Luis Felipe Miguel e Flávia Biroli, *Feminismo e política*, cit.

As mulheres, sobretudo as negras e as mais pobres, têm menor poder de politizar suas necessidades e seus interesses – o que não significa que não o façam, mas, como dito anteriormente, o caminho que precisam trilhar é mais longo, mais difícil e define-se em desvantagem em relação aos grupos que detêm recursos para fazer valer seus interesses junto ao Estado e no debate público.

Tem sentido, parece-me, distinguir algumas dimensões nessas disputas. Uma delas é a posição relativa dos grupos na determinação de *quais* necessidades e interesses entram na agenda pública. Outra dimensão corresponde à disputa por conferir sentido às necessidades reconhecidas, quando fazem parte do debate e da agenda política. Nesse caso, é fundamental saber se os grupos ocupam a posição de agentes autônomos, vistos como capazes de conferir sentido a suas necessidades e buscar alternativas para atendê-las, ou se outros atores (políticos, religiosos, técnicos) conferem sentido a suas necessidades. Daí a importância política da *presença* nos espaços em que recursos são alocados e políticas públicas são construídas.

Os problemas aqui apresentados vêm ganhando relevância no debate público e na agenda política nas últimas décadas, mas dentro de um quadro de disputas no qual predominam visões que não conferem autonomia às mulheres como agentes políticos e colaboram para suspender a divisão sexual do trabalho como problema. Na forma da preocupação com a família, podem até adquirir uma força política que, ao contrário, colabore para aprofundar privilégios e desvantagens existentes. O apelo, nesse caso, é por um modo de organização familiar nuclear privada que pressupõe a liberação dos homens no trabalho doméstico cotidiano, reforçando, assim, a autoridade masculina graças ao trânsito potencialmente maior deles na vida pública, enquanto a referência para a qualificação da mulher é seu papel de mãe. Ao mesmo tempo, as responsabilidades públicas são reduzidas, e a dinâmica de mercado ganha maior espaço na solução dos problemas cotidianos, ampliando a precariedade de quem tem menos recursos.

Quando a ideologia "familista" é a resposta para os problemas relacionados ao cuidado das crianças, que é parte significativa do trabalho cotidiano das mulheres, aprofunda-se a exclusão delas da vida pública[77]. É esse o problema central do capítulo 3. De uma perspectiva conservadora, muitas vezes desconectada das famílias reais, a vulnerabilidade relativa das mães solteiras, por

---

[77] Johanna Brenner, *Women and the Politics of Class*, cit., p. 108.

exemplo, pode ser considerada não um fator das assimetrias aqui discutidas, mas uma derivação de problemas morais associados a um suposto declínio da família. Em oposição à politização que os movimentos feministas vêm promovendo historicamente, assim como às transformações sociais que ampliaram a possibilidade de atuação pública por parte das mulheres, esse tipo de conservadorismo assume a forma da reprivatização[78]. Temas e problemas concretos são mais uma vez empurrados para a vida privada, codificados como problemas individuais ou familiares.

A participação na política institucional amplia os recursos para a politização e a ressemantização das experiências e dos problemas enfrentados pelas pessoas. Trata-se de um âmbito privilegiado das disputas, em que se definem quais são as necessidades prioritárias e o que seria preciso para atendê-las, assim como para a construção coletiva e a validação política dos interesses.

A exclusão sistemática de alguns grupos expõe o caráter hierarquizado da democracia, mantendo-os numa condição de sub-representação e de marginalidade no debate público, na construção de normas e políticas públicas. Procurei mostrar que a divisão sexual do trabalho é um fator importante dessa exclusão, comprometendo a autonomia individual e coletiva das mulheres. Ainda que não incida da mesma forma nem no mesmo grau na vida de todas as mulheres, estabelece assimetrias no acesso ao tempo, à renda e às redes de contato, assim como na forma de julgamentos e pressões sociais.

As restrições que assim se estabelecem definem-se na forma de opressões cruzadas, isto é, na convergência entre gênero, classe e raça. Sem que se levem em conta as relações de gênero, é impossível explicar por que a precariedade e a vulnerabilidade são maiores entre as mulheres do que entre os homens. Sem que se levem em conta as relações de classe e de raça, é impossível compreender por que as mulheres estão em posições assimétricas nas hierarquias que assim se definem.

Permanece, portanto, a necessidade de se compreenderem e enfrentarem *os padrões de gênero nessas hierarquias*, considerando que a *produção do gênero nas relações de trabalho se faz na interseção de ao menos três fatores: gênero, classe e raça.*

O foco no cotidiano, nesse caso pelo prisma da divisão sexual do trabalho e de seus efeitos, não implica menor atenção à política institucional. Procurei ressaltar que não se trata de anular a importância do acesso ao Estado, isto é,

---

78 Nancy Fraser, *Fortunes of Feminism*, cit.

da participação no âmbito estatal, sobretudo porque normas e instituições conformam as vivências possíveis e podem incidir sobre valores arraigados e ativados no cotidiano da sociedade. Argumentei que é preciso incorporar uma dimensão estrutural fundamental das relações de gênero – a divisão sexual do trabalho – à análise crítica dos limites da democracia. A dinâmica que produz a sub-representação nas arenas institucionais não pode ser explicada sem uma crítica aguda da vida cotidiana e dos padrões sociopolíticos que nela se escoram.

No próximo capítulo, discuto um dos aspectos fundamentais da alocação desigual das responsabilidades: o acesso ao cuidado. Permanece, nessa temática, o problema da extração de tempo e de energia de quem cuida, assim como a questão da desvalorização do trabalho cotidiano fundamental, realizado majoritariamente por mulheres. Vistos do prisma do cuidado, os limites do debate público são ainda mais estreitos, pois ignoram a importância de vínculos e de formas inelutáveis de dependência, assim como seus efeitos na vida das pessoas.

2
CUIDADO E RESPONSABILIDADES

A necessidade de cuidado pode ser pensada como parte do cotidiano das pessoas. As formas e a intensidade desse cuidado variam porque somos mais vulneráveis em alguns momentos da vida, como na infância e na velhice, e porque somos desigualmente vulneráveis durante a vida adulta, devido a condições físicas especiais, a enfermidades e a fatores sociais.

Tanto coletiva quanto individualmente, não se trata de um tipo de problema passageiro: não é possível suspender a dependência de cuidado. No entanto, o cuidado pode ser significado e organizado de formas profundamente diversas. A disponibilidade e os padrões de distribuição de recursos materiais e tecnológicos, por exemplo, incidem no cuidado das crianças e nas formas que a vulnerabilidade e mesmo o sofrimento podem assumir em condições de doença e na velhice. Os recursos disponíveis para atender às necessidades de cuidado são, assim, um dos aspectos que determinam as diferenças nos modos como certos momentos e certas condições de vulnerabilidade são vividos pelas pessoas e nas comunidades de que fazem parte. Além disso, estamos falando de relações interpessoais, que envolvem afetos e alguma proximidade, na maior parte dos casos, independentemente de as pessoas nelas engajadas manterem ou não laços anteriores de parentesco, amor ou amizade.

Fato cotidiano na vida das pessoas, elemento organizador das suas relações, as necessidades e os problemas tratados nesta discussão também têm sido vistos como um eixo de disputas no atual ciclo do capitalismo, em que se estabeleceria uma "crise de cuidado" sistêmica[1]. Uma perspectiva ética fundada no cuidado e na interdependência permitiria, assim, avaliar o caráter da democracia, tendo como referência o provimento igualitário e adequado

---

[1] Nancy Fraser e Sarah Leonard, "Interview with Nancy Fraser: Capitalism's Crisis of Care", *Dissent Magazine*, 2016.

de cuidado a todas as pessoas[2], estabelecido como alternativa ético-política ao neoliberalismo[3].

Aqui, o fato de que todos somos vulneráveis e em alguma medida dependentes de cuidado é abordado como um problema político de primeira ordem. O cuidado está, no entanto, longe de ser um tema com alguma centralidade nos estudos teóricos e empíricos sobre a democracia. No Brasil, é uma questão pouco presente, sobretudo na Ciência Política, embora pesquisadoras das áreas de Sociologia e Antropologia venham se dedicando sistematicamente a compreender as articulações entre gênero, cuidado e família e entre gênero, cuidado e trabalho[4].

O acesso desigual a cuidados necessários e a posição de quem cuida compõem dimensões das desigualdades de gênero, classe e raça que, como aqui argumento, constituem problemas para a democracia por pelo menos dois motivos. As relações de cuidado demandam tempo e, em sua forma privatizada, dinheiro. Estamos, portanto, falando de recursos que são também importantes para a participação política, o que me permite estabelecer uma conexão com os padrões de inclusão, no debate público e na agenda política, das experiências, das necessidades e dos interesses de quem cuida e de quem encontra barreiras para ser cuidado. Há, como na divisão sexual do trabalho, um paralelo entre as posições de desvantagem nas relações de cuidado e a exclusão ou baixa presença nos ambientes em que leis e políticas são definidas.

Isso nos leva ao segundo motivo para considerar o cuidado como problema para a democracia. As relações de cuidado, apesar de envolverem dimensões profundamente pessoais e afetivas da vida, organizam-se em ambientes institucionais e econômicos específicos. As alternativas nas relações cotidianas e os padrões correntes de sociabilidade e solidariedade são estruturados, e pesam,

---

[2] Joan C. Tronto, *Caring Democracy: Markets, Equality, and Justice* (Nova York, New York University Press, 2013), e "There is an Alternative: *Homines Curans* and the Limits of Neoliberalism", *International Journal of Care and Caring*, v. 1, n. 1, 2017, p. 27-43.

[3] Idem, "There is an Alternative", cit.

[4] Vale conferir a coletânea sobre cuidado e cuidadoras organizada por Helena Hirata e Nadya Araujo Guimarães, *Cuidado e cuidadoras: as várias faces do trabalho do care* (São Paulo, Atlas, 2012) e também o trabalho de autoras como Clara Araújo e Céli Scalon, "Gênero e a distância entre a intenção e o gesto", *Revista Brasileira de Ciência Política*, v. 21, n. 62, 2006, p. 45-68; Helena Hirata, "Gênero, classe e raça: interseccionalidade e consubstancialidade das relações sociais", *Tempo social*, n. 1, 2014; v. 26, p. 61-73; Bila Sorj, "Arenas do cuidado nas interseções entre gênero e classe social no Brasil", *Cadernos de Pesquisa*, v. 43, n. 149, 2013, p. 478-91, entre outras.

neles, os padrões de responsabilização e as formas de concentração de poder correntes. Em síntese, o ambiente institucional em que o cuidado é provido é resultado de decisões políticas. Alocação de recursos e normas regulatórias incidem diretamente sobre o modo como cuidamos ou deixamos de cuidar uns dos outros. Se estas estão sendo definidas por lógicas antagônicas às possibilidades de cuidar e de receber cuidado da maior parte da população, falar de cuidado é falar das assimetrias no exercício da influência política e na conformação do mundo.

A centralidade do cuidado como problema no cotidiano das pessoas e como problema político não tem, conforme mencionei, correspondência nas teorias nem nos estudos empíricos da democracia, sobretudo quando ultrapassamos os limites do feminismo. Isso se deve, entendo, ao predomínio de concepções restritas da política. Ao foco – míope – nas instituições políticas e nas disputas entre os atores nos espaços formais de representação pode corresponder o esfumaçamento do cotidiano, das relações de trabalho e da dimensão macroeconômica das decisões, sobretudo quando se considera seu impacto na vida cotidiana. Com isso, as relações de poder e a interdependência no cotidiano, de um lado, e a atuação de agentes econômicos privados na conformação das instituições, da agenda e das políticas públicas, de outro, podem não ser tomadas como problemas. Abre-se, assim, uma distância entre, por um lado, os fenômenos e os espaços considerados para a análise da democracia e, por outro, as experiências cotidianas das pessoas; e essa distância se acentua quando se trata das experiências dos grupos que têm menor acesso às arenas políticas institucionais.

Há vários nós na construção do ambiente institucional em que o cuidado se estabelece. A legislação trabalhista, por exemplo, incide diretamente no cotidiano das pessoas e no tempo de que dispõem para cuidar de alguém. O tempo é, novamente, um dos recursos que conectam a vida cotidiana e as condições para a participação política, estreitando os caminhos para que as experiências de quem cuida ganhem espaço no debate público. Quando o cuidado é mercantilizado, classe e renda são variáveis importantes, não apenas pela possibilidade de contratação de serviços no mercado, mas também porque as condições de trabalho de pessoas próximas definem a disponibilidade que terão para cuidar de outras pessoas. Penso nas condições para o cuidado das crianças pequenas, de filhos ou irmãos com necessidades especiais, nos processos de adoecimento em que é necessário receber cuidado e apoio, na fragilidade trazida pela velhice. A divisão sexual do trabalho permeia os arranjos, articulada a outros fatores que posicionam e abrem ou restringem as alternativas: mulheres cuidam e são afetadas em suas trajetórias por estarem posicionadas como cuidadoras; cuidam em condições diversas, dependendo de sua posição de classe, em relações conformadas pelo racismo estrutural e institucional.

Certas noções de autonomia, que constituem o debate liberal sobre democracia e justiça, de que falarei adiante, também podem restringir o olhar para a interdependência no cotidiano e seu contexto institucional. A autonomia individual, embora seja um valor de referência importante na crítica às formas de subordinação – algo que discuti em livro anterior[5] –, pode servir para afastar do debate político o fato de que somos dependentes uns dos outros e de que é preciso tomar algumas decisões políticas para que as formas inevitáveis de dependência não causem prejuízo a quem se responsabiliza por elas[6]. Esse debate é fundamental porque o horizonte normativo que aqui mobilizo não é o da superação de todas as formas de dependência, uma vez que isso seria impossível e, principalmente, está muito distante da condição humana. O horizonte que assumo é o da definição de possibilidades mais igualitárias de provimento de cuidados, nas quais a dignidade das pessoas prevaleça sobre a lógica de mercado. Daí a importância de levar em consideração perspectivas que contrastam com as abordagens individualistas, buscando um equilíbrio entre garantias individuais, solidariedade social e responsabilidades coletivas e do Estado.

As teorias feministas da democracia diferenciam-se de outras correntes teóricas por dar atenção às relações cotidianas de cuidado – embora nem sempre seja considerada a dimensão da economia política. Na análise das formas históricas de exclusão e marginalização das mulheres nas sociedades ocidentais, essas teorias estabeleceram duas perspectivas fundamentais para a abordagem dos limites da democracia: uma delas é a crítica à dualidade entre as esferas pública e privada, uma vez que nela a vida doméstica foi apresentada como natural e pré-política, posicionada aquém dos requisitos de justiça e de critérios democráticos para avaliar as relações; a segunda, bastante conectada à primeira, é a crítica à autonomização da política em relação às experiências concretas das pessoas e às formas cotidianas de dominação e de opressão. O destaque

[5] Flávia Biroli, *Autonomia e desigualdades de gênero: contribuições do feminismo para a crítica democrática* (Niterói/Valinhos, Eduff/Horizonte, 2013).

[6] Martha Albertson Fineman, *The Autonomy Myth: A Theory of Dependency* (Nova York/Cambridge, The New Press/Polity Press, 2004).

dado às relações de cuidado como problema para a democracia está ancorado nessas duas críticas fundamentais. Ele seria restrito e mesmo artificial, por outro lado, se não ultrapassasse o binário feminino-masculino e não incorporasse o fato de que as experiências de cuidado são diversas e as hierarquias de gênero são produzidas conjuntamente pelo patriarcado, pelo capitalismo e pelo racismo, dimensões interligadas das estruturas de privilégios correntes nas sociedades que aqui tomo como referência.

Para situar o problema do cuidado nos debates sobre democracia e justiça, apresento inicialmente algumas frentes na abordagem teórica da responsabilidade. Trato primeiro da diferença entre o foco nas responsabilidades individuais e a análise da *responsabilização* como problema político. Discuto, brevemente, os sentidos que a noção de responsabilidade vem assumindo no pensamento liberal, diferenciando o liberalismo de vertente igualitária das abordagens ultraliberais. Apesar dessa diferenciação, argumento que o enquadramento liberal do problema da responsabilidade não permite avançar em direção a reflexões capazes de incorporar as injustiças e as vulnerabilidades associadas ao trabalho doméstico e ao cuidado porque ele opera com a dualidade entre público e privado e, de modo correspondente, entre independência e dependência.

Em seguida, trato da divisão sexual do trabalho, que discuti no primeiro capítulo, aqui analisada como fundamento de formas diferenciadas e desiguais de responsabilização, com implicações para a participação das mulheres na sociedade, sobretudo das mais pobres. Isso porque me parece adequado entender o cuidado como trabalho – sem que tal afirmação signifique que se trata de um tipo de trabalho *qualquer*. Desse modo, pode-se ressaltar que: 1) cuidar exige tempo e energia, retirados do exercício de outros tipos de trabalho, assim como do descanso e do lazer; 2) a grade de valorização (simbólica e material) das ocupações é determinante na precarização do trabalho de quem cuida e na vulnerabilidade de quem precisa de cuidado; e 3) os padrões de organização e (des)regulação das relações de trabalho incidem diretamente sobre as relações de cuidado, podendo favorecer ou dificultar a tarefa de cuidarmos uns/umas dos/as outros/as.

Por fim, trata-se de alocação de responsabilidades, como dito, mas isso não implica limitar o foco aos arranjos privados, entre indivíduos ou entre casais, embora eles denotem elementos importantes nas relações de gênero. O foco que assumo nos leva, sobretudo, ao problema político de como se estabelecem as fronteiras entre responsabilidade estatal, responsabilidade coletiva, responsabilidade *das* famílias, responsabilidades *nas* famílias e privatização. E, claro, ao problema de saber quais são as implicações dos diferentes desenhos, com as formas de alocação de responsabilidades que estes pressupõem e ativam na vida das pessoas. Finalizo sugerindo que é preciso avançar na análise crítica comparada de três configurações. O que as diferencia é prevalência de soluções privatistas, de soluções convencionalistas e de soluções coletivistas. Enfatizo as vantagens das últimas quando se tem como referência uma perspectiva igualitária e emancipatória, que aponte para a ampliação de condições dignas para as pessoas em diferentes momentos da vida.

Do indivíduo responsável à responsabilização como problema

A noção de autonomia individual é peça-chave das tradições liberais de pensamento. Remonta a diferentes concepções de liberdade e agência moral dos indivíduos, assim como da relação entre Estado e pluralismo de valores, que se estabeleceram em abordagens como as de Immanuel Kant, no século XVIII, e John Stuart Mill, no século XIX[7]. Para além de seu interesse para uma história dos conceitos e do pensamento político, trata-se de noções que participaram da *construção do indivíduo moderno*, como realidade jurídica, política e sociológica. A pluralidade de crenças e valores, em sociedades que se tornavam mais complexas, e a igual capacidade dos indivíduos, como agentes racionais, de refletir sobre sua vida e seus objetivos estabeleceram-se como valores de referência, codificados em normas e instituições. Definiriam, ao mesmo tempo, direitos e exclusões. A "igual liberdade" e as garantias de que os indivíduos pudessem agir livres de coerções tiveram sexo, cor e classe, assim como a concepção moderna da democracia[8].

O pensamento liberal contemporâneo apresentaria variações significativas na definição dos sentidos da autonomia e dos requisitos necessários para se

---

[7] Paul Guyer, "Kant on the Theory and Practice of Autonomy", em Ellen Frankel Paul, Fred D. Miller Jr. e Jeffrey Paul (orgs.), *Autonomy* (Cambridge, Cambridge University Press, 2003), p. 70-98; Gerald Dworkin, *The Theory and Practice of Autonomy* (Cambridge, Cambridge University Press, 2001 [1988]); Hague, *Autonomy and Identity: The Politics of Who We Are* (Londres/Nova York, Routledge, 2011); Nancy J. Hirschmann, *The Subject of Liberty: Towards a Feminist Theory of Freedom* (Princeton/Oxford, Princeton University Press, 2003).

[8] Charles W. Mills, *The Racial Contract* (Ithaca/Londres, Cornell University Press, 1997); Carole Pateman, *The Sexual Contract* (Stanford, Stanford University Press, 1988); Ellen M. Wood, *Democracia contra capitalismo: a renovação do materialismo histórico* (trad. Paulo Castanheira, São Paulo, Boitempo, 2003 [1995]).

garantirem as liberdades individuais. O individualismo que caracteriza esse campo de pensamento limita a incorporação de noções substantivas ou radicais de igualdade[9]. Porém, entre ultraliberais, como Milton Friedman, Friederich Hayek e Robert Nozick, e liberais de vertente igualitária, como John Rawls, há uma enorme distância. A centralidade do indivíduo está presente em todos esses autores, mas a conexão entre liberdade, escolhas individuais e responsabilidade se organiza de maneiras distintas. As implicações não são de pouca importância. No pensamento ultraliberal, o mérito individual é tomado como pressuposto e valor, participando de uma visão individualista concorrencial que justifica as desigualdades e limita radicalmente abordagens sociais – e, em algum grau, coletivas – das desvantagens e da pobreza. No liberalismo de vocação igualitária, a crítica e a desconstrução das noções de mérito e talento abrem a possibilidade de analisar os contextos em que as escolhas individuais são feitas e as trajetórias tomam forma.

Entende-se, nesse caso, que o mérito pressupõe a existência de um sistema cooperativo e depende amplamente de circunstâncias sociais e familiares favoráveis, pelas quais o indivíduo não pode reivindicar crédito[10]. A coincidência entre talento e riqueza, por sua vez, remete a "determinada estrutura econômica", a uma estrutura de mercado que valide a relação entre riqueza-talento e a produção de riqueza[11]. Por isso, reconhece-se que as trajetórias individuais são permeadas por fatos arbitrários e contingentes; a posição das pessoas, com seus

---

[9] Norberto Bobbio, *Liberalismo e democracia* (trad. Marco Aurélio Nogueira, São Paulo, Brasiliense, 1988); Louis Dumont, *Essais sur l'individualisme: une perspective anthropologique sur l'idéologie moderne* (Paris, Editions du Seuil, 1983).

[10] John Rawls, *A Theory of Justice* (Cambridge, Harvard University Press, 1971), p. 103-4.

[11] Ronald Dworkin, *Virtude soberana* (trad. Jussara Simões, São Paulo, Martins Fontes, 2005 [2000]), p. 458-9. Não há razões para pressupor que as riquezas-talentos sejam virtudes, segundo Dworkin. Afinal, a sorte seria o fator mais importante: "Estar no lugar certo é quase sempre mais importante do que qualquer outra coisa". E ainda que as riquezas-talentos fossem virtudes, daí não decorre necessariamente que deva haver recompensa material para elas. E, mesmo que assim fosse, não há justificativa plausível para que o mercado comercial fosse a forma mais adequada de gerar essas recompensas (ibidem, p. 460-1). Destaquei Ronald Dworkin pela sua importância nesse debate, mas ele tem sido situado numa subcorrente, a do "igualitarismo de fortuna". Além de Dworkin, Elizabeth Anderson situa nessa vertente Richard Arneson, Gerald Cohen, Thomas Nagel, Eric Rakowski e John E. Roemer, indicando também a incorporação de muitos dos seus princípios por Philippe van Parijs. Na sua definição, "o igualitarismo de fortuna se ancora em duas premissas morais: que as pessoas devem ser compensadas pela má sorte imerecida e que essa compensação deve vir somente da parte da boa sorte dos outros que é imerecida". Ver Elizabeth Anderson, "What Is the Point of Equality?", *Ethics*, v. 109, n. 2, 1999, p. 5.

atributos, não é em si justa ou injusta, e não há razões para, portanto, aceitá-la como tal. O modo como as instituições lidam com esses fatos, por outro lado, pode ser justo ou injusto[12]. Instituições sensíveis às escolhas individuais seriam capazes de obstar ou amenizar arbitrariedades e contingências e, assim, garantir a igual liberdade dos indivíduos.

Rawls e o chamado "liberalismo igualitário"[13] podem ser situados numa vertente reformista da crítica à concentração de recursos e ao poder no capitalismo, na segunda metade do século XX. As críticas ao Estado de bem-estar social, explicitadas nos cursos que ofereceu nos anos 1980, talvez sirvam, décadas depois, menos como um atestado da diferenciação entre suas posições e os princípios do *Welfare State* do que para evidenciar a distância entre abordagens reformistas orientadas por valores igualitários e o neoliberalismo, que se tornaria crescentemente hegemônico. Para Rawls, o Estado de bem-estar social é um regime que permite o "quase monopólio dos meios de produção"[14]. Isso o tornaria incompatível com os princípios liberais de justiça, por ser incapaz de garantir a igual liberdade dos indivíduos. Ele adere, na discussão, a um regime que manteria a propriedade privada e, ao mesmo tempo, impediria que "uma pequena parte da sociedade controlasse a economia e, indiretamente, também a vida política".

O problema que Rawls apontava no Estado de bem-estar social se tornaria mais agudo. A concentração de renda e de poder político tem-se ampliado[15], inviabilizando a democracia e tornando mais precária a vida da maioria das pessoas. A "crise do cuidado" pode ser pensada dessa perspectiva, como resultado da implementação da agenda neoliberal de retração do Estado, tanto quanto da conformação das subjetividades num ambiente em que a concorrência se estabelece como valor, à medida que os princípios coletivos e solidários vão sendo minados. Os pressupostos presentes nas abordagens dos

---

[12] John Rawls, *A Theory of Justice*, cit., p. 102.

[13] Álvaro de Vita, "Liberalismo, justiça social e responsabilidade individual", *Dados*, v. 54, n. 4, 2011, p. 569-608.

[14] John Rawls, *Justice as Fairness: A Restatement* (Cambridge/Londres, The Belknap Press of Harvard University Press, 2001), p. 139.

[15] Ver os dados apresentados no *World Social Science Report* de 2016 e no Relatório da Ofxam de 2017. Disponíveis em: <www.worldsocialscience.org/documents/world-social-science-report-2016-challenging-inequalities-pathways-just-world.pdf> e <www.oxfam.org.br/sites/default/files/economia_para_99-relatorio_completo.pdf>; acessados em: ago. 2017.

ultraliberais são, ainda hoje, pontas de lança no projeto neoliberal[16] e têm sido atualizados em disputas políticas no Brasil e em diversas partes do mundo. Atuam para restringir a dimensão coletiva da política e, constituindo as subjetividades de acordo com uma exacerbação da lógica concorrencial individualista, limitam as alternativas ao "autoinvestimento" individual e aos núcleos familiares "funcionais"[17].

O que está em questão é como e até que ponto o Estado pode regular as relações e em que medida a regulação compromete ou promove a liberdade de escolha. Mas as respostas são bastante distintas. É entre os ultraliberais que a noção de autonomia ganha o sentido de "ser capaz de dar conta de si mesmo" e os indivíduos são reduzidos à condição de agentes econômicos racionais, responsabilizados por suas escolhas e, como tal, submetidos aos resultados dos passos equivocados e "irresponsáveis" que eventualmente deem.

Embora exista uma dimensão moral no pensamento ultraliberal, o que o define é uma perspectiva econômico-política que recusa pactos coletivos solidários. Se, na prática, estamos falando da baixa porosidade do Estado a necessidades e interesses populares, a dimensão ideológica que justifica essa conformação tem na noção de responsabilidade individual um elemento-chave. Definem-se, assim, dinâmicas e instituições políticas crescentemente imunes a projetos coletivos e avessas à soberania popular[18], orientadas por uma lógica "econômica" que se apresenta como algo desvinculado das decisões políticas e das vantagens que implicam. Com a ideia de que o Estado é neutro em relação a indivíduos e grupos que concorrem entre si e, para tanto, lançam mão de suas melhores capacidades, constitui-se um ambiente institucional que *aloca recursos* – direta e indiretamente, isto é, por meio de subsídios e de políticas fiscais que garantem os "investimentos" – *de um modo que amplia privilégios*.

As respostas do liberalismo de vertente igualitária são insuficientes para fazer frente à concentração de recursos e de poder, assim como à disseminação da ideologia da concorrência e do mérito. O que me parece merecer atenção é o fato de que a propriedade privada permanece intocada e de que pouco é dito sobre as assimetrias no exercício da influência nas democracias capitalistas[19].

---

[16] David Harvey, *A Brief History of Neoliberalism* (Oxford, Oxford University Press, 2007).

[17] Wendy Brown, *Undoing the Demos: Neoliberalism's Stealth Revolution* (Cambridge, Zone Books, 2015).

[18] Idem.

[19] Iris Marion Young, *Responsibility for Justice* (Oxford, Oxford University Press, 2011).

A permanência da noção de responsabilidade pessoal como chave, apesar da crítica ao mérito, é relevante. As respostas dessas abordagens ao ultraliberalismo e ao conservadorismo moral (cada vez mais associados nas disputas políticas) oscilaram do contraste moralista entre responsáveis e irresponsáveis, ou independentes e dependentes, à visão paternalista dos "desafortunados"[20].

No debate sobre responsabilização e cuidado, a crítica à dualidade entre esfera pública e privada também é fundamental. Quando essa dualidade não é problematizada, as trajetórias dos indivíduos podem ser apresentadas como distintas e independentes das relações na vida privada e das formas cotidianas de interdependência. O "sucesso" ou o "fracasso" individual, assim como a configuração da vida familiar, podem ser apresentados como se fossem resultado de escolhas voluntárias, em vez de desdobramentos de uma série de injunções e do conjunto das alternativas disponíveis de fato. Em modelos teóricos nos quais as esferas pública e privada são autonomizadas, as relações na vida doméstica cotidiana e a influência desmedida dos agentes econômicos (que produz decisões orientadas pela lógica do lucro) podem não ser computadas na compreensão do *modo como os indivíduos se tornaram quem são*.

O "privado", tomado como campo dissociado do mundo público político, pode corresponder conceitualmente ao âmbito da vida doméstica e familiar, mas também ao das relações econômicas de mercado. Há uma série de problemas na definição das esferas como se fossem distintas, considerando as questões discutidas neste capítulo e no anterior. O trabalho doméstico remunerado, realizado em unidades domésticas privadas, é uma questão do âmbito privado doméstico? É, por outro lado, uma questão econômica (e privada, nesse sentido), em vez de doméstico-familiar? É possível que essa problemática fique contida no âmbito "privado", em qualquer um desses sentidos, se ela configura relações de subordinação e reproduz desigualdades que demonstram os limites da cidadania universal?

Entre os ultraliberais, a visão de que o mercado regula as relações de forma justa quando garante aos indivíduos a liberdade de escolher – ainda que em condições bastante desiguais – desconsidera o problema das estruturas de autoridade e de sua conexão com a dinâmica social de acúmulo de privilégios. O funcionamento do mercado não é neutro, premia quem já tem recursos para exercer influência sobre sua regulação e sobre os termos em que se organiza. Como define Martha McCluskey, o que está em questão é "quais habilidades das pessoas

[20] Elizabeth Anderson, "What Is the Point of Equality?", cit., p. 23.

para conseguir mais daquilo que elas buscam ao deslocar os custos para outras deveriam contar como ganho societário e quais deveriam contar como ganho privado à custa de outras pessoas"[21]. Essa dinâmica permite que os privilegiados se apresentem como pessoas que construíram sua posição por mérito próprio, obliterando o fato de que essa posição se ancora na exploração do trabalho de outras pessoas e na mobilização de normas e recursos públicos em seu favor. O mérito também só se define como tal devido à valorização social de certas habilidades – o que se dá em processos históricos e ganha formas institucionais.

As abordagens ultraliberais operam no sentido de justificar essas desigualdades e a concentração de poder, criando uma dissociação entre o problema da liberdade e os circuitos das desigualdades. Entre as abordagens liberais igualitárias, em contrapartida, a conjunção da dualidade entre o público e o privado com a noção de responsabilidade individual estreita o âmbito da crítica às formas de reprodução das desigualdades de recursos e de poder. Esse foi e continua sendo um eixo central na crítica feminista, internamente ao liberalismo[22], e de perspectivas socialistas e antirracistas[23].

As estruturas de autoridade nas relações de trabalho e na vida doméstica têm impacto na participação dos indivíduos em outros campos. As escolhas deles, por outro lado, não se definem na esfera privada *ou* na pública. O papel assumido por eles em uma e outra modula seu acesso a recursos importantes, como tempo e dinheiro, reconhecimento social de suas competências e possibilidades de participação mais equânimes no debate e nas decisões políticas. Embora discutida sistematicamente há décadas no feminismo, essa questão não foi de fato incorporada em grande parte do debate teórico sobre justiça. O mesmo ocorre quando se pensa nas conexões entre autonomia, cidadania e democracia.

[21] Martha McCluskey, "Efficiency and Social Citizenship: Challenging the Neoliberal Attack on the Welfare State", *Indiana Law Journal*, v. 78, n. 2, 2003, p. 783-876, citado em Joan C. Tronto, *Caring Democracy*, cit., p. 40; aqui, em tradução minha.

[22] Susan Moller Okin, *Justice, Gender, and the Family* (Nova York, Basic Books, 1989).

[23] Patricia Hill Collins, *Black Feminist Thought: Knowledge, Consciousness, and the Politics of Empowerment* (Nova York/Londres, Routledge, 2009 [2000]); Angela Y. Davis, *Mulheres, raça e classe* (São Paulo, Boitempo, 2016 [1981]); Nancy Fraser, "Rethinking the Public Sphere: a Contribution to the Critique of Actually Existing Democracy", em Craig Calhoum (org.), *Habermas and the Public Sphere* (Cambridge-MA, The MIT Press, 1992), p. 109-42; Nancy Fraser, *Justice Interruptus: Critical Reflections on the "Postsocialist" Condition* (Nova York, Routledge, 1997); Aleksandra Kollontai, "Working Woman and Mother", em *Selected Writings* (Nova York, Norton, 1977 [1914]), p. 127-39.

A atenção às relações de poder na vida privada e doméstica permite a análise de estruturas de autoridade que são ao mesmo tempo distintas e complementares. Um dos efeitos da configuração dual dessas esferas é que a universalidade dos direitos (na esfera pública) se acomoda a distinções, divisões e hierarquias (na esfera privada), sem que isso se configure como um problema para a democracia. Enquanto a cidadania é definida como independência, "a dependência da sociedade como um todo, da economia e do sistema político relativamente à família e ao trabalho das mulheres na família é ignorada"[24].

O trabalho que as mulheres realizam na vida cotidiana doméstica, a forma que ele assume e o tempo que lhe é dedicado estão longe de constituir escolhas voluntárias, apesar de não existirem impedimentos legais para a busca de outros caminhos e de esse trabalho não ser resultado de coerções identificáveis como tais. A *responsabilização*, problema político, como venho procurando mostrar, implica desvantagens. Quando deixam de ser reconhecidos os aspectos estruturais que constituem posições e alternativas, as escolhas podem parecer "irracionais" e mesmo "irresponsáveis". A recusa de um emprego, por parte de uma mulher, por não haver creche para deixar os filhos, ou as faltas seguidas ao trabalho quando os filhos pequenos adoecem – o que pode acarretar a perda do emprego ou limitar a ascensão profissional – só poderão ser tratadas como "escolhas" se for desconsiderado o contexto em que estas se realizam ou se fizer de conta que não existem crianças pequenas que precisam de cuidado. Como compreender a posição desigual das mulheres na esfera doméstica e na pública sem levar em consideração que elas são orientadas a assumir determinadas responsabilidades e a desempenhar um conjunto de funções no cotidiano? Ao mesmo tempo, como explicar os obstáculos à participação equânime na vida pública quando se lança mão de uma moldura teórica que não permite compreender adequadamente as conexões entre a posição dos indivíduos na vida doméstica – com as responsabilidades diferenciadas que nela assumem – e os filtros que organizam sua posição em outras esferas da vida? Os posicionamentos de que trato aqui não podem ser definidos como escolhas voluntárias individuais nem podem ser entendidos como resultado de coerção.

É nesse contexto de restrição às escolhas, constituído pelos padrões estruturais da divisão sexual do trabalho, que se definem *formas desiguais de inclusão na*

---

[24] Johanna Brenner, *Women and the Politics of Class* (Nova York, Monthly Review Press, 2000). Ver também Christine Delphy e Diana Leonard, *Familiar Exploitation: A New Analysis on Marriage in Contemporary Western Societies* (Cambridge, Polity Press, 2004 [1992]) e Nancy Folbre, *Who Pays for the Kids? Gender and the Structures of Constraint* (Londres/Nova York, Routledge, 1994).

esfera pública. Não se trata de exclusão, propriamente, porque não estamos falando do bloqueio à participação das mulheres por leis nem pelo exercício da autoridade masculina que impeça ou restrinja a circulação delas. O que em outros tempos foi cumprido pela franca dominação dos homens no âmbito familiar é hoje realizado pelas ações casadas do capitalismo neoliberal – que restringe a responsabilidade pública por tarefas que são alocadas para as mulheres –, dos padrões correntes das relações de trabalho – que implicam menor rendimento para elas e exigências incompatíveis com as responsabilidades que lhes são atribuídas no cotidiano doméstico – e, por fim (mas não menos importante), do "familismo", ideologia que transforma núcleos privados em sujeitos de responsabilidade, reforçando a divisão convencional das tarefas, o exercício da autoridade paterna e as desigualdades entre as famílias. A alocação das responsabilidades pelo trabalho e, especificamente, pelo cuidado é institucionalizada, permeia as relações cotidianas domésticas, mas não depende do exercício aberto da autoridade por parte do pai nem do marido ou do companheiro.

Divisão sexual do trabalho, responsabilização diferenciada e desigualdades

No capítulo anterior, discuti a divisão sexual do trabalho de forma mais detida. Retomo, brevemente, alguns aspectos, antes de me demorar no debate mais específico sobre o cuidado. Apesar das transformações na posição relativa das mulheres no exercício de trabalho remunerado fora da casa, elas continuam a dedicar muito mais tempo que os homens às tarefas domésticas e, por outro lado, a ter rendimentos bem menores que os deles na esfera pública. Há conexões entre um e outro desses problemas: a dedicação às tarefas domésticas se faz ao longo da vida, desde a infância. O tempo a elas dedicado se reverte em competências necessárias à reprodução da vida, mas pouco valorizadas na dinâmica de mercado.

As famílias não se organizam hoje como se organizavam há poucas décadas, nem mesmo no que diz respeito à participação das mulheres na renda familiar. Os valores e os sentidos atribuídos ao feminino e ao masculino também não permaneceram os mesmos. Mas meninas e mulheres continuam a ser as principais responsáveis pelo trabalho doméstico[25]. A gratuidade do trabalho desempenhado

---

[25] Clara Araújo e Céli Scalon, "Gênero e a distância entre a intenção e o gesto", cit., p. 45-68; Natália Fontoura et al., "Pesquisas de uso do tempo no Brasil: contribuições para a formulação de políticas de conciliação entre trabalho, família e vida pessoal", *Revista Econômica*, v. 2, n. 1, jun. 2010, p. 11-46.

pelas mulheres no âmbito doméstico foi definida como cerne do patriarcado, exploração matriz, que torna possíveis outras formas de exploração. Daí a compreensão de que "na família, na nossa sociedade, as mulheres são dominadas para que seu trabalho possa ser explorado e porque seu trabalho é explorado"[26]. Mesmo que se entenda, diferentemente, que a exploração das mulheres decorre da estrutura patriarcal do Estado e do mercado de trabalho, constituindo o que foi denominado "patriarcado público"[27], as posições distintas de mulheres e homens na vida doméstica continuam sendo uma questão central por pelo menos duas razões. Primeiro, o trabalho doméstico e o de provimento de cuidado, desempenhados gratuitamente pelas mulheres, constituem os circuitos de vulnerabilidade que as mantêm em desvantagem nas diferentes dimensões da vida, tornando-as mais vulneráveis à violência doméstica e impondo obstáculos à participação no trabalho remunerado e na política. Em segundo lugar, a causalidade que assim se estabelece não vai apenas da vida doméstica para outras esferas, uma vez que, como venho argumentando, a alocação de responsabilidades é institucionalizada e decorre de decisões políticas.

Além do trabalho exercido gratuitamente, interessa a esta discussão o fato de que o trabalho *remunerado* no espaço doméstico é mal valorizado e, em muitos casos, insuficientemente regulamentado por ser percebido como extensão do papel "natural" das mulheres na família[28]. Ao mesmo tempo, pode ser porosa a fronteira entre serviços gratuitos prestados por mulheres da família e serviços remunerados prestados por outras mulheres, porque, no segundo caso, também podem estar presentes laços familiares e de vizinhança, sobretudo nas comunidades de baixa renda[29]. Essas relações de trabalho podem ter um grau maior ou menor de verticalização em termos de classe e raça. Isto é, podem ser marcadas por hierarquias e formas de exploração entre grupos bastante desiguais no acesso a recursos materiais e ocupações – por exemplo, quando mulheres negras e/ou imigrantes são contratadas por um casal de profissionais brancos e bem remunerados para limpar a casa, lavar roupa, cozinhar, cuidar das crianças – ou entre grupos que

---

[26] Christine Delphy e Diana Leonard, *Familiar Exploitation*, cit., p. 18; aqui, em tradução minha.

[27] Sylvia Walby, *Theorizing Patriarchy* (Oxford, Basil Blackwell, 1990).

[28] Helena Hirata e Nadya Araujo Guimarães (orgs.), *Cuidado e cuidadoras*, cit.

[29] Eleonora Faur, "El cuidado infantil desde la perspectiva de las mujeres-madres. Un estudio en dos barrios populares del Area Metropolitana de Buenos Aires", emValéria Esquivel, Eleonora Faur e Elizabeth Jelin (orgs.), *Las logicas del cuidado infantil: entre las familias, el Estado y el mercado* (Buenos Aires, Ides, 2012).

ocupam posição social semelhante e compartilham dificuldades no acesso a trabalho e a cuidado – por exemplo, no caso em que a prima desempregada é contratada para cuidar das crianças, suprindo a falta de creches ou resolvendo a diferença entre o horário da creche e a jornada da mãe, que trabalha como balconista.

A alocação das tarefas tem o gênero como um eixo. Ancora-se na naturalização de habilidades e pertencimentos, definidos de acordo com uma visão binária, não apenas simplificada, mas também ilusória, da conexão entre sexo biológico e comportamentos. A associação entre mulher e domesticidade constrói-se nessa chave. Os arranjos têm-se modificado historicamente e nunca foram, de fato, homogêneos, se consideradas as relações raciais e de classe e as desigualdades entre as famílias. Hoje, prevalece um modelo em que "a tendência predominante é a maioria dos homens investir seu tempo prioritariamente no mercado de trabalho enquanto a maioria das mulheres se divide entre o trabalho remunerado e os cuidados da família"[30]. Lembro que as formas de regulação do trabalho interferem no tempo dedicado ao trabalho remunerado, para além dos investimentos voluntários das pessoas. Quanto maiores ou mais "flexíveis" as jornadas ("flexibilidade" tem sido um eufemismo para a menor proteção social às trabalhadoras e aos trabalhadores), quanto mais acúmulo de ocupações for necessário para que a renda seja suficiente, menores poderão ser as garantias e a gestão autônoma do tempo.

Mas a conexão entre o feminino e a domesticidade tem desdobramentos muito distintos entre as mulheres, como já foi dito. Entre as que têm filhos pequenos, de até 6 anos de idade, a participação no mercado de trabalho ampliou-se do início dos anos 1990 aos anos 2000, mas de forma concentrada: nos domicílios pertencentes ao estrato dos 40% mais ricos, aumentou cerca de vinte pontos percentuais entre 1993 e 2009, crescendo menos e até diminuindo entre os estratos mais pobres da população. E foi também entre as mulheres pertencentes aos estratos mais ricos que a jornada semanal de trabalho mais se ampliou[31]. Há duas perspectivas para a interpretação desses dados. Numa delas, é chave considerar os recursos de que as mulheres com maior renda dispõem para o cuidado dos filhos e da casa. Em outra, tem maior peso o trabalho doméstico

---

30 Bila Sorj e Adriana Fontes, "O *care* como um regime estratificado: implicações de gênero e classe social", em Helena Hirata e Nadya Araujo Guimarães (orgs.), *Cuidado e cuidadoras*, cit., p. 105.

31 PNAD, citado em Bila Sorj e Adriana Fontes, "O *care* como um regime estratificado", cit., p. 106.

realizado pelas mais pobres e os problemas que estas enfrentam para atender aos cuidados de sua própria casa e de seus filhos. Existe uma correlação entre o nível de ocupação[32] das mulheres e a frequência dos filhos pequenos a creches: esse nível é de 65,4% para mulheres com filhos de 0 a 3 anos que frequentam creche; de 40,3% se apenas algum filho frequenta a creche; e de 41,2% para aquelas cujos filhos não frequentam creche[33]. Estabelece-se um circuito de precarização e empobrecimento quando faltam equipamentos públicos de cuidado[34]. Além disso, é preciso acrescentar a essa difícil equação a diminuição das taxas de natalidade – ponto a que retornarei no próximo capítulo –, conjugada à maior longevidade e às necessidades de cuidado por parte das pessoas idosas.

Nos domicílios mais ricos no Brasil, mas também na Europa e em outros países da América, a divisão sexual do trabalho está presente, porém as mulheres têm o apoio do trabalho de cuidadoras e empregadas domésticas, trabalho mal remunerado e caracterizado por relações de exploração ainda mais acentuadas do que as vigentes nas atividades vistas como produtivas e tipicamente desempenhadas pelos homens dos mesmos estratos sociais, fora de casa[35]. Essa divisão do trabalho doméstico e de cuidado *entre as mulheres* está na base de perspectivas distintas sobre o universo da família, do cuidado e do trabalho doméstico, assim como sobre as alternativas de fato existentes para as mulheres fora de casa. Atuando no seio das famílias de classe média, mas como *outsiders*, trabalhadoras negras e imigrantes têm avaliado as formas de exploração do trabalho das mulheres e pensado os laços estabelecidos no provimento de cuidado, numa realidade em que a pobreza dos seus espaços de origem, as desigualdades regionais e o racismo desempenham papel fundamental[36]. Cuidando dos filhos de outras mulheres, permitiram que estas se

---

32 O nível de ocupação é definido pelo Instituto Brasileiro de Geografia e Estatística (IBGE) como o percentual de pessoas ocupadas no momento em que foi realizada a pesquisa em relação às pessoas em idade de trabalhar. Aqui, trata-se do nível de ocupação entre as mulheres em idade de trabalhar.

33 Instituto Brasileiro de Geografia e Estatística (IBGE), "Estatísticas de gênero: uma análise do Censo Demográfico 2010" (Rio de Janeiro, IBGE, 2014).

34 Gøsta Esping-Andersen, *The Incomplete Revolution: Adapting to Women's New Roles* (Cambridge, Polity Press, 2009).

35 Ver Jurema Gorski Brites, "Afeto e desigualdade: gênero, geração e classe entre empregadas domésticas e seus empregadores", *Cadernos Pagu*, n. 29, jul.-dez. 2007, p. 91-109, e "Trabalho doméstico: questões, leituras e políticas", *Cadernos de Pesquisa*, v. 43, n. 149, maio-ago. 2013, p. 422-51.

36 Danila Gentil Rodriguez Cal, *Comunicação e trabalho infantil doméstico* (Salvador, Edufba, 2016); Patricia Hill Collins, *Black Feminist Thought*, cit.; Délia Dutra, "Marcas de uma origem e uma profissão: trabalhadoras domésticas peruanas em Brasília", *Cadernos CRH*, UFBA, v. 28, n. 73, jan.-abr. 2015, p. 181-97.

"emancipassem" e tivessem maior autonomia e reconhecimento profissional. Enquanto isso, para elas, a rotina de trabalho pode ter dificultado o cultivo de laços amorosos e, quando mães, enfrentaram o dilema da criação dos próprios filhos em conjunto com o exercício do trabalho remunerado, em condições de precariedade.

As atividades realizadas *em prol de outras pessoas* assumem padrões condicionados pelas hierarquias de raça e de classe. É importante, também, pensarmos na variedade dessas atividades. Embora existam diferenças importantes entre as que são exercidas no cotidiano da vida doméstica – como cozinhar, lavar roupa, limpar a casa, dar banho nas crianças, em pessoas com deficiências ou idosos, auxiliar em atividades que essas mesmas pessoas não poderiam executar de maneira segura sem acompanhamento, como passeios em áreas públicas, ou desempenhar o que algumas autoras definem como trabalho emocional[37] –, não se pode deixar de considerar que todas elas implicam envolvimento, tempo e energia de quem as realiza. Em todos os casos, alguma atividade está sendo realizada *em prol de outra pessoa e para sua vantagem*, e, ainda que isso tenha significados muito distintos, a depender de a vantagem ser de um homem que usufrua desse trabalho sem nunca o realizar (alimenta-se, tem as roupas lavadas e casa limpa) ou de crianças, idosos ou pessoas com deficiência que se beneficiem de tarefas que não seriam capazes de realizar, o fato é que alguém despende tempo e energia para dispensar um cuidado – no mais das vezes, uma mulher, de acordo com os dados mencionados.

As mulheres não estão igualmente distribuídas entre quem está na posição de provedor de cuidado, trabalhando em benefício de outros, e quem está na posição de beneficiário do cuidado provido por outras pessoas[38]. As mulheres negras, em especial, estão concentradas em atividades vistas como extensão das atividades domésticas não remuneradas e, como tais, desvalorizadas e menos formalizadas. Em 2013, no Brasil, 18,6% das mulheres negras e 10,6% das mulheres brancas ocupavam postos de trabalho doméstico remunerado; no mesmo período, 1% dos homens negros e 0,7% dos brancos estavam nessa posição[39]. Desde 2009, a

[37] Christine Delphy e Diana Leonard, *Familiar Exploitation*, cit.; Arlie Russell Hochschild, *The Managed Heart: Commercialization of Human Feeling* (Berkeley-CA, University of California Press, 2003 [1983]).

[38] Johanna Brenner, *Women and the Politics of Class*, cit.; Helena Hirata, "Gênero, classe e raça", cit.; Joan C. Tronto, *Caring Democracy*, cit.

[39] Instituto de Pesquisa Econômica Aplicada (Ipea), *Retrato das desigualdades de gênero e raça* (Brasília, Ipea, 2014).

Pesquisa Nacional por Amostra de Domicílios (PNAD) do Instituto Brasileiro de Geografia e Estatística (IBGE) mostrava uma queda lenta, mas ininterrupta, do número de mulheres empregadas no trabalho doméstico remunerado, algo que se reverteu em 2015, quando ultrapassou novamente o de 6 milhões de mulheres. A redução no número de trabalhadoras domésticas pode ser interpretada como expressão de mudanças relacionadas à queda do desemprego, à maior escolarização e à redução da pobreza na década de 2000 no Brasil[40], aproximando o país das circunstâncias nas quais o trabalho doméstico remunerado diminuiu na Europa e nos Estados Unidos ao longo do século XX. Hoje, no entanto, a reversão dessa tendência, caso se confirme, estaria em sintonia com o que ocorre nas regiões mais ricas do globo, nas quais o trabalho doméstico remunerado vem aumentando em decorrência da situação de precariedade e baixa remuneração de imigrantes não europeus e provenientes das regiões da Europa mais afetadas pelo desemprego[41]. A marginalização e a inferiorização das ocupações tipicamente "femininas" têm, assim, raça e classe e se inserem na geopolítica global.

O trabalho doméstico remunerado, cujos padrões decorrem das desigualdades conjugadas de gênero, classe e raça, pode ser definido como um problema em si para a democracia: o tipo de relação que assim se estabelece rompe com a igualdade necessária à democracia, uma vez que cria subordinados, mas também patrões (*masters*). Marca quem o exerce, ao mesmo tempo que reforça a identidade e o *status* social diferenciado de quem emprega[42]. Nas condições em que é realizado, o trabalho doméstico remunerado corresponde a uma radicalização das hierarquias e das formas de opressão presentes de maneira mais ampla no mundo do trabalho.

Por outro lado, nesta quadra inicial do século XXI em que só no Brasil há cerca de 6 milhões de mulheres nos serviços domésticos remunerados, o valor

---

[40] Conforme o citado relatório do Ipea, vale observar que o número de trabalhadoras domésticas que residem no domicílio onde trabalham vem diminuindo continuamente desde 1999: naquele ano, elas eram 9% das trabalhadoras; em 2013, eram 1,9%. Esse dado é significativo porque é justamente nos casos de residência das trabalhadoras no local de trabalho que pode haver maior exploração e aproximação de condições de servilidade, sem definição clara das jornadas de trabalho e das tarefas.

[41] Helen Schwenken, "The Challenges of Framing Women Migrants' Rights in the European Union", *Revue Européenne des Migrations Internationales*, v. 21, n. 1, 2005, p. 177-94, e "Mobilisation des travailleuses domestiques migrantes: de la cuisine à l'Organization internationale du travail", *Cahiers du Genre*, v. 2, n. 51, 2011, p. 113-33; Rafaella Sarti, "Domestic Service: Past and Present in Southern and Northern Europe", *Gender & History*, v. 18, n. 2, 2006, p. 222-45.

[42] Joan C. Tronto, *Caring Democracy*, cit., p. 111.

desse trabalho e as garantias para as trabalhadoras podem ser reduzidos pelo fato de essa atividade ser percebida como uma espécie de resquício da servilidade. A visibilidade do trabalho doméstico é necessária tanto pela importância que tem quanto porque dela depende o reconhecimento de direitos e garantias do contingente de mulheres que o realizam, aqui e em outras partes do mundo[43]. No Brasil, os resultados das lutas das trabalhadoras domésticas por direitos[44] imprimiram novas nuances nessas relações, que permanecem, no entanto, marcadas pelos padrões históricos das desigualdades raciais e regionais no país.

Da perspectiva de quem contrata uma trabalhadora doméstica ou uma cuidadora – algo que não ocorre apenas nos domicílios de alta renda –, esse trabalho também tem enorme importância, ainda que seja buscado para resolver necessidades que poderiam ser atendidas de outras formas, em modelos menos privatizados e em situações nas quais as jornadas de trabalho fossem reguladas de tal modo que se tornassem mais compatíveis com as necessidades concretas da vida cotidiana. A centralidade do trabalho doméstico remunerado e do cuidado profissional está, ao menos parcialmente, relacionada ao fato de que a oferta de serviços públicos é insuficiente (creches e escolas em período integral, por exemplo) e ao fato de que as alternativas coletivas à mercantilização dessas atividades são praticamente inexistentes (cozinhas coletivas e rodízio no cuidado com as crianças e outros indivíduos que necessitem de atendimento cotidiano, por exemplo). Assim, enquanto "o acesso de mulheres de classe média alta ao serviço realizado pelas trabalhadoras domésticas é, provavelmente, um dos fatores determinantes do crescente afluxo e da permanência de mulheres de classe média e alta em empregos com carreira, melhor remuneração e prestígio social", a delegação do trabalho doméstico e de cuidado "vem promovendo a polarização do emprego feminino, cuja base é ocupada pelas trabalhadoras domésticas"[45].

O acesso desigual das mulheres a ocupações, renda e aposentadoria é característico desse quadro e nos permite pensar que a vulnerabilidade, quando

[43] Helena Hirata, "Tendências recentes da precarização social e do trabalho: Brasil, França, Japão", *Cadernos CRH*, v. 24, n. 1, 2011, p. 15-22; Bila Sorj, "Arenas do cuidado nas interseções entre gênero e classe social no Brasil", cit.

[44] Joaze Bernardino-Costa, "Intersectionality and Female Domestic Worker's Unions in Brazil", *Women's Studies International Forum*, n. 46, 2014, p. 72-80.

[45] Bila Sorj e Adriana Fontes, "O *care* como um regime estratificado", cit., p. 110.

predominam modelos privatizados de cuidado, apresenta-se na convergência de gênero, classe e raça. Em 2013, as mulheres brasileiras receberam em média 65% do salário dos homens no mercado informal, enquanto no mercado formal essa diferença foi de 25%[46]. Essa é uma das razões pelas quais as mulheres são, nas regras correntes até 2017, maioria entre as pessoas que se aposentam por idade (em vez de por tempo de contribuição) e seu tempo total de contribuição é menor do que o dos homens.

Neste ponto, é importante ressaltar que a fronteira entre trabalho formal e informal tem caráter racial no Brasil. Quase metade da população negra exercia trabalho informal em 2013, contra 34,7% da população branca. As mulheres negras são o segmento da população com menor acesso ao trabalho formal. São também a faixa da população com menor renda média. As famílias sob sua chefia são aquelas que têm menor renda média, se comparadas a famílias chefiadas por homens brancos, mulheres brancas ou homens negros. Os domicílios chefiados por mulheres brancas têm renda domiciliar *per capita* 47,3% maior que os chefiados por mulheres negras e 40% maior que os chefiados por homens negros[47]. As mulheres negras são, assim, também as que têm menores chances de contratar serviços privados para compensar as demandas da vida doméstica, o que torna suas jornadas de trabalho não apenas menos protegidas e menos remuneradas, mas também mais longas.

A posição de maior vulnerabilidade das mulheres no casamento, que não se esgota nos aspectos socioeconômicos, mas guarda relação estreita com estes, também pode ser associada ao quadro mais amplo dessas desigualdades. A decisão de sair de um casamento pouco satisfatório tem custos diferenciados para mulheres e homens. É algo que se agudiza nos casos de violência doméstica – o que colabora para explicar por que muitas vezes as mulheres voltam para casa e para os relacionamentos, mesmo após terem sido agredidas e violentadas. Dados os arranjos correntes, as chances de alcançarem algum tipo de independência financeira são reduzidas por sua posição de responsáveis pelo trabalho doméstico e pelos cuidados cotidianos dispendidos com quem está na posição de dependente incontornável, como crianças, pessoas com necessidades especiais e idosos. Dessa perspectiva, acumulam-se desvantagens no cotidiano de um sistema que pune quem assume um trabalho necessário, mas

---

[46] IBGE, "Estatísticas de gênero: uma análise do Censo Demográfico 2010", cit.

[47] Ipea, *Retrato das desigualdades de gênero e raça*, cit.

desvalorizado. É um quadro que se torna mais complexo quando se levam em consideração a dependência das crianças em relação aos adultos e os valores associados à maternidade, de que falarei no próximo capítulo.

Apesar de todos esses aspectos, o papel reservado às mulheres na divisão convencional do trabalho não é visto apenas negativamente pelo feminismo. O debate sobre "ética do cuidado" apoia-se no entendimento de que a necessidade de cuidado é inescapável e de que as relações assim estabelecidas envolvem valores e emoções que poderiam ser apreendidos de outras óticas, ainda que seja necessário compreender os efeitos negativos *dos arranjos sociais correntes* para as pessoas que assumem a responsabilidade de cuidar de outras.

Cuidado e dependência

O debate feminista sobre cuidado questiona a despolitização das relações na esfera privada. É algo que está presente na ideia de que "o que é pessoal é político". Mas essa ideia tem sintetizado, sobretudo, a crítica às relações de poder e de autoridade no âmbito doméstico familiar, seu caráter institucionalizado, a violência e a exploração que fazem parte do cotidiano e seus desdobramentos para as mulheres em outras esferas. As abordagens do cuidado, entretanto, não se restringem a uma crítica à alocação desigual das responsabilidades e do poder e às desvantagens de estar na posição de quem cuida em sociedades nas quais os vínculos são desvalorizados e predomina a lógica econômica concorrencial. Elas se voltam também para a dimensão ético-política das relações de cuidado e para seu potencial impacto na esfera pública e na democracia. Por isso, o debate sobre a "ética do cuidado" se estabelece a partir do questionamento de noções abstratas de justiça[48] e da ideia de que o universo das relações cotidianas e do cuidado corresponderia a "meras expressões de valores pessoais e preocupações de caráter moral"[49]. Define-se, assim, uma crítica à despolitização das relações de cuidado e dos afetos que estas engendram e, sobretudo, à sua consequência: a exclusão, no debate público, de valores, linguagens e preocupações que se estabelecem a partir das posições das mulheres nas relações de cuidado.

---

48 Carol Gilligan, *In a Different Voice: Psychological Theory and Women's Development* (Cambridge--MA, Harvard University Press, 1982).

49 Jean Bethke Elshtain, "The Power and Powerlessness of Women", em Gisela Bock e Susan James (orgs.), *Beyond Equality and Difference: Citizenship, Feminist Politics, Female Subjectivity* (Londres/Nova York, Routledge, 1992), p. 113; aqui, em tradução minha.

Historicamente, a institucionalização do poder masculino correspondeu a fronteiras na definição dos códigos públicos "comuns", reduzindo o caráter social dos âmbitos nos quais o poder informal das mulheres foi exercido: o doméstico e o sagrado. Trata-se, portanto, de um processo de privatização do mundo doméstico, não da incorporação de fronteiras preexistentes. O poder masculino – e as concepções de justiça que se definem na sua institucionalização – corresponderiam, assim, a um tipo de "progresso" no qual as mulheres representam "o polo negativo, juntamente com a natureza, a emoção e a paixão"[50], algo que ganhou configurações específicas na América Latina, considerando os laços sociais tradicionais, a diversidade étnica e o impacto do colonialismo[51].

O pensamento e as instituições modernas, nas formas que assumem nesse complexo heterogêneo da realidade capitalista colonial patriarcal, simulariam um mundo no qual "os indivíduos são adultos antes de terem nascido; os garotos são homens antes de terem sido crianças; um mundo no qual nem mãe, nem irmã, nem esposa existem"[52]. Nessa dinâmica, o apagamento da "voz específica" das mulheres teria condicionado seu acesso à cidadania, conformado pelo "discurso simbólico dominante"[53]. É também nesse processo que o "mundo das coisas" prevaleceu sobre o "mundo dos vínculos"[54], esgarçando os laços e tornando mais precária a vida das pessoas e o meio em que estão situadas.

Na obra de Carol Gilligan, essa perspectiva focada nas relações e nas responsabilidades para com outras pessoas seria definida como "a linguagem do discurso moral das mulheres"[55]. Dois universos morais distintos são analisados em seus fundamentos éticos: o do cuidado e o da justiça. Na moralidade centrada no cuidado, as subjetividades seriam conformadas em processos nos quais os relacionamentos e a responsabilidade pelas outras pessoas desempenhariam papel central, enquanto na moralidade pautada pela justiça, o desenvolvimento moral corresponderia à prevalência de regras impessoais sobre reivindicações de

[50] Ibidem, p. 116; aqui, em tradução minha.

[51] Rita Laura Segato, *La guerra contra las mujeres* (Madri, Traficantes de Sueños, 2016).

[52] Seyla Benhabib, "The Generalized and the Concrete Other: The Kohlberg-Gilligan Controversy and Feminist Theory", em Seyla Benhabib e Drucilla Cornell (orgs.), *Feminism as Critique* (Minneapolis, University of Minnesota Press, 1987), p. 85; aqui, em tradução minha.

[53] Silvia Vegetti Finzi, "Female Identity between Sexuality and Maternity", em Gisela Bock e Susan James (orgs.), *Beyond Equality and Difference*, cit., p. 126-45.

[54] Rita Laura Segato, *La guerra contra las mujeres*, cit.

[55] Carol Gilligan, *In a Different Voice*, cit., p. 70.

validade identificadas como parciais, em situações concretas e conflitivas. Foi essa distinção entre "ética da justiça e dos direitos e ética do cuidado e da responsabilidade" que levou a "novas abordagens do desenvolvimento moral e das competências cognitivas das mulheres"[56], rompendo com o entendimento de que tais competências seriam falhas ou insuficientes e pondo em xeque as referências "universais" que levavam a essa avaliação[57].

A partir do diálogo com os estudos da socióloga e psicanalista Nancy Chodorow[58], ganharam importância nesse debate os padrões de socialização das crianças. Para a autora, em famílias nucleares e em arranjos heteronormativos, os sentidos do feminino e do masculino se deveriam à proximidade das mulheres como cuidadoras e, por outro lado, à maior distância dos homens no processo de criação dos filhos. Relações, empatia, preocupação com as outras pessoas e afetos manifestos nas relações maternais e de cuidado foram, assim, contrapostos, a distância, separação e abstração. Esse novo eixo de dualidades, que inverteria os sinais na valorização de universos e comportamentos masculinos e femininos, está na base do chamado "pensamento maternal", associado a autoras como Jean Betkhe Elshtain, já citada, Sarah Ruddick, Virginia Held e, injustamente segundo meu entendimento, à própria Carol Gilligan. O "maternalismo" continua ativo na produção das identidades políticas, como estereótipo e como recurso das próprias mulheres, e permeia não só o conservadorismo moral, mas também algumas vertentes do pensamento progressista nas quais o retorno a uma suposta "natureza" passa pela revalorização do "maternal" nas mulheres[59], algo que será discutido mais atentamente no próximo

---

[56] Seyla Benhabib, "The Generalized and the Concrete Other", cit., p. 78.

[57] Gilligan parte da teoria dos estágios morais do filósofo e psicólogo estadunidense Lawrence Kohlberg, *Essays on Moral Development: The Philosophy of Moral Development* (San Francisco, Harper & Row, 1981), para quem os estágios iniciais do desenvolvimento moral são referenciados pela existência ou pela ausência de punição e pelo prazer e satisfação do próprio indivíduo. Os estágios mais avançados do desenvolvimento moral seriam orientados pela lei, pelo contrato social democrático e, no topo do que denomina desenvolvimento pós-convencional, pelo reconhecimento de princípios morais universais. Aplicando as categorias de Kohlberg a entrevistas realizadas com mulheres e homens de diferentes idades nos Estados Unidos, Gilligan se dedicaria a compreender as "vozes diferentes" das mulheres em seus próprios termos, definindo o paradigma de Kohlberg como *um tipo* de desenvolvimento moral, o da justiça e dos direitos, e contrapondo-o a um paradigma alternativo, o do cuidado e das responsabilidades.

[58] Nancy Chodorow, *The Reproduction of Mothering* (Berkeley/Los Angeles, University of California Press, 1999 [1978]).

[59] Elisabeth Badinter, *O conflito: a mulher e a mãe* (trad. Vera Lúcia dos Reis, Rio de Janeiro, Record, 2010).

capítulo. Não se confunde, no entanto, com o debate mais amplo sobre "ética do cuidado" na contemporaneidade e está distante, como tenho mostrado, das posições assumidas neste livro.

Embora Gilligan seja clara na definição da sua posição, esclarecendo que a "voz diferenciada" das mulheres não emerge da condição feminina, mas de experiências decorrentes de sua posição social, essa abordagem tem permitido aproximações entre cuidado e feminilidade. Joan Tronto, de cuja posição me aproximo, estabelece um diálogo crítico com a análise feita por Gilligan e amplia a discussão ao situar o cuidado como questão prioritária para a democracia. Reconhecendo a contribuição de Gilligan para a análise da exclusão das vozes e das experiências das mulheres, assinala que ela teria favorecido o entendimento de que existe uma correspondência entre diferenças de gênero e diferentes perspectivas morais – e, assim, entre o cuidado e a feminilidade[60]. Os riscos, tais como enunciados por Tronto, estariam na marcação negativa do cuidado, numa sociedade em que o masculino corresponde à normalidade, e o feminino carrega o sentido da inferioridade. Estariam, ainda, numa armadilha, qual seja, a de que a defesa da centralidade do cuidado, ou de uma "ética do cuidado", implicaria a ideia de que existe uma moralidade feminina. O argumento de Tronto nos leva de volta à ambivalência antes mencionada: a valorização do cuidado não pode suspender a crítica ao fato de que nas sociedades modernas sua definição como ética diferenciada deriva das condições de subordinação das mulheres[61]. As diferenças remetem ao papel desempenhado, não a algum elemento essencial nas identidades[62]. Quem assume a responsabilidade de cuidar, com todos os prazeres e os fardos que isso implica, terá uma perspectiva diferente do que são as relações cotidianas e do que importa.

Para os argumentos que sustento aqui, o mais importante é que a responsabilização diferenciada produz custos diferentes para mulheres e homens e, sobretudo, para as mulheres negras situadas nas camadas mais pobres da população, constituindo circuitos de vulnerabilidade e alimentando as desigualdades existentes. Entre o artigo antes mencionado, publicado em 1987, e seu livro publicado mais recentemente, em 2013, Joan Tronto avança na construção de uma teoria democrática do cuidado ao contestar mais diretamente as

---

60 Joan C. Tronto, "Beyond Gender Difference to a Theory of Care", *Signs*, v. 12, n. 4, 1987, p. 646.

61 Ibidem, p. 646-7.

62 Ibidem, p. 652.

assimetrias e as desigualdades sociais que a configuração (de gênero, classe e raça) das relações de cuidado assume nas sociedades contemporâneas e os limites que a mercantilização impõe.

Uma vez que as relações de cuidado ganham centralidade, torna-se difícil operar com a dualidade dependência/independência, como se ela expressasse o resultado de escolhas menos ou mais responsáveis ou, ainda, como uma espécie de menoridade (biológica ou moral) que precisa ser superada. Dependência incontornável e dependência socialmente produzida estão, em muitos aspectos, entrelaçadas nas sociedades em que é reduzida a responsabilidade coletiva pelo cuidado.

O problema político de que procuro tratar aqui define-se nas conexões entre a "dependência desenvolvimental" – que se apresenta na infância, nos processos de adoecimento, entre as pessoas que têm necessidades especiais e na velhice – e a "dependência derivativa" – que afeta as pessoas que estão na posição de cuidadoras numa sociedade em que o cuidado com os dependentes é desvalorizado[63]. É o que ocorre com as pessoas – mulheres, mas também homens – quando assumem, ou são levadas a assumir, a responsabilidade pelo cuidado dos inevitavelmente dependentes. Nesse caso, o trabalho necessário, desempenhado de forma gratuita e porque assumem responsabilidades para com pessoas próximas, tem como desdobramento a vulnerabilidade social, por acarretar dificuldades para o exercício do trabalho remunerado. Ao mesmo tempo, num universo largamente privatizado, a contratação de cuidadoras e cuidadores está disponível para quem tem recursos e, portanto, poderá manter sua posição de trabalhadora ou trabalhador "funcional" justamente por ter condições de atribuir a outras pessoas o trabalho de cuidar. Entre as mulheres cuja vida é marcada pela dedicação ao cuidado de filhos pequenos e de filhos ou parentes com necessidades especiais, por exemplo, pode haver bem mais do que "escolhas" em jogo. Trata-se de decisões nas quais aspectos materiais e simbólicos, alocação de responsabilidades e recursos no âmbito estatal, assim como códigos morais de gênero, se entrelaçam produzindo as trajetórias.

A presunção de que "as pessoas que são dependentes derivativas (cuidadoras ou mães) assumiram voluntariamente essa posição", isto é, de que "consentiram" em priorizar o cuidado, precisaria ser complementada pela explicação das razões pelas quais "na nossa sociedade se espera apenas de algumas pessoas que

[63] Martha Albertson Fineman, *The Autonomy Myth*, cit., p. 35.

assumam os sacrifícios que cuidar dos outros implica"[64]. Os resultados da privatização do cuidado ultrapassam a vida individual dos dependentes e dos que assumiram a responsabilidade de cuidar deles, sendo parte importante dos mecanismos de reprodução da pobreza e das desigualdades nas sociedades contemporâneas. Para superar essa situação, seria necessário redefinir a própria noção de responsabilidade, expondo os níveis individual *e* coletivo das obrigações sociais[65]. A reprodução social depende do cuidado com os vulneráveis. Dependência biológica e vulnerabilidade são fatos inelutáveis da condição humana, o que leva a defini-los como objeto de preocupação e obrigação coletiva e social[66]. "A justiça demanda que a sociedade reconheça que o trabalho de cuidar de outros reverte em benefícios para a sociedade em sentido mais amplo", assim como a defesa da igualdade demanda a valorização desse trabalho, que precisa ser "compensado e acomodado pela sociedade e por suas instituições"[67].

A noção de "ética do cuidado" define-se, assim, na contramão de um mundo fundado na abstração de indivíduos racionais e isolados. As críticas elaboradas nesse universo teórico, filosófico e político convergem para a valorização das experiências das mulheres, engendradas por sua posição nas relações de cuidado. Mas as análises não incluem, necessariamente, uma orientação sobre como seriam superados os obstáculos estruturais relacionados ao papel das mulheres na vida doméstica, de que venho falando. Ainda que a importância do cuidado com as crianças seja inquestionável, a experiência das mulheres como mães implica desvantagens e pode ser significada, por elas mesmas, nas malhas de ideais maternalistas e de domesticidade. Ao mesmo tempo, o horizonte feminista liberal de libertação das mulheres do trabalho doméstico, sem que ocorram transformações profundas nas relações sociais de trabalho e cuidado, é uma idealização baseada na vivência das poucas mulheres que podem ter acesso a carreiras profissionais com grau relativamente ampliado de autonomia e remuneração[68], enquanto outras mulheres continuam desempenhando esse trabalho em condições precárias.

---

[64] Ibidem, p. 42; aqui, tradução minha.

[65] Ibidem, p. 49.

[66] Ibidem, p. 48.

[67] Ibidem, p. 38; aqui tradução minha.

[68] bell hooks, *Feminist Theory: From Margin to Center* (2. ed., Nova York/Boston, South End, 1984), p. 61.

O esforço para realizar, simultaneamente, a crítica à opressão das mulheres na esfera doméstica e a crítica à desvalorização do trabalho doméstico cotidiano das mulheres, que seria "ao menos tão fundamentalmente construtor do mundo e produtor de sentido[69] quanto o trabalho tipicamente masculino"[70], esbarra numa série de problemas. No mundo em que vivemos, a cidadania e o reconhecimento social permanecem, em muitos sentidos, associados ao trabalho *remunerado*, que é também um dos canais para a construção das redes que dão acesso a alternativas e à política. Outro problema é que existe, em abordagens voltadas para a experiência das mulheres na vida doméstica familiar, o risco de reduzi-la à vida possível para algumas mulheres. A posição das mulheres que não são mães é, afinal, ainda menos considerada no debate público quando se investe na ideia de que é "como mães" que as mulheres trariam perspectivas alternativas às hegemônicas – masculinas, capitalistas, concorrenciais. Por fim – mas sem, é claro, esgotar os problemas que se apresentam –, os desafios enfrentados pelas mulheres negras, quando mães, podem ser completamente distintos dos que se apresentam às mulheres brancas. Patricia Hill Collins destaca a transmissão de valores na relação entre mães e filhas, o que pode estabelecer correntes de compartilhamento de experiências e de resistência em sociedades racistas[71]. Mostra, ao mesmo tempo, que as condições para o cuidado se estabelecem em redes comunitárias distintas daquelas que operam nas famílias nucleares biparentais e são atravessadas por estereótipos diferentes daqueles que codificam a maternidade entre as mulheres brancas.

Por isso, opto por focalizar o problema da privatização do cuidado e da vida familiar numa crítica que não resgata ideais comunitários nem atribui superioridade ética à posição de mulheres, como mães, nas relações de cuidado. A posição hierárquica da dona de casa e o trabalho doméstico desvalorizado são faces de uma única moeda, mesmo quando as mulheres trabalham dentro *e* fora de casa. Entre as camadas mais pobres da população, a permanência da mulher na posição de "dona de casa" pode ser um efeito casado das convenções de gênero e do desemprego[72], não uma escolha que individualiza e dá sentido à vida.

---

[69] No original, *world-making and meaning-giving*.

[70] Iris Marion Young, *Intersecting Voices: Dilemmas of Gender, Political Philosophy, and Policy* (Princeton, Princeton University Press, 1997), p. 156; aqui, em tradução minha.

[71] Patricia Hill Collins, *Black Feminist Thought*, cit.

[72] Angela Davis, *Mulheres, raça e classe*, cit., p. 240.

A abordagem do trabalho desempenhado pelas mulheres também precisaria ser deslocada de pressupostos acerca do funcionamento das famílias, para que não encampe visões excludentes. No debate político, o cuidado pode ganhar sentido numa gramática "familista", conservadora, diferente daquela que se estabelece no campo feminista, em que a preocupação com as pessoas que necessitam de cuidado não reduz o horizonte de uma sociedade mais igualitária – numa perspectiva de gênero, mas também de classe e de raça e, portanto, *intra* e *interfamiliar*. Desenha-se, nesse sentido, uma "linha tênue, mas muito importante, entre a demanda feminista de que os homens se responsabilizem pelos filhos e a demanda antifeminista de que os homens tenham a obrigação de ser os provedores da família"[73], que viria associada ao entendimento de que a pobreza e a vulnerabilidade de mulheres e crianças derivariam das separações de casais e das mudanças nas relações familiares, indicando como remédio, portanto, a afirmação da família nuclear convencional[74].

Uma teoria democrática que seja capaz de lidar com essas desigualdades, em vez de simplesmente deixá-las de lado nas análises da democracia e da justiça, precisará dar conta das ambivalências no reconhecimento do valor do trabalho realizado pelas mulheres no cotidiano da vida doméstica, da diversidade de arranjos familiares e das desigualdades entre as mulheres. Como as necessidades de cuidado são atendidas, quem se responsabiliza pelo cuidado e que formas ele assume são questões fundamentais. Dependendo da resposta, poderemos nos afastar ou nos aproximar de um ideal democrático no qual a igualdade seja uma referência e as diferenças não sejam mobilizadas para justificar a opressão contra determinados grupos.

Parte do trabalho realizado no cotidiano da vida doméstica, que tem ficado em larga medida sob a responsabilidade das mulheres (sendo ele remunerado ou não), consiste em atividades de atendimento a necessidades incontornáveis de cuidado. É o que ocorre sobretudo quando se pensa no cuidado dispensado a crianças, idosos, portadores de deficiências e doenças crônicas, assim como às mais diversas pessoas quando adoecem. Não se trata, assim, de algo que possa ser *superado*. Por isso, negar o cuidado como parte da vida não configura apenas

---

[73] Johanna Brenner, *Women and the Politics of Class*, cit., p. 108; aqui, em tradução minha.

[74] Flávia Biroli, *Família: novos conceitos* (São Paulo, Fundação Perseu Abramo, 2014), e "Political Violence against Women in Brazil: Expressions and Definitions", *Direito & Práxis*, v. 7, n. 15, 2016, p. 557-89.

uma ilusão, é algo que tem efeitos perniciosos porque reduz nossa capacidade de encontrar soluções para a realidade múltipla e diferenciada das pessoas que precisam de cuidado e para a situação específica de quem trabalha para atender a essas necessidades. O desafio se amplia porque respostas pontuais à realidade de quem precisa de cuidado, como as dadas pela sua mercantilização, poderão excluir um grande contingente de pessoas e, por outro lado, não serão, necessariamente, capazes de garantir que quem exerce o trabalho de cuidar não se tornará socialmente mais vulnerável pelo fato de estar nessa posição. "Somos todos provedores e beneficiários de *care* [sic] e, todos, dependentes"[75], mas, dada a configuração atual, alguns têm maiores chances de receber cuidado, enquanto outros se encontram numa condição negativamente marcada pelo exercício do cuidado, tanto em suas formas não remuneradas quanto nas remuneradas.

Quando se rompe com a invisibilidade do complexo de relações de que estamos tratando ao falarmos de cuidado – invisibilidade que é característica da maior parte do debate sobre democracia –, a dependência aparece como realidade da vida cotidiana. Mais uma vez, temos aqui um exemplo de como o debate sobre democracia pode se afastar do cotidiano das pessoas: se, nele, as demandas por cuidado podem ser desconsideradas como questões de primeira ordem, o mesmo não se passa no cotidiano da vida. Em sua ampla maioria, "as teorias políticas democráticas pressupõem a existência de atores autônomos como ponto de partida para a democracia"[76], o que impede que se levem em consideração a dependência e o trabalho realizado cotidianamente para lidar com ela. Com isso, fica reduzida nossa capacidade de encontrar soluções satisfatórias para equilibrar autonomia e dependência.

Essa alocação desigual não é aleatória, mas atende a padrões que têm correspondência com as hierarquias de gênero, raça e classe social. Entre os que cuidam, há mais mulheres, mais negras/os e mais indivíduos das camadas mais pobres da população. Entre os que recebem cuidado mais intensivo (maior tempo e atenção) e mais qualificado (em termos da capacitação de quem provê os cuidados e dos recursos materiais disponíveis para seu exercício) estão mais homens, mais brancas/os e mais indivíduos das camadas mais ricas da população.

---

[75] Pascale Molinier, "Cuidado, interseccionalidade e feminismo", *Tempo Social*, v. 26, n. 1, 2014, p. 41.

[76] Joan C. Tronto, *Caring Democracy*, cit., p. 31; aqui, em tradução minha.

A invisibilização das tarefas alocadas está, assim, diretamente relacionada a *quem* as exerce. Helena Hirata aponta para dois caminhos diferentes na compreensão da desvalorização social do trabalho de provimento de cuidado[77]. Um deles, predominante no feminismo, é que, por ser extensão do trabalho doméstico não remunerado realizado por mulheres, ele seria menos valorizado socialmente: nesse caso, a causalidade é estabelecida de tal forma que se ressalta *quem realiza* o trabalho. No segundo, que ela atribui a Patricia Paperman[78], a desvalorização existiria em função da vulnerabilidade e do baixo reconhecimento social de quem precisa de cuidado, sobretudo idosos e pessoas com deficiências: a causalidade, portanto, é estabelecida pelo destaque a *quem recebe* o cuidado. Aqui me associo ao primeiro, sem excluir a possibilidade de que o segundo desempenhe algum papel na desvalorização desse trabalho. Entendo que é na convergência entre convenções de gênero e ampliação da mercantilização das relações que se produzem a desvalorização e a precarização do trabalho remunerado doméstico e de cuidado.

Por serem tais tarefas assumidas por quem está em condição socialmente desvantajosa, é mais reduzida a probabilidade de que elas sejam definidas como problemas, sobretudo como problemas políticos. Esse raciocínio pode ser estendido à produção do conhecimento. É possível aventar a hipótese de que quem participa da construção teórico-filosófica dos problemas da democracia está, provavelmente, situado entre os que recebem cuidado com mais frequência e intensidade do que entre os que exercem a função de cuidadores. Nos dois casos, no âmbito da prática política e no do pensamento político, essa situação converge para a prevalência de determinadas agendas, concepções e pressupostos.

Parece-me ser esse o contexto em que se definem os estereótipos da independência dos homens como cidadãos e trabalhadores e da dependência das mulheres quando estão na posição de cuidadoras de outras pessoas[79]. Os primeiros – homens como cidadãos e trabalhadores – são dependentes do trabalho de outras pessoas, em geral mulheres. Sem alguém que cozinhasse, mantivesse limpas suas roupas e, quando há filhos, cuidasse das crianças (ou estivesse disponível para levá-las e pegá-las na creche ou na escola) – para

---

[77] Helena Hirata, "Gênero, classe e raça", cit., p. 67.

[78] Patricia Paperman, "Travail et responsabilités du care: questions autour du handicap", comunicação apresentada no colóquio internacional Théories et Pratiques du Care: Comparaisons Internationales, Paris, 13-14 jun. 2013.

[79] Johanna Brenner, *Women and the Politics of Class*, cit., p. 109.

elencar apenas tarefas regulares bastante comuns –, eles veriam afetada sua rotina de trabalho e reduzido seu tempo para recompor as energias do trabalho. Por outro lado, quando as mulheres se tornam dependentes, quer de programas sociais, quer de homens que lhes sejam próximos, isso ocorre porque estão sendo responsabilizadas por tarefas cotidianas que vão ao encontro da dependência de outras pessoas. Mesmo essa dependência dos que são tomados como independentes não é algo que possa ser simplesmente eliminado. O problema está no fato de que as tarefas que lhes garantem a autonomia são realizadas por pessoas que, ao fazê-lo, perdem a autonomia, ao mesmo tempo que seu trabalho é invisibilizado e alocado de maneira desigual.

O pensamento conservador defende o aperfeiçoamento da família e mais responsabilidade dos homens em nome da proteção às mulheres. O liberalismo reformista, inclusive em abordagens feministas, defende que a mulher vulnerabilizada pela dependência receba assistência financeira por ter justificadamente falhado no teste da independência. As abordagens mais radicais no feminismo questionarão, ao contrário, as próprias noções de mérito e independência, assim como a visão da dependência como um desvio. Nos arranjos convencionais, os homens "são tão dependentes do trabalho não remunerado das mulheres (incluindo seu trabalho emocional) quanto as mulheres são dependentes da renda dos homens" e o cuidado com as crianças é uma contribuição social e deveria ser assim reconhecido[80]. É uma visão que contesta a escala de valorização das diferentes atividades e as formas de definição da independência e do mérito.

As alternativas consideradas para combater o empobrecimento das mulheres quando os casamentos terminam são um exemplo da mobilização de entendimentos distintos dos papéis de gênero e da opressão a eles relacionada. No debate nos Estados Unidos, em que as disputas em torno das políticas de bem-estar social, a partir dos anos 1980, tornaram explícitas algumas dessas compreensões, há, tipicamente, 1) argumentos favoráveis a políticas para a manutenção dos casamentos – mais casamento implicaria menos pobreza; 2) argumentos favoráveis à garantia de recursos para mulheres em condição de vulnerabilidade, para que tenham condições de cuidar dos filhos – se os casamentos não são mantidos, o Estado supre, de certo modo, a renda do marido; e 3) argumentos favoráveis a políticas para o compartilhamento do cuidado,

[80] Ibidem, p. 104; aqui, em tradução minha.

como a oferta de creches e escolas públicas de qualidade em período integral, mudanças na legislação, no sentido de avanços nos direitos à flexibilidade na rotina de trabalho e a licenças para mães e pais com filhos pequenos[81].

Nos dois primeiros casos, o papel convencional da mulher na esfera doméstica é reforçado ou restabelecido. Apenas no último se questiona não apenas esse papel, mas também a privatização do cuidado e suas consequências. Ele permite, ainda, incorporar a diversidade sexual, os arranjos não convencionais e mesmo a solidão, sem que as pessoas sejam punidas na velhice ou quando adoecem. Para quem não se engaja em relações estáveis ou não tem filhos, o pressuposto de que o cuidado na velhice se dará no âmbito familiar é ainda mais danoso. Mesmo em trajetórias mais convencionais, a redução da natalidade torna mais distante a ideia de que o cuidado na velhice será garantido pelos filhos.

Há muitos matizes entre o foco nas desigualdades intrafamiliares e nas interfamiliares. A redefinição das responsabilidades individuais e coletivas depende de abordagens – e políticas – que ultrapassem o foco nos arranjos interpessoais e sejam capazes de perceber *de que modo as desigualdades de gênero se conectam a desigualdades de classe e de raça*. Essa preocupação norteou os investimentos em equipamentos públicos para a infância em países do norte da Europa[82] e fundamenta o Sistema Nacional de Cuidados, implementado em 2013 no Uruguai, país das Américas em que essa perspectiva foi mais fortemente incorporada nas políticas públicas, num sistema integrado[83]. No Brasil, os parâmetros definidos para o sistema de seguridade na Constituição de 1988, regulamentados na Lei Orgânica de Assistência Social (Loas), de 1993, e presentes nas condições especiais consideradas pelo Benefício de Prestação Continuada (BPC), também correspondem a um pacto social de cuidado. Com limites e deficiências, esse pacto orientou as políticas no ciclo democrático que se iniciou com a Constituição e se encerrou com o golpe de 2016, que depôs

[81] Mapeio essas posições a partir de Johanna Brenner, "The Feminization of Poverty", em *Women and the Politics of Class*, cit.; de Nancy Fraser, "A Genealogy of Dependence", em *Justice Interruptus*, cit.; e de Iris Marion Young, "Mothers, Citizenship, and Independence", em *Intersecting Voices*, cit.

[82] Gøsta Esping-Andersen, *The Incomplete Revolution*, cit.

[83] Rosario Aguirre e Fernanda Ferrari, *La construcción del sistema de cuidados en el Uruguay: en busca de consensos para una protección social más igualitaria* (Santiago, Cepal, 2014), série Políticas Sociales, n. 193.

Dilma Rousseff. Desde 2016, a aprovação de um teto para os gastos públicos por meio de emenda à Constituição (PEC 241/55), com validade de vinte anos, inviabilizou políticas correntes e limitou decisões futuras que priorizassem as necessidades de cuidado. Atrelada a mudanças na legislação trabalhista aprovadas em 2017 e a propostas em curso de mudanças no sistema universal de saúde e na Previdência Social, essa política prenuncia a abertura de um fosso ainda maior nas desigualdades de classe, raciais e de gênero que constituem a "crise do cuidado" no país.

O enfrentamento das desigualdades relacionadas às formas atuais (privatizadas e mercantilizadas) do cuidado não pode prescindir de uma abordagem de *gênero*; no entanto, esse enfrentamento será restrito caso se limite a tal enfoque – mesmo que desconstrutivista –, uma vez que é na convergência entre gênero, classe e raça que tais desigualdades se produzem. Por isso, na defesa de políticas focadas de combate à pobreza, têm merecido atenção grupos específicos de mulheres, como as mulheres negras chefes de família e as mães solteiras[84]. No primeiro caso, racismo e sexismo atuariam em conjunto; no segundo, seriam mais agudos os efeitos da maternidade e da maternagem sobre a posição das mulheres no mercado de trabalho, por terem de dar conta sozinhas do cuidado e do sustento dos filhos.

A coexistência entre ampliação do leque de estilos de vida e insegurança econômica de parte significativa da população é constitutiva da "crise do cuidado". Nas palavras de Brenner, temos "crescentes oportunidades de autoexpressão por meio de um amplo leque de identidades mercantilizadas"[85] e "inseguranças e preocupações econômicas" também crescentes, derivadas da baixa proteção social. A tensão entre a lógica de mercado e a lógica da democracia está na base dessa coexistência. Quando a primeira predomina, prevalece o que podemos definir como um enquadramento das relações e das atividades humanas na perspectiva dos ganhos financeiros; a segunda, por sua vez, pode ser definida como a afirmação de valores e instituições nos quais prevaleceriam não apenas interesses plurais – colocando em questão o peso relativo dos agentes econômicos –, mas também a concepção de que os indivíduos são ao mesmo tempo atores e fins.

---

[84] Lena Lavinas, "As mulheres no universo da pobreza: o caso brasileiro", *Revista Estudos Feministas*, ano 4, n. 2, 1996, p. 469.

[85] Johanna Brenner, *Women and the Politics of Class*, cit., p. 188; aqui, em tradução minha.

O quadro histórico mais amplo das formas atuais de organização da vida é aquele em que o trabalho remunerado é definido como fator primordial de socialização e valorização do indivíduo, mas, numa contradição permanente, é reduzido a um meio para a finalidade prioritária, que seria o consumo[86], algo que se acentua quando o indivíduo se torna, ele mesmo, um capital que depende de constante autoinvestimento[87]. Há uma continuidade entre o trabalhador-consumidor, o indivíduo como capital que depende de autoinvestimento e a idealização da domesticidade: a racionalidade da competição, do oportunismo e da condescendência com os superiores hierárquicos no trabalho – organizado segundo as normas da eficiência econômica – teria como contraponto a vida privada confortável, opulenta e hedonista[88]. A idealização da esfera doméstica serve mal às classes sociais menos privilegiadas, com ainda menos autonomia no seu cotidiano de trabalho e, sem dúvida, com menor remuneração e menores condições de alcançar os níveis de consumo que compensariam as formas de isolamento da família e a falta de tempo para o cultivo das relações. A lógica de mercado organiza a vida segundo valores quantificáveis, não para que corresponda aos "valores relativos ao 'tempo de viver' da soberania existencial"[89].

Com o predomínio da lógica de mercado, impõe-se a exigência de que os indivíduos sejam "independentes", assumam responsabilidades e formas de cuidado, para com os outros e para consigo, que, no entanto, lhes são negadas cotidianamente como alternativas. A falta do cuidado adequado transforma-se em comprovação de falta moral, em vez de ser lida como resultado de um pacto social cruel e excludente.

Um caminho alternativo ao da mercantilização poderia consistir em assumir como pressuposto que "todos os membros adultos de uma sociedade têm alguma responsabilidade no apoio a todas as crianças"[90] e aos indivíduos vulneráveis. Além de políticas centradas no suporte aos indivíduos dependentes[91],

---

[86] André Gorz, *Metamorfoses do trabalho: crítica da razão econômica* (trad. Ana Montóia Formato, São Paulo, Annablume, 2003 [1998]).

[87] Wendy Brown, *Undoing the Demos*, cit.

[88] André Gorz, *Metamorfoses do trabalho*, cit., p. 43.

[89] Ibidem, p. 117.

[90] Iris Marion Young, *Intersecting Voices*, cit., p. 111; aqui, em tradução minha.

[91] O Benefício de Prestação Continuada (BPC) é, no Brasil, um exemplo de programa de transferência de renda focado. Destina-se a portadores de deficiências e a idosos com mais de 65 anos. Não há condicionalidades para o recebimento, mas é dirigido a pessoas que vivem em famílias com renda menor do que um quarto do salário mínimo. Em 2012, atingia 3,6 milhões de

políticas de renda básica universal reduziriam a insegurança econômica das crianças, dos idosos e daqueles que são responsabilizados pelo cuidado dessas pessoas. A superação da oposição entre trabalho remunerado e cuidado parece necessária para que se tenha uma configuração mais justa das relações de gênero e de classe[92]. O segundo permanece como barreira para o exercício do primeiro quando a responsabilização das mulheres pelo cuidado as impede de participar paritariamente da sociedade e quando a lógica de mercado determina quem terá acesso ao cuidado ou apoio na tarefa de cuidar.

Se dependência e autonomia são referências conjuntas para a construção de relações mais igualitárias, a crítica à mercantilização parece ser, pelas razões elencadas, um dos esforços necessários. Mas a aposta na ampliação do suporte público não está livre de problemas. Algumas das ambivalências antes consideradas são válidas também aqui. O risco de que a ação do Estado se dê de tal forma que aprofunde as convenções de gênero, que estão na base da responsabilização diferenciada, tem sido, como se disse anteriormente, alvo de críticas feministas ao Estado de bem-estar social e, no Brasil, às políticas de transferência de renda[93].

Associo-me ao entendimento de que são necessárias estratégias para promover a independência das mulheres como indivíduos e para lhes dar suporte como mães[94]. Se a primeira dessas dimensões for deixada de lado, sua cidadania poderá ser comprometida – é o que ocorre quando sua condição de indivíduo é fundida à de mãe. Por outro lado, quando a segunda é deixada de lado, fica comprometida a possibilidade de que as mulheres que são mães tenham acesso a oportunidades e chances de exercer efetivamente a autonomia. É o que ocorre quando se faz de conta que a responsabilização desigual não existe, legando às "famílias" a responsabilidade pelas crianças sem que se considere o fato de que isso implica a responsabilização das mulheres pelo cuidado, com os desdobramentos já discutidos. É importante, assim, que as garantias aos direitos

---

pessoas, segundo Marcelo Medeiros, Tatiana Britto e Fábio Soares, *Programas focalizados de transferência de renda no Brasil: contribuições para o debate*, Brasília, Ipea, texto para discussão n. 1.283, 2007.

92 Nancy Fraser, *Justice Interruptus*, cit., p. 61.

93 Silvana Aparecida Mariano e Cássia Maria Carloto, "No meio do caminho entre o privado e o público: um debate sobre o papel das mulheres na política de assistência social", *Revista Estudos Feministas*, v. 18, n. 2, 2010, p. 451-71.

94 Johanna Brenner, *Women and the Politics of Class*, cit., p. 118.

individuais não sejam confundidas com as políticas públicas de suporte às mulheres que desejarem ser mães e que não impliquem o apagamento das mulheres como indivíduos em nome da proteção às crianças, buscando-se alternativas para que ambas sejam consideradas concomitantemente.

Outra frente possível para essa crítica evoca o controle coletivo como algo distinto da ação do Estado. Ao falar sobre o sistema de saúde nos países da Europa ocidental, André Gorz chama atenção para o fato de que o Estado capitalista colabora para que os problemas sejam definidos como individuais. Com isso, mesmo a ampliação da assistência e dos tratamentos mantém os indivíduos como consumidores menos ou mais atendidos, fortalecendo a ideologia do consumo. A realidade coletiva dos problemas de saúde seria, assim, ofuscada, reduzindo um enfoque que nos possibilitaria buscar alternativas para ampliarmos o controle coletivo sobre problemas que são coletivos e melhorarmos nossa "capacidade de cuidar de nós mesmos e ter vida saudável"[95]. É uma crítica que estaria presente também no entendimento de que o *homo politicus* tem-se diluído no *homo oeconomicus*, que se firma, assim, como a forma da subjetividade possível em meio aos riscos e contingências atuais[96]. O enfraquecimento de soluções coletivas, que adensa a "crise do cuidado"[97], compromete também a democracia[98].

As condições materiais e simbólicas de quem cuida são, nas condições discutidas, frágeis. A vulnerabilidade de quem depende do cuidado de outras pessoas amplia-se quando essa dependência é uma peça na lógica de mercado. Ao mesmo tempo, apoio público não significa, necessariamente, controle coletivo democrático. Só este último permitiria regular as formas da responsabilidade estatal e coletiva de tal modo que estas não se convertessem em ingerência indevida – as fronteiras entre uma coisa e outra teriam de ser democraticamente negociadas e definidas, o que remete a um tema de que não trato de fato aqui, o da privacidade. Permitiria também a construção de alternativas que não se baseassem nas hierarquias existentes, como nos casos em que o apoio público reforça a manutenção das mulheres na posição

[95] André Gorz, *Paths to Paradise: On the Liberation from Work* (Londres, Pluto, 1985 [1983]), p. 17; aqui, em tradução minha.

[96] Wendy Brown, *Undoing the Demos*, cit., p. 84.

[97] Nancy Fraser, "Feminism, Capitalism, and the Cunning of History", em *Fortunes of Feminism: From State-Managed Capitalism to Neoliberal Crisis* (Nova York, Verso, 2013), p. 209-26.

[98] Wendy Brown, *Undoing the Demos*, cit.

de cuidadoras, sem preocupação com a vulnerabilidade social associada a essa posição.

O "mito da autonomia" funciona socialmente[99], colaborando para que as desigualdades sejam justificadas e naturalizadas. As formas incontornáveis da dependência são permanentes no ciclo de vida dos indivíduos e fazem parte das relações que se estabelecem entre eles. Quando tais formas são ignoradas por normas e práticas sociais que teriam validade *se todos fossem adultos, se todos fossem iguais na sua capacidade de trabalho* e *se todos tivessem recursos iguais como ponto de partida para a construção de sua vida*, não se definem condições adequadas para o cuidado.

O que procurei mostrar aqui é que a ausência dessas condições, assim como a busca de soluções que repousem sobre a subordinação de algumas pessoas, não é compatível com o estabelecimento de relações mais justas e se contrapõe aos ideais democráticos. A manutenção da divisão sexual do trabalho como pressuposto para políticas do cuidado pode aprofundar as desigualdades de gênero. Hoje, essa divisão, além de não ser desejável, não é factível – se é que foi algum dia. Com mais mulheres no mercado de trabalho e com formas de organização das relações de trabalho que exigem a ausência das mulheres do espaço doméstico, a industrialização e a socialização do trabalho doméstico tornam-se "uma necessidade social objetiva"[100].

Ao mesmo tempo, procurei expor os limites da mercantilização, que pode ser a solução para a posição desigual *de algumas mulheres relativamente a alguns homens*, mas aprofunda desigualdades e injustiças num prisma em que convergem gênero, classe e raça. Por isso, um dos desafios quando se entende que a configuração convencional de gênero não é uma resposta adequada e nem mesmo possível é imaginar políticas para a promoção de relações fortalecidas para o provimento de cuidado, relações baseadas em valores solidários, não na lógica de mercado. A centralidade do cuidado é fundamental para abordagens da democracia que ultrapassem a igualdade formal, em direção a uma compreensão alargada dos mecanismos de reprodução de vantagens e desvantagens para indivíduos e grupos sociais.

A atribuição das responsabilidades, assim como as formas possíveis da igualdade, varia ao longo da vida. Por isso, "as pessoas, quando jovens e em

---

[99] Martha Albertson Fineman, *The Autonomy Myth*, cit.

[100] Johanna Brenner, *Women and the Politics of Class*, cit., p. 224.

estado de dependência, precisam de igualdade de acesso a cuidado adequado, para que possam crescer e transformar-se em adultos plenamente capazes"[101]. Quando adultas, devem ter direito de expressar-se de maneira independente e como iguais, o que leva à necessidade de se adotarem mecanismos institucionais que garantam que elas não serão silenciadas. Para tanto, é preciso também construir afirmativamente as condições para essa vocalização, assegurando práticas e arranjos, na vida doméstica e no trabalho, que permitam que os indivíduos tenham tempo e recursos para tomar parte na vida política, no debate público e em esforços coletivos que lhes pareçam relevantes. E, como terceira condição para a igualdade, "quando as pessoas estão doentes, idosas, ou incapacitadas, é preciso que existam arranjos institucionais que assegurem que suas vozes também serão ouvidas"[102].

A ampliação da responsabilidade social pelo cuidado seria, assim, construída num processo democrático de que participassem tanto aqueles que estão na posição de dependentes quanto aqueles que proveem cuidado. Em vez de privatismo e isolamento, teríamos a chance de encontrar alternativas sociais para que as necessidades de cuidado que todos temos ao longo da vida sejam adequadamente atendidas. Não é necessário romper com a ideia de que temos responsabilidades especiais – como aquelas que os pais, biológicos ou não, têm em relação às crianças – para avançar no sentido de construir instituições e mecanismos de apoio que garantam que a integridade e o bem-estar, sobretudo dos mais vulneráveis, não estejam sujeitos à sorte nem à lógica de mercado.

O próximo capítulo discute as configurações das relações familiares, tendo em vista os problemas que foram aqui tratados. Numa perspectiva histórica, analiso as mudanças nos arranjos e nos valores familiares e afetivos, assim como no exercício e nos sentidos da maternidade. Trata-se de uma arena de disputas políticas agudas hoje. Reações conservadoras a essas mudanças expressam-se no "familismo", eixo do reacionarismo moral.

---

[101] Joan C. Tronto, *Caring Democracy*, cit., p. 108; aqui, em tradução minha.

[102] Ibidem, p. 109.

3
FAMÍLIA E MATERNIDADE

A família toma forma em instituições, normas, valores e práticas cotidianas. Sua realidade não é da ordem do espontâneo, mas, sim, dos processos sociais, da interação entre o institucional, o simbólico e o material. Ganha sentido em contextos históricos específicos e modifica-se no tempo e em diferentes ambientes culturais, mas corresponde a uma pluralidade de arranjos em um mesmo local e tempo. Sua definição legal, no entanto, estabelece fronteiras entre diferentes formas de organização da vida cotidiana e de vivência das relações afetivas, conjugais, de parentalidade e de coabitação.

No debate feminista, as relações familiares têm sido discutidas de diferentes ângulos. Mas há uma preocupação ampla, que tem ganhado destaque nas lutas e nas abordagens teóricas, em vista das injustiças que estão presentes no cotidiano da vida doméstica. O universo das relações familiares é feito de afetos, cuidado e apoio, de exploração do trabalho, do exercício da autoridade e da violência. A violência doméstica afeta, sobretudo, as pessoas mais vulneráveis nos agrupamentos familiares: mulheres – por razões socioeconômicas e pela construção simbólica do feminino como subordinado ao masculino –, crianças e idosos – pela maior fragilidade e dependência que essas fases da vida implicam. Na crítica marxista, socialista e do feminismo negro, ganham ênfase também as desigualdades entre as famílias.

Discutir família é, inevitavelmente, lidar com ambivalências. Se o foco recair na exploração e na violência intrafamiliares, consideraremos, sobretudo, as restrições que os arranjos familiares correntes podem impor aos indivíduos, especialmente às mulheres e às crianças. Se atentarmos para a valorização diferenciada e desigual dos afetos, da sexualidade e dos arranjos práticos, traremos ao debate a conformação de padrões excludentes e sua presença nas leis e nas políticas públicas, com suas consequências. Dados os privilégios materiais e simbólicos eventualmente associados aos arranjos familiares valorizados em dado contexto, o desejo de fazer parte de um arranjo que atenda a determinados padrões pode ser inalcançável. Há, também, a possibilidade de focalizarmos as desigualdades entre as famílias, expondo a dinâmica de transmissão intergeracional de privilégios, os efeitos das relações de trabalho fora da casa e a prevalência de soluções de mercado para o cuidado entre as famílias mais pobres.

Podemos nos engajar no debate sobre família operando com, ao menos, duas dimensões. Uma delas é a dos *controles* que, incidindo sobre a vida de mulheres e homens, definem fronteiras entre, de um lado, formas de vida aceitáveis e valorizadas e, de outro, formas que, por serem estigmatizadas, são alvo de violência simbólica e de privações. A dimensão dos controles ressalta as conexões entre família e normalização. Gênero e sexualidade têm grande importância aqui, uma vez que estão em questão os controles sobre os corpos e a normalização dos afetos. Ideais de sucesso na regulação das relações, como o da domesticidade feminina, da maternidade e do amor romântico, estabelecem, em conjunto com a heteronormatividade, perspectivas para julgar vidas concretas que não correspondam a eles, que escapem a seus códigos.

A segunda dimensão é a dos *privilégios* e das desigualdades. Leis e políticas públicas ativam determinadas concepções de família e, com isso, excluem laços e formas práticas de organização. Isso implica não apenas reconhecimento social desigual, mas também acesso desigual a direitos e recursos materiais. Desde a eletividade para políticas públicas e financiamentos de moradia até o acesso comum a planos privados de seguridade e saúde, a adoção de crianças e a transmissão de herança, há todo um espectro de questões diretamente implicadas nas normas e nos valores que definem o que é reconhecido como família. As formas reconhecidas e valorizadas de vida familiar são também limitadas pelas condições materiais de vida. Precariedade, pobreza e relações de trabalho que esgotam o tempo e a energia das pessoas incidem sobre as relações.

Chamo atenção, novamente, para o fato de que, em todas essas dimensões consideradas até aqui, a família é situada na história, não na natureza. É analisada em sua conexão com contextos sociais e culturais determinados, com leis e políticas públicas. Dessa perspectiva, as abordagens feministas têm trazido para o centro da discussão as experiências diversas das mulheres, sua posição nas relações familiares e suas percepções. Fora do debate feminista, no entanto, pouco tem sido dito sobre as injustiças na família[1]. A suspensão das relações domésticas

---

[1] Susan Moller Okin, *Justice, Gender, and the Family* (Nova York, Basic Books, 1989).

do escopo da justiça permitiu que elas deixassem de passar pelo crivo das mesmas exigências normativas dirigidas às relações que se dão na esfera pública. O problema não se restringe, no entanto, ao debate teórico. O silêncio sobre as injustiças na família alimenta a tolerância à exploração e à violência e acomoda exigências diferentes de respeito à integridade física e psíquica dos indivíduos, quer se considere a esfera privada, quer a pública[2]. Em outras palavras, a tolerância social à subordinação tem como um dos componentes a despolitização das relações familiares e do que se passa na esfera doméstica.

Família e maternidade – em sua forma moderna ocidental, que se tornaria referência para idealizações ainda ativas – são produtos de um mesmo contexto histórico, qual seja, o do advento da burguesia como classe hegemônica. Habermas, numa das narrativas de maior peso nas Ciências Sociais sobre as instituições e os valores do mundo burguês europeu no século XVIII, viu na "intimidade duradoura da nova vida familiar" um de seus elementos estruturantes[3]. A intimidade encenada do mundo da nobreza e as formas "pré--burguesas" da vida familiar, que subsistiam, em especial no campo, "não se sujeitavam à diferenciação entre 'público' e 'privado'". O processo de individuação em curso incluía a gradual privatização da vida – dos bens, das formas de circulação das mercadorias e da família. As casas se transformavam, configurando-se como fronteira entre esfera pública e privada e sendo cada vez mais preparadas para o indivíduo, isto é, para uma nova concepção da individualidade e das relações. Nas palavras de Habermas, as pessoas privadas não nasceriam da sociedade, mas surgiriam "de uma vida privada que adquiriu uma forma institucional no espaço interior da família conjugal". Assim, ganharia forma "uma emancipação psicológica que corresponde à emancipação no âmbito da economia política"[4].

Embora percebesse a relevância dessa reorganização do domínio da vida doméstica familiar, a análise de Habermas silenciava sobre o caráter patriarcal

[2] Flávia Biroli, "Gênero e família em uma sociedade justa: adesão e crítica à imparcialidade no debate contemporâneo sobre justiça", *Revista de Sociologia e Política*, v. 18, n. 36, 2010, p. 51-65; *Autonomia e desigualdades de gênero: contribuições do feminismo para a crítica democrática* (Niterói/Valinhos, Eduff/Horizonte, 2013); e "O público e o privado; Justiça e família", em Luis Felipe Miguel e Flávia Biroli, *Feminismo e política: uma introdução* (São Paulo, Boitempo, 2014).

[3] Jürgen Habermas, *Mudança estrutural da esfera pública: investigações sobre uma categoria da sociedade burguesa* (trad. Denilson Luís Werle, São Paulo, Editora da Unesp, 2014 [1962]), p. 165.

[4] Ibidem, p. 167.

da sociedade – e não apenas da esfera privada – que assim se definia. É algo que o próprio autor anotaria no prefácio à edição de 1990 de *Mudança*, registrando o impacto das teorias feministas nesse debate:

> Não existe nenhuma dúvida sobre o caráter patriarcal da família conjugal que formava tanto o núcleo da esfera privada da sociedade burguesa como a fonte originária das novas experiências psicológicas de uma subjetividade voltada para si mesma. Contudo, nesse meio-tempo, a crescente literatura feminista aguçou nossa percepção para o caráter patriarcal da própria esfera pública – uma esfera pública que logo se estendeu para além do público leitor, também constituído de mulheres, e assumiu funções políticas. É de se perguntar se as mulheres foram excluídas da esfera pública burguesa *da mesma maneira* que os trabalhadores, camponeses e a "plebe", isto é, os homens "dependentes".[5]

Entendo que a resposta à pergunta final precisa levar em consideração que há especificidades na exclusão desses grupos. Mas as diversas exclusões ganham forma no contexto comum de formação de uma classe burguesa como "classe universal", capaz de definir seus valores e suas formas de vida como signos de diferenciação e normas de interação que seriam caracterizadas como racionais. A separação estrita das esferas pública e privada permitiu distinguir a burguesia de outros estratos sociais, como destaca Nancy Fraser[6], amparada pelos estudos de Geoff Eley[7]. Foi com essa separação que se configuraram a domesticidade feminina e o ideal de maternidade. Embora tenham correspondido, efetivamente, às possibilidades de vida de poucas mulheres, não se trata de "ideias fora do lugar". Parte do sucesso histórico da burguesia teria sido, segundo Fraser, justamente a capacidade de impor seus valores a outros estratos da sociedade. O mais importante, para a discussão que desenvolvo aqui, é que, embora acessíveis a poucas mulheres como forma de vida, esses ideais tenham funcionado, e funcionem ainda, como produtores de distinções e estereótipos, sustentando juízos sobre o valor da vida das pessoas, sobre suas capacidades e seu caráter.

---

5 Ibidem, p. 45.

6 Nancy Fraser, "Rethinking the Public Sphere: A Contribution to the Critique of Actually Existing Democracy", em Craig Calhoum (org.), *Habermas and the Public Sphere* (Cambridge-MA, The MIT Press, 1992), p. 114-5.

7 Geoff Eley, "Nations, Publics, and Political Cultures: Placing Habermas in the Nineteenth Century", em Craig Calhoum (org.), *Habermas and the Public Sphere*, cit., p. 289-339.

Vale observar que uma das críticas mais importantes de Fraser a Habermas, desta vez informada pelos estudos de Mary P. Ryan[8], dirige-se à redução da esfera pública moderna à esfera pública burguesa, isto é, ao fato de que Habermas teria tomado pelo valor de face a definição desta última como "a" esfera pública. Nesse ponto, Habermas parece ter aderido à reivindicação da burguesia emergente, isto é, ao próprio mecanismo de universalização que lhe permitia impor-se como "classe universal". Havia, no entanto, outras esferas e outros públicos, "elaborando estilos alternativos de comportamento político e normas alternativas para o discurso público"[9]. A análise de Habermas desconsideraria o conflito entre outros públicos e o público burguês, assim como os valores e as formas de interação alternativas que os definiam. É algo a que voltarei ao discutir a atuação política das mulheres brasileiras nos próximos capítulos.

Para esta discussão, o mais importante é ressaltar que existe uma correspondência entre a caracterização da esfera pública como âmbito da universalidade e da razão e a caracterização da esfera privada como âmbito da particularidade e dos afetos. A distinção entre as duas esferas organiza-se em um processo histórico e político no qual as identidades de gênero foram produzidas como papéis, comportamentos e limites. A domesticidade se transformaria nos séculos seguintes, sem que fosse superada a conexão entre a valorização social das mulheres e o universo doméstico familiar. Seu trânsito em espaços não domésticos (profissionais, políticos) encontra hoje menos barreiras, mas é ainda desigual. Mantém-se, ainda, uma matriz que configura as relações e as identidades de gênero na forma de vantagens para os homens. A posição prática de poder que elas desempenham no cotidiano é correspondente à recusa e à subvalorização do mundo doméstico, o que, por sua vez, está conectado à desvalorização do feminino – isto é, do que assim se definiu historicamente. Há aqui um ponto fundamental, já discutido nos capítulos anteriores, que diz respeito ao modo como as posições privilegiadas engendram o conhecimento produzido: recusa e subvalorização são reproduzidas da perspectiva de quem está, estruturalmente, liberado do trabalho cotidiano doméstico. É de uma perspectiva masculina e heterossexual que família e maternidade podem ser idealizadas e mesmo santificadas, enquanto continuam sendo definidas de um modo que onera as mulheres e as torna vulneráveis.

---

8 Mary P. Ryan, "Gender and Public Access: Women's Politics in Nineteenth-Century America", em Craig Calhoum (org.), *Habermas and the Public Sphere*, cit., p. 259-88.

9 Nancy Fraser, "Rethinking the Public Sphere", cit., p. 116; aqui, em tradução minha.

Em teorias, leis e instituições, a noção abstrata de indivíduo, que está no cerne das concepções de liberdade e de autonomia nas tradições liberais, tem sido acomodada à autoridade de fato dos homens sobre as mulheres nas famílias. Historicamente, arranjos familiares convencionais foram naturalizados e respaldados pelo direito à privacidade da entidade familiar[10]. A suspensão da questão da autoridade nas famílias, isto é, seu apagamento como problema político, teve alto custo. Enquanto se firmavam noções contra-hierárquicas de direito individual, a autoridade do "chefe de família" sobre mulheres e crianças e o livre acesso do marido ao corpo da esposa seguiram seu curso.

Por isso, para Carole Pateman, as sociedades liberais podem ser definidas como antipaternalistas, mas não como antipatriarcais[11]. Com seu advento, minam determinados padrões das hierarquias, enquanto outros são naturalizados. Nas sociedades modernas de matriz europeia, a valorização dos indivíduos nas leis e nas instituições e o maior enraizamento das relações contratuais corresponderam à superação de uma ordem social de *status* estruturada no parentesco e na autoridade paterna, mantendo, no entanto, intocado o direito sexual dos homens sobre as mulheres. Esse direito é consolidado na dualidade público-privado, que fundamenta e organiza posições desiguais para mulheres e homens (nas duas esferas, é sempre importante lembrar).

O paternalismo, tão combativamente denunciado a partir da modernidade[12], não encontra correspondência na crítica às relações de poder que se organizam sob a égide do "pai" na vida privada. Estas não aparecem como problema político na maior parte da literatura, assim como não é exposto como problema político o fato de que as escolhas das pessoas sejam constrangidas, *a priori*, por modos de organização social que facilitam o exercício do poder de uns sobre outros (e outras). Não se trata, é claro, de algo que esteja restrito à esfera doméstica, uma vez que as relações de trabalho fora de casa também são marcadas por formas "toleráveis" de submissão e exploração. Há, entretanto,

---

[10] Para uma discussão sobre as tensões entre direito familiar/paterno e direitos individuais no Brasil contemporâneo, ver Flávia Biroli, "Autonomia, preferências e assimetria de recursos", *Revista Brasileira de Ciências Sociais*, v. 31, n. 90, 2016, p. 39-56. Para uma análise de como a noção abstrata de indivíduo suspende questões relativas à família, à divisão sexual do trabalho e ao cuidado, ver o capítulo 4 de Flávia Biroli, *Autonomia e desigualdades de gênero*, cit.

[11] Carole Pateman, *The Sexual Contract* (Stanford, Stanford University Press, 1988).

[12] A esse respeito, ver Gerald Dworkin, *The Theory and Practice of Autonomy* (Cambridge, Cambridge University Press, (2001 [1988]), e Luis Felipe Miguel, "Autonomia, paternalismo e dominação na formação das preferências", *Opinião Pública*, v. 21, n. 3, dez. 2015, p. 601-25.

um incontornável componente de gênero nas relações que se estabelecem no mundo doméstico e a partir dele, componente que se conecta às formas específicas de exploração do trabalho feminino fora de casa, como foi discutido no primeiro capítulo deste livro.

Textos fundadores do feminismo, como *Reivindicação dos direitos das mulheres*, de Mary Wollstonecraft, de 1792, e *O segundo sexo*, de Simone de Beauvoir, publicado um século e meio depois, em 1949, questionaram o silêncio sobre as relações familiares como problema social e político. Discutiram o fato de que os mesmos sentidos do feminino que limitavam a vida das mulheres justificavam e incentivavam a reprodução de sua posição na família, de modo que o que se definia como especial e específico restringia sua condição de sujeitos livres. Libertar as mulheres significava, assim, rever as relações familiares e afetivas.

Em momentos e contextos distintos, essas autoras precisaram tratar da organização da família no Ocidente moderno e da normalização das relações conjugais, sexuais e afetivas para confrontar restrições ao desenvolvimento das mulheres e sua participação na sociedade. No fim do século XVIII, a defesa do direito das mulheres à educação e ao desempenho de funções na vida pública carregava ainda o apelo a seu aprimoramento como companheiras de seus maridos e mães. Embora essa construção do argumento implicasse a aceitação de algumas das premissas correntes sobre a família e a maternidade, Wollstonecraft via na preparação precoce das meninas para casar-se e agradar aos homens uma das raízes das deficiências e das injustiças que marcariam a vida delas como mulheres adultas[13]. A socialização as preparava para buscar a atenção masculina e aceitar seu papel como dependentes do casamento, bem como da orientação e do sustento dos homens. Posteriormente, a obediência que delas se exigia no casamento lhes debilitaria a mente[14], enquanto a "opressão política e civil" que lhes vedava envolver-se nos assuntos coletivos as levaria a um sentimentalismo romântico que reforçava a ideia de que "a tarefa preponderante da vida feminina é agradar"[15].

Um século e meio depois, em obra inaugural no feminismo contemporâneo, Beauvoir se dedicaria aos mesmos temas em um contexto em que muita coisa já

---

[13] Mary Wollstonecraft, *Reinvindicação dos direitos da mulher* (São Paulo, Boitempo, 2016 [1792]).

[14] Ibidem, p. 101.

[15] Ibidem, p. 236.

havia mudado. Quando escreveu *O segundo sexo*, o acesso das mulheres à educação e ao trabalho remunerado já se ampliara bastante no Norte global. A condição econômica das mulheres transformava-se e desafiava "a tutela masculina"[16], mas o significado do casamento continuava sendo muito diferente para elas e para eles. Para mulheres e homens, seria "a um tempo um encargo e um benefício", mas sem reciprocidade nem simetria[17]. O "privilégio econômico" dos homens orientaria as mulheres para o casamento, levando-as a preferi-lo a outras atividades e gerando uma dependência que tornava pouco efetiva a igualdade de direitos e fazia do "divórcio apenas uma possibilidade abstrata para elas"[18]. Na situação em que se encontravam as mulheres – as europeias, mas também as norte-americanas em quem Beauvoir pensava ao escrever – em meados do século XX, o casamento configurava-se como um "projeto fundamental", uma "carreira" que implicava benefícios, mas também pesados sacrifícios. O homem, por ter não só domínio econômico, mas também maior integração na sociedade, assumiria "a direção do casal no campo intelectual, político e moral" e teria a possibilidade de realizar-se no trabalho e na ação[19]. Para a mulher, por outro lado, a liberdade teria um custo desigual, tanto material quanto simbolicamente.

Nos termos de Beauvoir, as mulheres, situadas na família e implicadas nos ciclos repetitivos da preservação da espécie e da manutenção do lar, ficavam limitadas à imanência, enquanto para os homens as desvantagens da vida familiar seriam compensadas por um apoio estável que não impedia a ação e a transcendência. Para a autora, a maternidade, analisada nesse registro e, como tal, associada à passividade, estaria envolta em idealização e decalcada em um discurso naturalista, que ela critica em toda a obra. A maternidade foi, assim, percebida como um dos pilares da recusa da condição de sujeito *às mulheres*, inclusive por parte *das próprias* mulheres, uma vez que o ideal da maternidade constitui preferências e experiências.

Beauvoir, como Wollstonecraft, dava-se conta de algo que ainda é significativo nestas décadas iniciais do século XXI. Dadas as desvantagens das mulheres em sociedades organizadas pela divisão sexual do trabalho e por valores que colaboram para justificar a exploração e a dependência que dela deriva, o casamento aparece

---

[16] Simone de Beauvoir, *O segundo sexo*, v. 2: *A experiência vivida* (Lisboa, Bertrand, 2008 [1949]), p. 190.

[17] Ibidem, p. 191.

[18] Ibidem, p. 276-7.

[19] Ibidem, p. 194-5 e 277.

como um destino imposto, mas também pode aparecer como projeto. É, ao mesmo tempo, opressão e identidade. No primeiro capítulo, afirmei que a produção social do gênero, mais comumente associada à sexualidade, ocorre também por meio de prescrições e julgamentos que responsabilizam e conformam habilidades e preferências, com forte expressão no âmbito da divisão das responsabilidades e do trabalho. Acrescento aqui, mais diretamente, a importância de se considerarem quais formas de organização da família, dos afetos e da sexualidade definem o ambiente em que essas prescrições e esses julgamentos se dão.

As análises de Wollstonecraft e de Beauvoir concentraram-se, sobretudo, nas dinâmicas de definição do feminino que atrelam as mulheres à vida doméstica familiar, restringindo sua inserção no mundo, sua atuação e sua autonomia. Em termos contemporâneos, a preocupação que apresentaram é com as desigualdades de gênero, com as dinâmicas complexas que produzem o binário feminino-masculino, definindo papéis de forma desvantajosa para as mulheres. Expuseram processos que situavam as pessoas no mundo segundo sentidos atribuídos ao sexo biológico, como se, em cada uma, a natureza se desdobrasse em trajetórias e comportamentos.

O que esteve pouco presente nessas duas abordagens foi a incidência de outras variáveis sobre a organização familiar, como classe, raça e sexualidade, que configuram as vivências e as alternativas existentes para as mulheres. Não é que as autoras não se dessem conta disso. A maior vulnerabilidade das mulheres trabalhadoras foi ocasionalmente considerada pelas duas, a sexualidade foi abordada por Beauvoir, mas nenhum desses dois aspectos esteve no centro das preocupações de ambas. Com isso, em suas discussões tiveram presença mais direta as justiças intrafamiliares e a dimensão da *família como controle*, ao passo que as desigualdades e as injustiças interfamiliares e a dimensão da *família como privilégio* não foram de fato analisadas. No entanto, o papel das mulheres e a configuração então convencional da família apresentavam-se em seus contextos como uma escolha muito relativa não apenas por questões de gênero, mas também porque as mulheres assumiam papéis e trajetórias em ambientes nos quais outras opções não estavam disponíveis ou implicavam custos significativos, também devido à sua inserção socioeconômica, racial.

A consideração da família e da maternidade pela perspectiva do *controle* orienta muitas abordagens ainda hoje. Entendo que há boas razões para que essa dimensão permaneça como problema de primeira ordem, como confirmam os dados que apresentarei neste capítulo e que já indicavam as discussões desenvolvidas nos capítulos anteriores sobre trabalho e cuidado. Mas ela não esgota o problema. A dimensão do *privilégio* também precisa ser considerada. Família e maternidade são vividas de formas distintas pelas mulheres (e também pelos homens e pelas crianças), segundo sua posição relativa em outros eixos da opressão nas sociedades, como classe, raça e sexualidade. Embora a dimensão do controle mostre o quanto determinadas formas de organização da família são custosas e restritivas para as mulheres, a vivência familiar – e, em especial, a vivência em relações que correspondem aos padrões hegemônicos numa sociedade – pode ser uma espécie de troféu. Isso ocorre porque muitas pessoas não têm acesso a formas valorizadas de vida e também porque legislação e políticas públicas podem definir (ou pressupor) "a família" de forma excludente.

Invertendo os pesos antes indicados nas análises de Wollstonecraft e Beauvoir, a dimensão do privilégio, mais do que a do controle, marcou as análises da família nos textos pioneiros do feminismo socialista escritos por Aleksandra Kollontai, nas décadas iniciais do século XX. Para Kollontai, única mulher entre as lideranças da primeira geração bolchevique, a representação idílica das mulheres na família e sua idealização como mães faziam parte da vida das camadas abastadas da sociedade, mas nada tinham a ver com a vivência das mulheres trabalhadoras e de todas aquelas que estavam entre as mais desfavorecidas da sociedade. Diferentemente de Wollstonecraft e Beauvoir, não são as desigualdades entre homens e mulheres que ela destaca na análise, mas as *desigualdades entre as mulheres*.

A atenção de Kollontai à opressão diferenciada que incidia sobre as mulheres anteciparia algo que seria fundamental aos debates do feminismo socialista e do feminismo negro na segunda metade do século XX: não existe posição nem vivência comum a todas as mulheres. Feministas socialistas e marxistas que escreveriam mais tarde, na segunda metade do século XX, procuraram avançar na compreensão das especificidades da posição da "mulher na sociedade de classes" (e não poderia deixar de fazer aqui referência ao título do livro da brasileira Heleieth Saffioti, de 1969). Também buscaram avançar no entendimento das conexões entre dois sistemas de dominação, o capitalismo e o patriarcado, como se pode observar nas obras de Christine Delphy, Michèle Barrett e Sylvia Walby, discutidas nos primeiros capítulos, e na retomada posterior desse debate por Cinzia Arruzza[20].

[20] Cinzia Arruzza, *Dangerous Liaisons: The Marriages and Divorces of Marxism and Feminism* (Pontypool, Merlin, 2013).

O ideal burguês de família incide de maneiras muito distintas na vida das mulheres. A "santificação" das mulheres como mães – o que Beauvoir chamou, em *O segundo sexo*, de "religião da maternidade" – serve para controlar e domesticar, mas é também uma condição de privilégio disponível para poucas. No texto "Mulher trabalhadora e mãe", de 1914, Kollontai[21] compara a gravidez e o parto de quatro mulheres: a mulher de um diretor de fábrica, uma lavadeira, uma arrumadeira e uma trabalhadora da tecelagem. Enquanto a primeira é protegida e cercada de cuidados, as demais são expostas a negligência, violência e desumanização. O fato de estarem grávidas não faz delas alguém especial nem justifica para seus patrões a adaptação de atividades e da jornada de trabalho nos momentos finais da gestação e em circunstâncias de maior fragilidade física. Nas palavras que ela atribui ao diretor da fábrica de tecidos, empregador de uma das personagens, "se eu começasse a dar alguma liberação do tempo de trabalho a toda mulher grávida, seria mais fácil fechar a fábrica. Se não dormissem com homens, vocês não ficariam grávidas"[22].

A defesa de benefícios para as gestantes, de acolhimento a gestantes e mães com bebês que dele necessitassem e de licença remunerada para as trabalhadoras contrapunha-se à visão de que gravidez e maternidade eram problemas de cada mulher ou das unidades familiares. A precariedade na gravidez cobrava sua conta na alta taxa de mortalidade dos recém-nascidos, que naquele momento era um problema mais agudo do que hoje; somada à pobreza e ao fato de que o tempo de trabalho restringe o tempo do cuidado, essa situação impunha altos custos para mulheres e crianças. Ciente disso, Kollontai antecipava os esforços para a coletivização do cuidado, que estiveram presentes na Rússia após a Revolução de 1917.

A projeção da transição da responsabilidade pelas crianças das unidades familiares privadas para o esforço coletivo está presente também no texto "O comunismo e a família", de 1920. Envolvida no debate sobre as propostas de mudanças em direção à coletivização, Kollontai procurava mostrar que o tipo de família à qual as pessoas estavam acostumadas correspondia a um passado de isolamento das unidades familiares privadas: "Se não houvesse família, quem teria alimentado, vestido e criado as crianças?"[23]. Esse modo de organização da

---

[21] Aleksandra Kollontai, "Working Woman and Mother", em *Selected Writings* (Nova York, Norton, 1977 [1914]).

[22] Ibidem, p. 130.

[23] Ibidem, p. 251.

família teria ficado obsoleto, primeiro, com as mudanças geradas pelo advento do capitalismo industrial e, depois, com a superação do capitalismo que estaria em curso então. Segundo sua percepção, ao passar de unidade de produção para unidade de consumo na modernidade, a família teria perdido sua função para o Estado e para a sociedade[24]. Transformadas as famílias em unidades isoladas e não produtivas, restariam como elementos organizadores de sua vida a servidão doméstica das mulheres e o fardo da maternidade. A maior inserção das mulheres na força produtiva as converteria em trabalhadoras em condição de igualdade com os homens. Mas sua libertação dependia da coletivização do trabalho então assumido por cada unidade familiar: a redução do trabalho doméstico por meio de restaurantes e lavanderias coletivas e a existência de creches onde as crianças fossem cuidadas e educadas. Nesse ponto, Kollontai fazia a crítica a uma forma de maternidade em que as mães se preocupam apenas com os próprios filhos, instando a esforços para que a preocupação e a responsabilidade pelas crianças fossem de todas as pessoas e do Estado.

Os esforços de coletivização esbarraram nas ambivalências existentes no processo político de redefinição da legislação e das práticas relativas ao casamento e à paternidade/maternidade, marcadas, sobretudo no que diz respeito ao divórcio e às pensões, por disputas e compromissos entre "aqueles que esperavam libertar o casamento de todas as restrições e aqueles que procuravam proteger as mulheres"[25]. Embora os dois grupos fossem críticos às formas tradicionais de casamento, suas percepções diferiam quanto aos efeitos da liberdade sexual e da redução das amarras legais que distinguiam o casamento de outros relacionamentos. Nos debates e nas audiências sobre o novo Código da Família na Rússia, em 1926, camponesas e operárias rechaçavam argumentos masculinos que "retratavam as mulheres como criaturas astutas e gananciosas", mas "a emancipação das mulheres dos tradicionais papéis familiares era um assunto remoto para elas", que mantinham "a crença de que toda mulher precisava da proteção de um casamento forte e estável para nutrir a família" e viam

[24] Como vimos no capítulo 1, feministas socialistas da segunda metade do século XX procuraram mostrar o caráter produtivo do trabalho doméstico. A inserção da família em análises feitas no âmbito da economia política permitiu também considerar o valor econômico do cuidado de crianças e idosos, desempenhado pelas mulheres; ver Nancy Folbre, *Who Pays for the Kids? Gender and the Structures of Constraint* (Londres/Nova York, Routledge, 1994).

[25] Wendy Goldman, *Mulher, Estado e revolução: política familiar e vida social soviéticas, 1917-1936* (trad. Natália Angyalossy Alfonso, São Paulo, Boitempo, 2014 [1993]), p. 260.

na "nova liberdade sexual dos homens" uma ameaça[26]. As transformações também foram limitadas pela falta de recursos para a construção de creches. Dada a divisão do trabalho na casa, a falta de creches incide diretamente sobre as mulheres trabalhadoras e, claro, sobre as crianças. Quando a família, como unidade privada, é responsabilizada pelas crianças, a realidade é que, em meio à precariedade e às longas jornadas de trabalho, elas crescem nas ruas[27].

A distância entre o ideal da maternidade e a realidade da vida cotidiana também foi exposta pelas mulheres negras em diferentes momentos. Em "Ain't I a Woman", de 1851, Soujourner Truth, que havia sido escrava e trabalhadora doméstica, mostra que a proteção e o tratamento especial presentes nos ideais de domesticidade e no estereótipo da fragilidade feminina não fizeram parte de sua vivência. Um dos pontos é justamente a maternidade: "Eu pari treze crianças e vi a maioria delas ser vendida como escrava, e quando clamei com minha dor de mãe, ninguém além de Jesus me ouviu! E eu não sou mulher?"[28]. O estudo das mulheres escravizadas no Brasil também mostra dimensões da maternidade e da relação com o universo familiar que não estão contidas nos ideais burgueses e em muitas das análises que os confrontam[29].

No século XX, a vulnerabilidade das mulheres como mães e a insegurança de seus filhos seria uma preocupação fundamental na luta das mulheres negras e da periferia, assim como, na segunda metade do século, nas teorias das intelectuais feministas negras sobre a família e a maternidade. A preocupação destas não poderia ser a mesma do *best-seller* de Betty Friedan, *A mística feminina*, de 1963, no qual o confinamento de mulheres da classe média branca estadunidense à vida doméstica nos bairros residenciais de alta renda motivava depressões e falta de sentido da vida[30]. A crítica de Friedan expunha

---

26 Ibidem, p. 271.

27 Aleksandra Kollontai, "Communism and the Family", em *Selected Writings* (Nova York, Norton, 1977 [1920]), p. 256.

28 Sojourner Truth, Ain't I a Woman? [1851], *Modern History Sourcebook* (Nova York, Fordham University, 1997). Disponível em: <www.fordham.edu/halsall/mod/sojtruth-woman.asp>; acessado em: 19 set. 2012; aqui, em tradução minha.

29 Sonia Maria Giacomini, *Mulher e escrava* (Rio de Janeiro, Appris, 2012).

30 O livro de Friedan foi publicado no Brasil pela editora Vozes, em 1971, com prefácio de Rose Marie Muraro. O ponto de vista assumido no livro também marcou presença na ficção do período, da qual destaco o romance *Revolutionary Road*, de Richard Yates, de 1961 (que décadas depois serviria de base ao filme dirigido por Sam Mendes em 2008 – no Brasil, lançado no ano seguinte, com o título *Foi apenas um sonho*), e o romance *The Group*, de Mary McCarthy, publicado em 1963 (que teve sua versão para o cinema lançada em 1966, com o mesmo título).

a dimensão do controle em sua incidência sobre mulheres de classe média branca, profissionalizadas. Dava a ver um problema real, porém restrito justamente por não considerar a dimensão do privilégio. Por não se dar conta do caráter interseccional dos próprios controles, não percebia, por exemplo, que o excesso de tempo dedicado por mulheres brancas de classe média à vida familiar – fonte de monotonia e de sofrimento psíquico – fazia falta a mulheres que se dividiam entre trabalho remunerado e trabalho doméstico não remunerado e cuidavam dos filhos em situação muitas vezes precária.

Referindo-se aos retrocessos nas relações de gênero após o fim da Segunda Guerra Mundial nos Estados Unidos, Friedan relatava o encolhimento do mundo dessas mulheres e seu desejo indefinido de "algo mais", de uma satisfação que não estava contida nas tarefas domésticas, nos cuidados com maridos e filhos, em sua identificação social como eficientes e elegantes rainhas do lar. O problema discutido por Friedan não era desimportante. Ela analisava a vida das mulheres brancas e de classe média, em uma sociedade na qual os homens dos mesmos segmentos sociais mantinham uma série de recursos de poder, de que derivavam a possibilidade de eximir-se da vida doméstica e do cuidado dos filhos, revertendo para sua inserção profissional e na política o tempo e a energia que suas companheiras dedicavam àquelas atividades. Friedan quis mostrar, em seu livro, que a família idealizada nas revistas de entretenimento e notícias estadunidenses era permeada por injustiças e correspondia a uma farsa, a das donas de casa perfeitas e felizes.

Os arranjos familiares, as vivências e os sentimentos descritos por Friedan correspondiam ao modo de vida de um grupo específico de mulheres. No mesmo contexto, nos Estados Unidos de meados do século, essa organização da família correspondia a privilégios e era acessível a poucas. No mesmo período, outras estavam equilibrando-se entre as demandas da casa, do casamento, da maternidade e de trabalhos remunerados. Para estas, o trabalho remunerado fora de casa não era uma escolha nem um investimento em vida mais plena, não correspondia ao mundo meritocrático que Friedan vislumbrava com a superação das injustiças de gênero[31] nem era necessariamente vivenciado como algum tipo de libertação. Levando-se em conta sua posição, havia mais para ser modificado do que "ideias equivocadas e fatos mal interpretados"[32].

---

[31] Katherine Turk, "To Fulfill an Ambition of [Her] Own: Work, Class, and Identity in 'The Feminine Mystique'", *Frontiers: A Journal of Women Studies*, v. 36, n. 2, 2015, p. 25-32.

[32] Betty Friedan, *The Feminine Mystique* (Nova York, Norton, 2001 [1963]), p. 77.

As cadeias de que era preciso libertar-se para que tivessem mais autonomia e pudesse haver uma vida mais justa para elas e para seus filhos não eram, ou não eram apenas, "cadeias da mente e do espírito delas mesmas"[33], mas um sistema social em que racismo e exploração se combinavam, em que o trabalho precarizado e mal remunerado regulava o bem-estar individual das mulheres e das pessoas que lhes eram próximas.

Mulheres que trabalham durante toda a vida e continuam pobres são parte importante da força de trabalho negra nos Estados Unidos[34], assim como no Brasil[35]. Para muitas delas, passar tempo com os filhos, acompanhar lições de casa e mesmo realizar com alguma tranquilidade o trabalho doméstico cotidiano pode ser um luxo, em vez de um fardo.

Em seu livro *Feminist Theory: From Margin to Center*, de 1984, bell hooks nos lembra que no momento em que *A mística feminina* foi publicado, mais de um terço das mulheres dos Estados Unidos faziam parte da força de trabalho remunerada. Não exerciam as carreiras que Friedan percebia como caminho para a libertação e a satisfação das mulheres. Estavam entre as camadas da população das quais sairiam, também, as mulheres que cuidariam dos filhos e das casas daquelas que Friedan esperava libertar dessas tarefas por meio do trabalho remunerado fora de casa em condições de maior igualdade com homens brancos de sua classe social. Ela ignorou a posição de mulheres que não tinham a alternativa de ser mantidas por um homem, como as mulheres – e as mães – solteiras e as que não têm lar, assim como "a existência de todas as mulheres não brancas e das mulheres brancas pobres. Ela não contou às leitoras se era mais satisfatório ser trabalhadora doméstica, babá, operária, secretária ou prostituta em vez de ser dona de casa das classes abastadas"[36].

O menosprezo pelo trabalho doméstico e o foco na realização das mulheres como profissionais – quais mulheres e em quais profissões, é preciso perguntar – podem servir a outros fins que não a libertação "das mulheres". Nesse sentido, há um problema maior que o da universalização de uma experiência que

---

[33] Idem.

[34] Patricia Hill Collins, *Black Feminist Thought: Knowledge, Consciousness, and the Politics of Empowerment* (Nova York/Londres, Routledge, 2009 [2000]), p. 69.

[35] Instituto de Pesquisa Econômica Aplicada (Ipea), *Retrato das desigualdades de gênero e raça* (4. ed. Brasília, Ipea, 2011).

[36] bell hooks, *Feminist Theory: From Margin to Center* (2. ed., Nova York/Boston, South End Press, 1984), p. 2; aqui, em tradução minha.

corresponde a um grupo restrito: a desconsideração das desigualdades pode colaborar para acentuá-las. Como vimos nos capítulos anteriores, a desvalorização do trabalho exercido por tantas mulheres na rotina doméstica e no cuidado de crianças e idosos alimenta o circuito do trabalho precário e mal remunerado. A agenda de defesa de maior acesso das mulheres a posições de poder, que vem muitas vezes atrelada a essa desvalorização e à baixa prioridade para os problemas relativos à proteção social, tem sido criticada também por sua ambivalência no contexto de aprofundamento do neoliberalismo a partir dos anos 1980[37]. As transformações nas relações de gênero entre as camadas mais escolarizadas e com alta remuneração podem conviver com profundas desigualdades entre as mulheres e com limites acentuados para a construção de relações mais igualitárias de gênero nas camadas mais pobres e com menor acesso à educação[38].

Maternidade

Quando abordamos a maternidade, as desigualdades são bastante evidentes. As tensões entre a autonomia das mulheres e a criação dos filhos podem assumir formas muito diversas, como será possível vislumbrar se compararmos um relato publicado por Betty Friedan (o primeiro destacado abaixo) a um trecho dos diários de Carolina Maria de Jesus, mãe solteira, catadora, moradora de uma favela em São Paulo, escrito nos anos 1950 (destacado em seguida):

> Eu estou procurando algo que me satisfaça. Acho que trabalhar seria a coisa mais maravilhosa do mundo, ser útil. Mas não sei fazer nada. Meu marido não acredita em trabalho de mulheres. Eu cortaria os dois braços para poder ter os filhos pequenos e em casa de novo. Meu marido diz, arranje algo para se ocupar, algo de que você goste, por que você deveria trabalhar? Então agora eu jogo golfe, quase todos os dias, sozinha. Quando você anda três, quatro horas por dia, pelo menos consegue dormir de noite.[39]

> Cheguei em casa, aliás no meu barracão, nervosa e exausta. Pensei na vida atribulada que eu levo. Cato papel, lavo roupa para dois jovens, permaneço na rua o dia

[37] Nancy Fraser, "Feminism, Capitalism, and the Cunning of History", em *Fortunes of Feminism: From State-Managed Capitalism to Neoliberal Crisis* (Nova York, Verso, 2013), cap. 10.

[38] Gøsta Esping-Andersen, *The Incomplete Revolution: Adapting to Women's New Roles* (Cambridge--MA, Polity Press, 2009).

[39] Betty Friedan, *The Feminine Mystique*, cit., p. 336-7; aqui, em tradução minha.

todo. E estou sempre em falta. A Vera [filha] não tem sapatos. E ela não gosta de andar descalça. Faz uns dois anos que pretendo comprar uma máquina de moer carne. E uma máquina de costura.
Cheguei em casa, fiz o almoço para os dois meninos. Arroz, feijão e carne. E vou sair para catar papel. Deixei as crianças. Recomendei-lhes para brincar no quintal e não sair na rua, porque os péssimos vizinhos que eu tenho não dão sossego aos meus filhos. Saí indisposta, com vontade de deitar. Mas o pobre não repousa. Não tem o privilegio de gosar descanço [*sic*].[40]

O que levou boa parte do feminismo à crítica da maternidade é que ela tem sido historicamente definida pela divisão do trabalho, sobrecarregando, assim, as mulheres e restringindo sua participação em outras esferas da vida, enquanto libera os homens das responsabilidades e do trabalho envolvidos no cuidado das crianças. Por isso é que se transforma em fator de vulnerabilidade para as mulheres. Essa dedicação desigual de tempo e energia desdobra-se em maiores dificuldades para elas no exercício do trabalho remunerado. Implica também restrições no envolvimento com outras dimensões da vida pública, como a política. Desse modo, dada a forma como é definida a responsabilidade pela criação das crianças, a maternidade é um fator que reduz a autonomia relativa, individual e coletiva, das mulheres. As tensões entre maternidade e trabalho remunerado, ou entre maternidade e atuação política, não são vivenciadas da mesma maneira pelos homens que são pais, justamente porque deles se espera menos ou muito pouco no cotidiano da criação dos filhos, ainda que a divisão convencional implique a atribuição a eles do papel de provedor.

Entre as camadas mais pobres da população, a maternidade não costuma ser uma atividade em tempo integral e, quando o é, traz as marcas do desemprego e da precariedade. As escolhas das mulheres podem ser analisadas como respostas às dificuldades de conciliar o exercício do trabalho remunerado e o cuidado com as crianças, em contextos nos quais as famílias se transformaram, as relações de trabalho não atendem a uma lógica que incorpore a dependência de outras pessoas em relação às trabalhadoras, os equipamentos públicos são insuficientes e os recursos para a compra de serviços no mercado são escassos.

[40] Carolina Maria de Jesus, *Quarto de despejo: diário de uma favelada* (São Paulo, Ática, 2014 [1992]), p. 12.

Mais de 40% da população economicamente ativa no Brasil é de mulheres[41]. Em conjunto com o acesso a anticonceptivos, o acúmulo do exercício do trabalho remunerado e do trabalho no âmbito doméstico-familiar pode ser visto como um dos fatores para a redução da taxa de natalidade. As mulheres hoje são mães mais tarde e têm menos filhos. Entre 2000 e 2013, a taxa de fecundidade total para o Brasil caiu de 2,39 para 1,77 filho por mulher. Se ampliarmos o foco, essa mudança ficará ainda mais clara: em 1970 essa taxa era de 5,8 filhos por mulher, tendo caído para 4,4 em 1980 e 2,9 em 1981[42]. É interessante observar que a queda ocorreu nos diferentes grupos socioeconômicos e regiões do país e que, embora essa taxa seja menor entre as mulheres com maior escolaridade, sua redução tem sido acentuada em todos os grupos sociais.

Além de terem menos filhos, as mulheres tornam-se mães mais tarde. Mesmo quando se observa apenas o período recente, há mudanças significativas no padrão da curva de concentração de registros de bebês nascidos vivos. Em 2005, 30% dos nascimentos registrados foram de mães entre 20 e 24 anos. Em 2015, as faixas etárias de 20 a 24 e 25 a 29 passaram a ter o mesmo peso, com 25,4% e 24,45% respectivamente, e cresceu o percentual dos bebês nascidos de mulheres entre 30 e 39 anos[43]. As mulheres com maior escolaridade adiam mais a maternidade, mas também nesse caso a tendência das mudanças tem sido a mesma em todos os grupos sociais.

A redução da taxa e dos padrões da natalidade expõe mudanças nas condições de vida das mulheres. Além das transformações nas expectativas que possam ter em relação à vida, um ponto importante é que a entrada maciça das mulheres no mundo do trabalho remunerado não foi acompanhada de um aumento correspondente na oferta de equipamentos públicos e comunitários que pudessem amparar as mães e as crianças. Entre as crianças de 0 a 3 anos, 24,6% frequentavam creches no Brasil no ano de 2014[44]. Embora tenha

---

41 Instituto Brasileiro de Geografia e Estatística (IBGE), "Síntese dos indicadores sociais: uma análise das condições de vida da população brasileira", *Estudos & Pesquisas*, n. 34 (Rio de Janeiro, IBGE, 2014).

42 Idem, "Censo demográfico 1970/2000, Taxa de fecundidade total, 1970/2005", *Séries históricas estatísticas* (Rio de Janeiro, IBGE, 2005). Disponível em: <seriesestatisticas.ibge.gov.br/series.aspx?no=7&op=2&vcodigo=CD108&t=taxa-fecundidade-total-grupos-anos-estudo>; acessado em: maio 2017.

43 Idem, *Estatísticas do Registro Civil 2015*, v. 42 (Rio de Janeiro, IBGE, 2015). Disponível em: <biblioteca.ibge.gov.br/visualizacao/periodicos/135/rc_2015_v42.pdf>; acessado em: maio 2017.

44 Ministério da Educação, Instituto Nacional de Estudos e Pesquisas Educacionais Anísio Teixeira MEC/Inep, *Censo escolar 2015: notas estatísticas*, Brasília, MEC/INEP, mar. 2016.

havido uma ampliação significativa nessa frequência, que mais do que dobrou desde 1997 e aumentou cerca de dez pontos percentuais desde 2004, deve-se ressaltar que mais de 75% das crianças dessa faixa etária não estão matriculadas em creches. Uma análise comparada de dados referentes à escolarização inicial das crianças a partir de um ano de idade, em países da Europa e da América do Norte, mostra que a falta de acesso a creches é o principal obstáculo para o retorno das mulheres ao trabalho remunerado[45]. No Brasil, é alta a correlação entre o acesso das crianças a creches e a empregabilidade das mães, o que tem efeitos para a igualdade de gênero e a autonomia das mulheres. As políticas adotadas nos países nórdicos a partir dos anos 1960 mostram também que a universalização e a equalização no acesso a creches e à pré-escola produz resultados nas oportunidades posteriores das crianças, reduzindo o impacto dos ambientes familiares diferenciados em termos socioeconômicos e de acesso a bens de cultura[46], isto é, atuando não apenas nas injustiças intrafamiliares, mas também nas interfamiliares.

E o problema não se restringe aos primeiros anos de vida. A taxa de escolarização entre as crianças brasileiras na faixa da pré-escola, de 4 e 5 anos, é mais positiva do que anteriormente, tendo passado de 61,5% para 81,4% entre 2004 e 2013[47]. Apesar disso, o saldo negativo permanece importante, com mais de 950 mil crianças não matriculadas nessa faixa etária em 2014. Ademais, o acesso ao ensino integral é bastante limitado nessa etapa. Embora abranja mais da metade das crianças matriculadas em creches (62,6%), na pré-escola as matrículas em tempo integral não chegam a 10% do total[48]. Quem cuida das crianças no horário em que não estão na escola? E o que isso implica para as mulheres, para as próprias crianças e para a renda familiar?

Quando a desigualdade no acesso a recursos para a contratação de serviços privados se soma à divisão sexual do trabalho, o período em que as crianças não estão na escola é um problema enfrentado por mulheres, mas de maneiras bem diferentes segundo sua posição socioeconômica, uma vez que entre as mais ricas muitas recorrem a escolas privadas, que oferecem ensino em tempo integral e atividades complementares, e podem também contratar trabalhadoras

---

45 Gøsta Esping-Andersen, *The Incomplete Revolution*, cit., p. 138.

46 Ibidem, cap. 4.

47 IBGE, "Síntese dos indicadores sociais", cit.

48 Ministério da Educação, Instituto Nacional de Estudos e Pesquisas Educacionais Anísio Teixeira (MEC/Inep), *Censo escolar 2015*, cit.

domésticas para cuidar de seus filhos enquanto elas estão trabalhando – ou enquanto têm acesso a um tempo de lazer menos acessível a outras mulheres.

Na falta de equipamentos públicos ou quando há baixa confiança na qualidade, parentes ou mulheres da comunidade assumem a tarefa de cuidar das crianças quando estas não estão na escola. É comum, também, que o arranjo inclua a permanência em casa da própria mãe ou de outra mulher da família ou, então, que filhas mais velhas, que muitas vezes estão ainda na infância, cuidem dos irmãos mais novos. Dadas essas necessidades e um contexto em que a coabitação pode ultrapassar o agrupamento familiar mais restrito, "a família pobre não se constitui como um núcleo, mas como uma rede" na qual a "trama de obrigações morais" que se estabelece[49] destoa da representação hegemônica da família burguesa nuclear. A maternidade pode ser vivida de forma mais coletiva e menos privatizada nas comunidades mais pobres, mas as relações de solidariedade podem ser também monetarizadas, ou seja, quando o cuidado prestado por irmãs e vizinhas é pago e funciona como bico para estas[50]. Não se trata, assim, de algo que se defina no plano da moralidade, mas, sim, das respostas possíveis – segundo as condições materiais e os valores correntes – à necessidade de cuidado das crianças em contextos em que os equipamentos públicos são escassos e precários[51]. São questões que se tornam mais agudas quando há pessoas com necessidades especiais de cuidado.

No cotidiano dessas mulheres, os desafios para criar os filhos em condições de vulnerabilidade implicam superação e solidariedade, mas também alto custo e sofrimentos. O "matriarcado da miséria" é feito de exclusão, racismo, sexismo e, apesar disso, de resistências no cotidiano e na ação política coletiva[52].

---

[49] Cynthia Sarti, *A família como espelho: um estudo sobre a moral dos pobres* (7. ed., São Paulo, Cortez, 2011), p. 70.

[50] Eleonora Faur, "El cuidado infantil desde la perspectiva de las mujeres-madres. Un estudio en dos barrios populares del Area Metropolitana de Buenos Aires", em Valeria Esquivel, Eleonor Faur e Elizabeth Jelin (orgs.), *Las logicas del cuidado infantil. Entre las familias, el Estado y el mercado* (Buenos Aires, Ides, 2012).

[51] Recorro mais uma vez a Carolina Maria de Jesus, em trecho de seu diário de 1958: "Quando nasceu a Vera eu fiquei sosinha aqui na favela. Não apareceu uma mulher para lavar minhas roupas, olhar os meus filhos. Os meus filhos dormiam sujos. Eu fiquei na cama pensando nos filhos, com medo deles ir brincar nas margens do rio. Depois do parto mulher não tem forças para erguer um braço. Depois do parto eu fiquei numa posição incomoda. Até quando Deus deu-me forças para ajeitar-me [*sic*]". Carolina Maria de Jesus, *Quarto de despejo*, cit., p. 57.

[52] Sueli Carneiro, *Racismo, sexismo e desigualdade no Brasil* (São Paulo, Selo Negro, 2011), p. 130 e 134.

O extermínio sistemático dos jovens negros nas periferias das grandes cidades brasileiras faz parte da vivência dessas mulheres. O número de mortos por armas de fogo no Brasil é 2,6 vezes maior entre os negros que entre os brancos e está concentrado na juventude, na faixa de 15 a 29 anos[53]. Um exemplo de como essa vivência dá lugar à resistência e à luta pode ser visto nas Mães de Maio, coletivo fundado por mulheres que perderam filhos em execuções perpetradas no estado de São Paulo em maio de 2006, quando mais de quinhentas pessoas foram assassinadas por grupos de extermínio, com a suspeita de participação de agentes de segurança do Estado em resposta a ataques da facção Primeiro Comando da Capital (PCC)[54].

Embora a dinâmica do privilégio fique mais evidente na base da pirâmide social – afinal, a essas mulheres resta a dor da perda dos filhos –, seus mecanismos não deixam de funcionar como dispositivos de controle. Referindo-se às mulheres mães nas comunidades afrodescendentes nos Estados Unidos, Patricia Hill Collins analisa a imagem da "mãe negra superforte", ambivalente em uma sociedade na qual as mulheres negras são constantemente representadas como mães incapazes[55]. Embora essa possa ser uma forma de valorizar *algumas mulheres*, tal enaltecimento implica a subordinação das necessidades dessas mulheres às de qualquer outra pessoa, sobretudo dos filhos. E serve, claro, para pressionar diferentes mulheres a manter-se dentro dos limites dessa representação do papel de mãe.

Há pelo menos três eixos de conexão entre as representações predominantes da maternidade e as desigualdades sociais. O primeiro consiste no *peso desigual da parentalidade para mulheres e homens*, nas demandas práticas e nos julgamentos dirigidos a umas e a outros quando desempenham o papel de mãe e o

---

[53] Julio Jacobo Waiselfisz, *Mapa da violência 2016: homicídios por armas de fogo no Brasil* (Brasília, Flacso Brasil, 2016).

[54] Sobre esse episódio, ver o relatório da International Human Rights Clinic e Justiça Global Brasil, *São Paulo sob achaque: corrupção, crime organizado e violência institucional em maio de 2006* (Cambridge-MA, Human Rights Program at Harvard Law School, 2011). Disponível em <hrp.law.harvard.edu/wp-content/uploads/2011/05/full-with-cover.pdf>; acessado em: maio 2017. Para análises do ativismo de grupos de mães que perderam seus filhos assassinados pela polícia, ver Débora Françolin Quintela, *Maternidade e ativismo político: a luta de mães por democracia e justiça* (Dissertação de Mestrado em Ciência Política, Brasília, Universidade de Brasília, 2017), e Luciane de Oliveira Rocha, *Ultraged Motherhood: Black Women, Racial Violence and the Power of Emotion in Rio de Janeiro's African Diaspora*, Tese de Doutorado em Filosofia, Austin, Universidade do Texas, 2014).

[55] Patricia Hill Collins, *Black Feminist Thought*, cit., p. 188.

de pai. O segundo eixo consiste na *experiência da maternidade em condições desigualmente seguras*, algo que evidencia hierarquias de classe, raça e de local de moradia no globo e em países específicos, em que miséria e vulnerabilidade são territorializadas: muitas mulheres têm a experiência da maternidade em áreas nas quais o cotidiano da violência policial, de guerras e de conflitos entre grupos rivais impõe altos riscos à vida delas e à dos filhos. Por fim, ressalto como terceiro eixo a *maternidade compulsória*, expressa sobretudo na legislação que criminaliza o aborto ou restringe o acesso à interrupção segura da gestação em casos permitidos por lei. É, também, um caso em que as desigualdades entre as mulheres ficam evidentes, uma vez que a criminalização e o acesso limitado ao aborto legal comprometem especialmente a vida física e psíquica das mulheres mais pobres e das mulheres negras. Enquanto no segundo eixo o que está em questão é a limitação do direito da mulher a ser mãe em condições seguras, neste caso a autonomia dela é comprometida (em comparação à dos homens) e sua integridade é ameaçada pelos riscos dos abortos clandestinos (maiores entre as mulheres pobres).

As disputas em torno do direito ao aborto serão analisadas no próximo capítulo; por ora, o que quero ressaltar é que, embora tenha havido tantas mudanças, a fusão entre mulher e mãe continua sendo uma forma de controle e restrição da cidadania desse grupo que corresponde a mais da metade da população. Trata-se da naturalização de convenções que, estabelecidas em contextos sociais bem definidos[56], são vivenciadas de maneiras muito distintas, de acordo com a posição ocupada em outras dimensões das relações de poder; apesar disso, tais convenções servem de base para normas, valores e práticas que estabelecem a maternidade compulsória e permitem julgar e punir as mulheres que não desejem ser mães ou que vivenciem a maternidade de forma que não atenda aos padrões hegemônicos. Como dispositivo de controle, seu efeito é de normalização dos corpos, das relações afetivas, da conjugalidade e da família de modo desvantajoso para as mulheres – porque assimétrico, desigual e violento.

As visões idílicas da família também serviram para ocultar várias formas de violência. O debate sobre privacidade nas teorias feministas está diretamente

---

[56] Elisabeth Badinter, *O amor incerto: história do amor maternal do século XVII ao século XX* (trad. Miguel Serras Pereira, Lisboa, Relógio d'Água, 1985 [1980]); e *O conflito: a mulher e a mãe* (trad. Vera Lúcia dos Reis, Rio de Janeiro, Record, 2011 [2010]).

ligado a uma agenda de lutas que expõe as agressões sofridas por mulheres e crianças no espaço doméstico e demanda, assim, uma regulação protetora. A opacidade da família, isto é, os limites para que se considere o que nela ocorre como questão relevante, dos pontos de vista social e político, foram historicamente vantajosos para quem pode exercer poder e agredir, amparado na conjugalidade e em laços vistos como naturais e amorosos.

No Brasil, segundo os dados disponíveis, mais de 70% dos casos notificados de violência contra crianças e adolescentes têm como local a casa da vítima ou do suspeito, que em mais de 60% das notificações é alguém da família[57]. Na infância das meninas, os agressores são, na ampla maioria dos casos registrados, as mães (42,4%), seguidas pelos pais (29,4%), e só depois por desconhecidos (15,6%) e padrastos (9,7%). As mães, embora figurem como agressoras quando se trata das crianças, também são vitimadas de forma significativa a partir da adolescência, sobretudo por cônjuges e companheiros. Na faixa de 18 a 59 anos, o cônjuge é o agressor em mais de 30% dos casos registrados. Entre as mulheres idosas, o filho é o agressor em 34,9% dos casos registrados. Em qualquer das idades, a violência doméstica ultrapassa largamente todo outro tipo de violência[58]. Assim, para muitas meninas e mulheres, a residência familiar está longe de ser um espaço de privacidade e proteção, sendo com frequência um ambiente de humilhações, abusos e dor.

É esse fato, não a idealização da vida familiar, que tem sido o fundamento das leis e das políticas de combate à violência doméstica. Entre as mais recentes, destaco a Lei Maria da Penha (Lei n. 11.340), de 2006[59], e a Lei Menino

---

[57] Disque-Denúncia da Secretaria de Direitos Humanos da Presidência da República, de 2014. Ver: Julio Jacobo Waiselfisz, *Mapa da violência 2015*, cit., p. 50.

[58] Ibidem, p. 48. Em 2009, o Ministério da Saúde implementou o Sistema de Informações de Agravos de Notificação (Sinan), que torna a notificação pelo Sistema Único de Saúde (SUS) compulsória, contínua e universal nos casos que envolvem violência contra crianças, adolescentes, mulheres e idosos. Essa medida segue as orientações do Estatuto da Criança e do Adolescente, que é de 1990, do Estatuto do Idoso, de 2003, e da Lei n. 10.778, de 2003, que estabelece a notificação compulsória por serviços públicos e privados nos casos de violência contra a mulher. Os dados aqui utilizados, segundo informa o relatório do *Mapa da violência*, são referentes a 2014 e foram viabilizados por esse sistema.

[59] A Lei Maria da Penha cria mecanismos para coibir a violência doméstica e familiar contra a mulher. Foi complementada pela Ação Direta de Inconstitucionalidade 4.424/2010, aprovada pelo Supremo Tribunal Federal (STF) em fevereiro de 2012, que determina que, em caso de violência doméstica, os processos poderão ser abertos e mantidos como ações públicas incondicionadas à representação da vítima, isto é, não dependem da denúncia e da manutenção pela mulher agredida. Entre as justificativas para a ação, que foi proposta pela Procuradoria Geral da

Bernardo (Lei n. 13.010), de 2014[60]. Os avanços recentes são marcados pelo entendimento de que a privacidade não pode servir para proteger agressores e que as relações de poder no âmbito familiar devem ser reguladas com o objetivo de garantir a integridade física e mental das pessoas. A privacidade como conceito abstrato pode servir mal às pessoas mais vulneráveis na família e ocultar violências. No debate teórico e político no feminismo, essa constatação se desdobra em posições que vão da ênfase maior na necessidade de regulação pelo Estado[61] à preocupação com o valor da privacidade, que deve ser, no entanto, ressignificada – portanto, redefinida legalmente –, para que não seja uma peça na engrenagem da reprodução de violências e desigualdades[62]. O grau de interferência do Estado é, também, um ponto fundamental na cisão entre as abordagens sobre os limites da autoridade paterna e os requisitos desejáveis para o desenvolvimento das crianças, ponto a que voltarei adiante.

Não se trata de desvalorizar os laços especiais nem as relações afetivas e familiares. Pensando na posição de meninas e mulheres nessas relações, é importante lembrar que estas envolvem amor, amparo e solidariedade, mas também violência. A maternidade significa afeto intenso para muitas, assim como um trabalho que se desdobra por anos e pode constituir uma identidade, mas nem por isso deixa de implicar exploração e restrições. Reforço esse ponto porque nesse debate corremos dois riscos, simultaneamente: um deles é ignorar o que é significativo na vivência das pessoas; o outro, tão relevante quanto, mas de outra ordem, é silenciar sobre as formas de opressão e violência que permeiam

---

República em 2010, está a de evitar a tolerância estatal relativa à violência doméstica contra a mulher. Ver Flávia Biroli, "Autonomia, preferências e assimetria de recursos", cit., p. 39-56, texto em que discuto a questão com foco na relação entre autonomia, preferências e desigualdades.

[60] A Lei Menino Bernardo, que foi inicialmente batizada por seus opositores e por parte da mídia de Lei da Palmada, tem como objetivo coibir a violência doméstica e familiar contra as crianças. O projeto que deu origem à lei, o PL 2.654/2003, de autoria da deputada Maria do Rosário (PT), recebeu dois recursos que o criticavam alegando que procurava "interferir no sagrado direito dos pais a educarem seus filhos".

[61] Catherine A. Mackinnon, *Feminism Unmodified* (Cambridge, Harvard University Press, 1987); e *Toward a Feminist Theory of the State* (Cambridge-MA, Harvard University Press, 1989).

[62] Jean Cohen, "Rethinking Privacy: Autonomy, Identity, and the Abortion Controversy", em Jeff Weintraub e Krishan Kumar (orgs.), *Public and Private in Thought and Practice* (Chicago, The University of Chicago Press, 1997); Drucilla Cornell, *At the Heart of Freedom: Feminism, Sex, and Equality* (Princeton, Princeton University Press, 1998); Judith Stacey, *In the Name of Family: Rethinking Family Values in the Postmodern Age* (Boston, Beacon Press, 1996); e "The Families of Man: Gay Male Intimacy and Kinship in a Global Metropolis", *Signs*, v. 30, n. 3, 2005, p. 1.911-35.

as relações familiares e sobre as implicações dos arranjos correntes para o cuidado e o trabalho doméstico cotidiano. Como bem expressa bell hooks em sua avaliação do modo como o feminismo tem lidado com a maternidade: sua desvalorização é um problema tanto quanto o é sua idealização[63].

Embora exista uma pluralidade de arranjos na realidade cotidiana das pessoas, as formas institucionalizadas de organização da vida definem vantagens ao valorizá-los desigualmente e reconhecê-los seletivamente. Com isso, induzem preferências. Nesse processo, produzem-se vivências e estereótipos que controlam e regulam as relações e os sujeitos.

É fútil discutir o que é e o que não é "autêntico" nas vivências das pessoas, o limite entre o que é vivenciado e o que deriva da influência de estereótipos ativados na socialização e nos meios de comunicação. Estamos imersos em contextos sociais dados; neles nos constituímos como sujeitos e nos situamos cotidianamente num mundo permeado por valores. Mas tomar estereótipos por vivências, por sua vez, não colabora para compreendermos o que está em jogo e modificarmos essa dinâmica em direção a relações mais justas.

No debate feminista, a busca de valorização da vivência das mulheres como mães também se fez pela adesão a estereótipos que decorrem dos processos que venho discutindo aqui. É o caso do chamado "pensamento maternal" ou "maternalismo", que embora tenha relação com a emergência do debate feminista sobre cuidado, como analisado no capítulo 2, pode ser tomado como uma versão restrita daquela discussão.

O pensamento maternal e a perspectiva filosófico-política que nele se desdobra, a "ética do cuidado", definiram-se a partir das obras de Nancy Chodorow[64], Carol Gilligan[65], Jean Betkhe Elshtain[66] e Sara Ruddick[67]. Embora existam diferenças importantes entre essas autoras, os textos que produziram entre o fim dos anos 1970 e a década de 1980 são o corpo teórico principal dessa corrente. Suas análises concentram-se na relação mãe-filha e na reprodução da

---

63 bell hooks, *Feminist Theory*, cit., p. 135.

64 Nancy Chodorow, *The Reproduction of Mothering* (Berkeley-CA/Los Angeles, University of California Press, 1999 [1978]).

65 Carol Gilligan, *In a Different Voice: Psychological Theory and Women's Development* (Cambridge, Harvard University Press, 1982).

66 Jean Bethke Elshtain, *Public Man, Private Woman: Women in Social and Political Thought* (2. ed., Princeton, Princeton University Press, 1981).

67 Sara Ruddick, *Maternal Thinking: Toward a Politics of Peace* (Boston, Beacon, 1989).

maternidade, considerados os arranjos correntes (Chodorow), no cuidado e nos afetos que se estabelecem no cotidiano da relação entre mães e filha/os (Elshtain e Ruddick), assim como nas relações intersubjetivas que se organizam a partir da posição específica das mulheres na divisão social/sexual do cuidado e na economia dos afetos. Foi essa intersubjetividade que se tomou como base para uma perspectiva moral diferenciada (Gilligan), superior porque orientada pela cooperação e pelo amor (Ruddick). Há aqui algo que foi característico do debate feminista ainda naquele período e que seria alvo de muitas das críticas feitas posteriormente: a aposta teórica e política na especificidade "das mulheres". Embora existam boas razões para se levarem em conta as dinâmicas de silenciamento dessas vozes, a pressuposição de uma voz comum suspende as diferenças e as hierarquias entre as mulheres. Essa suspensão permitiu que algumas dessas autoras, ou outras a partir delas, conectassem a socialização *feminina* a uma *ética diferenciada*.

Outra crítica que se faz ao pensamento maternal é que ele pressupõe em alguma medida a estabilidade e a homogeneidade das relações familiares, com pouca atenção ao fato de que a família assim representada é parte da experiência de algumas mulheres, mas está longe de ser universal. A família nuclear é um produto histórico, como discutido aqui, que engendra um ideal de referência que orienta as formas cotidianas de organização da vida, da legislação e do Estado. Isso não significa que seja vivida tal e qual[68]. Há arranjos familiares nos quais as mulheres não contam com parceiros/as na criação dos filhos, podendo ser nucleares (mãe e filhos) ou ampliados, nos

[68] Discuti as abordagens maternalistas mais amplamente em *Autonomia e desigualdades de gênero*, cit., cap. 4; e "Autonomia e justiça no debate teórico sobre aborto: implicações teóricas e políticas", *Revista Brasileira de Ciência Política*, n. 15, 2014, p. 37-68, cap. 2 e 3; e abordei sua relação com a "ética do cuidado" no capítulo anterior deste volume. Para críticas ao pensamento maternal, que colaboram para o desenvolvimento dessa frente da discussão, ver Mary Dietz, "Citizenship with a Feminist Face: The Problem with Maternal Thinking", em Joan B. Landes (org.), *Feminism, the Public and the Private* (Oxford, Oxford University Press, 1998), p. 45-64; Marilyn Friedman, "Beyond Caring: The De-moralization of Gender", em Virginia Held (org.), *Justice and Care* (Oxford, Westview Press, 1995); e Luis Felipe Miguel, "Política de interesses, política de desvelo: representação e 'singularidade feminina'", *Estudos Feministas*, v. 9, n. 1, 2001, p. 253-67. O principal, entendo, é que o recurso à maternidade pode não incorporar o discurso dominante, mas reproduz estereótipos convencionais de gênero e promove a participação política por meio de estratégias que segregam as mulheres em posições subalternas (idem). O sentido da política e da ação política é, nele, distorcido pelo "reforço a uma visão unidimensional das mulheres como criaturas da família". Mary Dietz, "Citizenship with a Feminist Face", cit., p. 46.

quais avós e tias criam as crianças juntamente com a mãe (ou mesmo sem ela); arranjos constituídos por pessoas do mesmo sexo; arranjos nos quais um casal cria crianças de casamentos anteriores, havendo então uma vivência materna e paterna mais complexa do que a da família nuclear, vivência que se prolonga pelo tempo de crescimento das crianças; vidas familiares nas quais o cotidiano do trabalho e outras tribulações dificultam a presença das mães junto aos filhos. Todas essas hipóteses e realidades introduzem ruídos em algo básico na perspectiva maternalista, que é a relação próxima e cotidiana entre mães e filhas/os.

O pensamento maternal também carrega, em algumas de suas expressões, uma visão idílica da família que se estabelece a contrapelo do esforço histórico feminista para expor relações domésticas abusivas e violentas, marcadas pela exploração e pela humilhação. O domínio dos afetos, esse em que família e lar se confundem, pode estar muito distante do respeito e do amor, como mostram os dados sobre violência contra mulheres já expostos. O debate sobre justiça precisaria, assim, incluir a família em vez de ser apartado dela[69], como também foi dito anteriormente.

Há uma diferença importante, no entanto, entre as abordagens que incorrem em ideais de maternidade e família no feminismo e as visões reacionárias da família e da maternidade que vêm disputando espaço com a agenda da igualdade de gênero. Embora nos dois casos exista uma redução da pluralidade e sejam mobilizados estereótipos como se fossem vivências, no chamado pensamento maternal há preocupação constante com as injustiças que recaem sobre as mulheres na vida familiar e na esfera pública. Fazem-se críticas – é verdade que nem sempre convincentes e politicamente eficazes – às barreiras que as relações na esfera doméstica podem impor à inserção das mulheres em outros espaços da vida.

Enquanto isso, em outra direção, as reações à igualdade de gênero recorrem a ideais e tradições familiares para posicionar as mulheres como mães e cuidadoras, de modo que justificam (e ampliam) sua exclusão e sua inclusão desvantajosa em outras esferas. Os feminismos, mesmo os que incorrem em ideais maternais, e o "familismo" conservador reacionário têm tido posições muito distintas no que concerne ao controle sobre os corpos e a sexualidade, bem

[69] Susan Moller Okin, *Justice, Gender, and the Family*, cit.; Flávia Biroli, "Gênero e família em uma sociedade justa, cit.; e *Autonomia e desigualdades de gênero*, cit.

como a toda a problemática dos privilégios. Entre as feministas, houve abertura para o diálogo e a incorporação das críticas que apontavam para a latência da norma heterossexual e de perspectivas privilegiadas de classe nas elaborações dos anos 1980[70]. Entre grupos reacionários que mobilizam o "familismo", por outro lado, a dualidade entre público e privado, a domesticidade das mulheres e a heteronormatividade não são questões para debate e desafios para a construção de sociedades mais justas, mas imperativos morais que devem ser preservados. Nas reações conservadoras, a "equação da moralidade com a normatividade sexual" tem levado à recusa de arranjos e formas de vida e tem sido marcada pela homofobia e pela dupla moral sexual[71].

Quais famílias?

São muitas as mudanças na configuração das famílias no Brasil, nas décadas recentes, acompanhando tendências que se verificam também em outras partes do mundo. A média de filhos por família tem-se reduzido em todas as regiões e estratos da sociedade, como mencionei na primeira seção. Apenas entre 2003 e 2013, ela caiu dez pontos percentuais, passando de 1,78 para 1,59 filhos por família. Entre os 20% mais pobres da população, essa média caiu, no mesmo período, de 2,73 para 2,01. A redução da taxa de fecundidade de uma média de 6 filhos vivos por mulher na década de 1960 para pouco mais de 1,7 hoje não se distribui uniformemente entre os estratos mais ricos e mais pobres da população, mas se observa em todos eles, e a distância vem diminuindo. É nas regiões Sudeste e Sul que as taxas de fecundidade são mais baixas. Em todos os casos, no entanto, atingiram níveis de

---

[70] Recomendo o volume organizado por Virginia Held, *Justice and Care*, cit. O prefácio à segunda edição de *The Reproduction of Mothering*, de 1999, é um exemplo desse diálogo com as críticas, mas mostra também alguns de seus limites. Nele, a antropóloga e psicanalista Nancy Chodorow afirma que "a maternidade não é apenas mais um papel desigual socialmente criado que possa ser desafiado". Nancy Chodorow, *The Reproduction of Mothering*, cit., p. xvi; aqui, em tradução minha. Quando partimos – diz – "do domínio da realidade psíquica e do sentido pessoal, não estamos necessariamente também no domínio da justiça abstrata e da engenharia social" (idem), daí o entendimento de que psicologia e política não seriam homólogas. Aqui, diferentemente, parto do princípio de que a importância da vivência subjetiva não elimina a opressão e as injustiças como problemas políticos que precisam ser assim enfrentados, em respeito às próprias pessoas e ao horizonte sempre aberto e passível de reconstrução da vida social.

[71] Sonia Correa, Rosalind Petchesky e Richard Parker, *Sexuality, Health and Human Rights* (Nova York, Routledge, 2008), p. 78.

reposição, isto é, já não representam um número de nascimentos suficiente para aumentar o contingente populacional[72].

Também diminuiu o percentual das famílias constituídas por casais com filhos, enquanto aumentou o número de famílias constituídas por casais sem filhos e o de famílias unipessoais. Segundo dados de 2010, no Brasil cerca de 60 mil indivíduos compartilham as responsabilidades pela vida doméstica, com ou sem filhos, com um cônjuge do mesmo sexo[73]. Em 2015, os casamentos homoafetivos representaram 5% do número total de registros[74].

As mulheres também se casam mais tarde e, embora o número de casamentos venha crescendo, os divórcios ocorrem com maior frequência, observando-se um pequeno decréscimo na taxa de divórcios em 2015. Em 1984, quase 70% das mulheres que se casaram tinha entre 15 e 24 anos. Em 2011, menos de 40% das mulheres que se casaram estavam nessa faixa etária[75]. Em 2015, a média de idade ao casar-se foi de 30 anos para os homens e de 27 para as mulheres nos casos de união entre pessoas de sexo diferente, ultrapassando os 30 anos para ambos nas uniões entre pessoas do mesmo sexo[76]. O divórcio tornou-se mais aceitável na sociedade brasileira. A taxa geral por mil habitantes passou de 0,44 em 1984 para 2,41 em 2014[77].

Há relação direta entre as transformações nos papéis sociais de gênero, seu impacto na legislação e as mudanças reveladas por esses dados. A dinâmica social constitui a legislação, que por sua vez informa e incide sobre novas cenas conjugais, afetivas e sexuais.

Por meio do casamento, as leis regulam a transmissão dos bens – as conexões entre sexo, procriação e propriedade. Regulam também o *status* social diferente dos grupos segundo a conjugalidade, definem as formas legítimas da parentalidade e, por muito tempo, determinaram direitos civis diferenciados para

---

[72] Ana Amélia Camarano e Solange Kanso, "Tendências demográficas mostradas pela PNAD 2008", em Jorge Abrahão Castro e Fábio Monteiro Vaz (orgs.), *Situação social brasileira: monitoramento das condições de vida* (Brasília, Ipea, 2011), p. 11-32.

[73] IBGE, *Estatísticas de gênero: uma análise do Censo Demográfico 2010* (Rio de Janeiro, IBGE, 2014).

[74] Idem, *Estatísticas do Registro Civil 2015*, cit.

[75] Idem, "Nupcialidade/estatísticas de registro civil, 1984-2002 e 2003-2011", em *Séries Estatísticas* (Rio de Janeiro, IBGE, 2011).

[76] Idem, *Estatísticas do Registro Civil 2015*, cit.

[77] Idem, *Estatísticas do Registro Civil 2014* (Rio de Janeiro, IBGE, 2014), v. 41. Disponível em: <biblioteca.ibge.gov.br/visualizacao/periodicos/135/rc_2014_v41.pdf>; acessado em: maio 2017.

mulheres e homens[78]. Só em 1962, as mulheres casadas conquistaram, no Brasil, o direito à capacidade civil plena (Lei n. 4.121, conhecida como Estatuto da Mulher Casada). O marido continuava ainda a ser definido como "chefe da sociedade conjugal", mas agora "com a colaboração da mulher". Antes dessa lei, valia o que estava no Código Civil de 1916, em que a mulher casada era definida como incapaz. O próprio código era posto em xeque já nesse período. Em 1976, um grupo de advogadas feministas apresentou ao Congresso Nacional uma proposta de alteração[79]. Um ano depois, em 1977, as mulheres conquistariam direitos iguais de propriedade, ao mesmo tempo que a Lei do Divórcio (Lei n. 6.515) era aprovada. Antes da legalização do divórcio, era possível a separação (o desquite), mas não um novo casamento, e a legislação diferenciava filhos "legítimos" e "ilegítimos" pela recusa de reconhecimento aos frutos das novas uniões de indivíduos que já haviam sido casados.

Além de respaldar o entendimento de que o casamento é uma instituição civil que pode ser dissolvida pelo divórcio e reconhecer a união estável como entidade familiar, a Constituição de 1988 romperia com o entendimento de que o homem tem autoridade legal sobre a mulher no casamento, definindo que "direitos e deveres referentes à sociedade conjugal são exercidos igualmente pelo homem e pela mulher" (art. 226, § 5º). Antes, no Código Civil de 1916, o marido era definido como "chefe da sociedade conjugal" (art. 233). Com o Estatuto da Mulher Casada (Lei n. 4.121, de 1962), a essa definição seria adicionado que o exercício da chefia familiar se daria "com a colaboração da mulher no interesse comum do casal e dos filhos". Vale observar a lentidão dessas mudanças. Entre 1916 e 1962, a chefia masculina permaneceu assim definida, competindo ao marido a representação legal da família, a administração dos bens comuns, o direito de fixar o domicílio e o dever de "prover a manutenção da família". A lei de 1962 avançou ao retirar do código o direito do marido de "autorizar a profissão da mulher e sua residência fora do teto conjugal".

Entre os códigos civis de 1916 e de 2002, a família se tornaria menos calcada na concepção patriarcal de autoridade, e os direitos individuais emergiriam

---

[78] Este parágrafo e alguns dos que o seguem imediatamente retomam e reelaboram a discussão feita em Flávia Biroli, "Estado, família e autonomia individual", em *Família: novos conceitos* (São Paulo, Fundação Perseu Abramo, 2014).

[79] Jacqueline Pitanguy, "Mulheres, Constituinte e Constituição", em Maria Aparecida Abreu, *Redistribuição, reconhecimento e representação: diálogos sobre igualdade de gênero* (Brasília, Ipea, 2011), p. 18.

com maior solidez. A ênfase na legislação se deslocaria do núcleo familiar como entidade para as relações entre os indivíduos e seus direitos, em um processo de "individualização" que também daria maior peso aos laços parentais do que aos conjugais[80]. No Código de 1916, o casamento definia "a família legitima" e legitimava "os filhos comuns", dando ao marido a representação legal da família. Como em outros países da América Latina, mas também da Europa e da América do Norte, o poder do marido lhe dava liberdade para dispor das propriedades comuns e das da esposa. Quando a mulher era definida como incapaz, a autorização do marido era necessária para que ela pudesse trabalhar, ter contas bancárias e realizar transações comerciais. Apesar disso, a lei brasileira daquele período foi considerada relativamente progressista por permitir a separação de bens e, com isso, a manutenção do patrimônio separado das mulheres nos casos em que a origem deste fosse independente do casamento[81] – o que impactava, de fato, a vida das mulheres ricas, permitindo maior controle da herança.

Desde a Lei do Divórcio, de 1977, o contingente de mulheres engajadas no trabalho remunerado aumentou, reduzindo sua dependência dos rendimentos dos cônjuges. As mudanças na moral sexual vigente e o acesso a anticonceptivos permitiram que as mulheres se relacionassem de maneira mais livre, indo de encontro aos padrões da dupla moral sexual. A maior aceitação social do divórcio é, sem dúvida, um componente importante nas escolhas individuais e nos padrões hoje assumidos pelos relacionamentos.

Não houve, é claro, um rompimento completo com os padrões anteriores, mas mudanças que se manifestam em novos códigos cotidianos e também na forma de conflitos e resistências. Os altos índices de agressões e assassinatos por companheiros e ex-companheiros, que colocam o Brasil entre os países do mundo com as maiores taxas de assassinatos de mulheres, mostram que o sentimento de posse por parte dos homens, frustrado pela maior independência das mulheres, continua constituindo o sexismo no cotidiano da sociedade.

A divisão sexual do trabalho, que foi bastante discutida nos capítulos iniciais deste livro, expressa-se no casamento, mas também nas separações. Embora a

[80] Alexandre Zarias, "A família do direito e a família no direito: a legitimidade das relações sociais entre a lei e a justiça", *Revista Brasileira de Ciências Sociais*, v. 25, n. 74, 2010, p. 66.

[81] Mala Htun, *Sex and the State: Abortion, Divorce, and the Family under Latin American Dictatorships and Democracies* (Cambridge, Cambridge University Press, 2003), p. 48.

lei de 1977 tenha legalizado o divórcio, a lei que torna regra a guarda compartilhada dos filhos é de 2014 (Lei n. 13.058). A responsabilidade pelos filhos após a separação continua sendo em grande parte das mulheres. Mas a guarda compartilhada vem aumentando, tendo passado de 7,5% dos divórcios com filhos registrados em 2014 para 12,9% em 2015. Trata-se de um ponto delicado. A permanência da guarda predominantemente entre as mulheres, quando os casais se divorciam, pode ser vista como continuidade da divisão do trabalho no casamento, implicando, assim, a naturalização dos laços entre mulher, maternidade e cuidado com as crianças. Nesse caso, não se trata apenas da desobrigação dos homens de assumir a posição de responsável principal no cotidiano da criança nem apenas da assimetria no trabalho que isso significa: pode estar em ação também, pelos valores correntes, a percepção das próprias mulheres de que esse deve ser seu papel quando as separações ocorrem. Parece-me importante levar em consideração a vivência das mulheres e suas razões – mesmo que permeadas pela ideologia do maternalismo – para desejarem manter as crianças consigo. Além disso, entre o convencionalismo e, em alguns casos, os conflitos e as disputas dos casais nas separações, estão as questões relativas ao bem-estar das crianças[82]. Há uma dinâmica de reforço, mas também de disputas, que envolve as práticas sociais e a legislação.

A norma heterossexual tem sido um dos pilares da noção moderna de família e das convenções mobilizadas em discursos familistas, nos quais a defesa "da família" corresponde a idealizações e exclusões. A ruptura, mesmo que parcial, com a correspondência entre casamento, família e heterossexualidade é resultado da ação de movimentos sociais, feministas e LGBT, assim como de

[82] O debate e as disputas em torno da legislação que rege a alienação parental expõem a complexidade da discussão sobre a guarda. A Lei n. 12.318/2010 procura coibir eventuais ações dos pais, em caso de divórcio, para afastar a criança do ex-cônjuge. Um projeto em tramitação, o PL 4.488/2016, propõe que a alienação parental se transforme em crime punível com penas de prisão de até três anos. Um dos problemas é que isso pode significar a punição de uma mãe ou um pai – lembrando que a guarda é costumeiramente das mães, como vimos – que busca proteger seu filho ou filha de algum tipo de risco ou abuso. Lígia Quartim de Moraes, no artigo "O sistema judicial brasileiro e a definição do melhor interesse da criança", *Estudos de Sociologia*, v. 19, n. 36, 2014, p. 21-39, chama atenção para o risco da excessiva judicialização das relações familiares (e sociais, de maneira mais ampla), desconsiderando o contexto social, com o risco de, "em nome dos direitos da criança, garantir os direitos do progenitor que tiver mais dinheiro para pagar um advogado ou mais amigos entre juízes e promotores" (ibidem, p. 32). A autora lembra que "a judicialização pode assumir conotações democráticas e igualitárias ou classicistas e tradicionalistas" (ibidem, p. 35).

juristas e outros atores políticos que têm defendido o direito ao casamento como um direito individual que deveria ser garantido a todas as pessoas nas democracias contemporâneas, em vez de restrito com base em crenças e em posições assumidas por algumas instituições religiosas. Embora os relacionamentos afetivos entre pessoas do mesmo sexo não sejam exclusivos do mundo contemporâneo[83], a noção de uma família gay ou lésbica é do fim do século XX. Está relacionada a mudanças culturais e nas normas legais, assim como ao desenvolvimento de tecnologias reprodutivas que permitem redefinir a parentalidade[84], desvinculando-a da procriação sexuada e da consanguinidade.

A partir da década de 1990, o reconhecimento das uniões entre pessoas do mesmo sexo e, pouco depois, do direito a casar-se passaria a ser realidade em vários países. O primeiro deles foi a Holanda, onde o direito de gays e lésbicas ao casamento entrou em vigência em 2001. Depois disso, a união foi legalizada em vários países europeus, entre os quais estão Bélgica, Espanha, Noruega, Suécia, Portugal, Islândia, Dinamarca e França. Foi legalizada também na África do Sul, na Nova Zelândia, na Austrália e, no continente americano, no Canadá, nos Estados Unidos[85], na Argentina, no Uruguai, no Brasil, no México[86] e no Chile[87]. Na Colômbia, o direito ao casamento não foi estabelecido, mas os direitos patrimoniais dos indivíduos que têm relações estáveis com outros do mesmo sexo são reconhecidos desde 2008.

No Brasil, após uma sucessão de decisões favoráveis em outros níveis do Judiciário, uma decisão do Supremo Tribunal Federal (STF) reconheceu a união entre pessoas do mesmo sexo em 2011, tendo sido respaldada por nova decisão da corte em 2013 e, no mesmo ano, pela Resolução do Conselho Nacional de

---

[83] Michel Foucault, *História da sexualidade*, v. 2: *O uso dos prazeres* (11. ed., trad. Maria Thereza da Costa Albuquerque e J. A. Guilhon Albuquerque, Rio de Janeiro, Graal, 2006 [1984]).

[84] Judith Stacey, *In the Name of Family*, cit., p. 109.

[85] Embora a união entre pessoas do mesmo sexo já fosse legal em dezesseis estados daquele país, a decisão da Suprema Corte que a estende a todo o território nacional é de junho de 2015.

[86] Uma decisão da Suprema Corte de Justiça Mexicana equiparou as uniões homossexuais às heterossexuais em junho de 2015. Antes disso, haviam sido legalizadas apenas em algumas unidades da federação (Distrito Federal, Coahuila e Quintana Rao), uma vez que no México o casamento é regulado por códigos civis próprios a cada estado.

[87] No Chile, o Acordo de União Civil entrou em vigor em outubro de 2015. Embora regularize a convivência entre pessoas do mesmo sexo, que passam a ter direito a herança e cobertura de saúde do cônjuge, o acordo não torna esses casais elegíveis para adoção. Ainda assim, o acordo foi considerado uma vitória diante da influência da Igreja católica em um país em que o divórcio foi legalizado apenas em 2004 e o aborto é proibido em qualquer circunstância.

Justiça (CNJ), que a tornaria vinculatória no território nacional, obrigando os cartórios de todo o país a aderir à nova norma. Disputas acirradas marcaram todo esse processo, com esforços em sentidos antagônicos. Houve um intervalo de pouco mais de um mês entre a data em que a presidência da Comissão de Direitos Humanos da Câmara dos Deputados foi assumida por um pastor evangélico, para quem o combate à união homoafetiva é bandeira prioritária, e a decisão do CNJ que obriga os cartórios a celebrar a união civil e converter em casamento as uniões estáveis entre pessoas do mesmo sexo.

Nessa mesma toada, tivemos, no Congresso, de um lado, a apresentação de projetos de lei que procuram ampliar o Código de 2002, como o Estatuto das Famílias (PL 2.285/2007 e PLS 470/2013), e, de outro, a reação ao avanço nos direitos das pessoas LGBT via Judiciário, que está na base do Estatuto da Família (PL 6.583/2013), desta vez no singular, proposto à Câmara dos Deputados com o objetivo de anular os direitos assim conquistados.

O estatuto restritivo tramitou rapidamente, tendo sido aprovado em Comissão Especial no dia 24 de setembro de 2015. Isso se deveu ao apoio e à articulação de segmentos conservadores que vêm se ampliando no Congresso[88]. Os estatutos plurais reconhecem "toda comunhão de vida instituída com a finalidade de convivência familiar, em qualquer de suas modalidades", o que inclui a união entre pessoas do mesmo sexo e as famílias pluriparentais. Quando observamos as diferenças entre o Código Civil de 1916 e o de 2002, percebemos que ao longo do tempo ocorreu um deslocamento da concepção da família como entidade para o enfoque nos direitos individuais. O que o Estatuto das Famílias propõe é que, partindo do último Código Civil, existam avanços para uma maior incorporação da pluralidade efetiva dos arranjos. Enquanto isso, o estatuto restritivo não apenas exclui esses arranjos e silencia sobre eles, como também retoma a afirmação de que o sujeito de direitos não é o indivíduo, mas "a família".

---

[88] Ao aumento do número de parlamentares que integram a bancada religiosa e a Frente Parlamentar Evangélica somaram-se elementos conjunturais, como negociações para a composição de uma base aliada ao governo federal e a eleição de um parlamentar identificado com a reação conservadora para a presidência da Câmara dos Deputados. A condução dada ao tema e ao projeto pelo então presidente da Câmara dos Deputados, Eduardo Cunha, foi fundamental para a celeridade da tramitação. Cunha teve seu mandato cassado em setembro de 2016 e foi preso pouco mais de um mês depois, acusado de receber propina e de usar contas na Suíça para lavar dinheiro. Sua imagem pública como deputado e presidente da Câmara esteve ligada a investidas sistemáticas contra os direitos das mulheres e LGBT.

O que está em jogo é mais do que o reconhecimento da união entre pessoas do mesmo sexo com o rótulo de família. Os direitos à guarda dos filhos e à convivência com eles, à adoção de crianças, assim como os direitos previdenciários e de herança, estão relacionados ao reconhecimento da união civil entre as pessoas e ao direito familiar. A legislação também pode influenciar as alternativas no acesso a seguros e planos privados de saúde, a financiamentos e moradia, a ações quando um dos cônjuges se encontra impossibilitado de decidir sobre sua vida e seus bens.

Há um amplo debate entre teóricas e ativistas sobre o grau em que a reivindicação do direito ao casamento, agora garantido em diversos países, corresponde a uma acomodação a formas convencionais da conjugalidade. Para algumas, o direito a casar-se e ter família é parte dos direitos humanos, do modo como são hoje codificados internacionalmente, e os obstáculos a eles comprometem a cidadania de muitos indivíduos[89]. Para outras, o foco no casamento significaria a adesão a uma instituição historicamente opressiva e excludente, que é a espinha dorsal de muitas desigualdades[90]. Além de regular as relações de gênero e sexualidade, a família é um fator importante nas relações de classe, porque estabelece os elos para a transmissão da propriedade privada e transfere vantagens e desvantagens não apenas dessa forma, mas também na de capital educacional, cultural e de rede de relações.

Um ponto que considero importante é o horizonte da imaginação social e política. Quando o direito ao casamento nos moldes convencionais e o padrão privatista e romântico das relações familiares (mesmo que agora compostas por casais do mesmo sexo) são definidos como fim e limite na agenda dos movimentos, outras alternativas são excluídas. Penso em formas diferentes de solidariedade, afeto e amparo, que permitam rever os padrões de convivência, especialmente na fronteira entre as responsabilidades privadas e coletivas. Casamentos entre amigos, famílias estendidas e outras formas de organização coletiva da vida podem reduzir a dependência das pessoas relativamente a um núcleo doméstico convencional, permitindo outros padrões de compartilhamento de

[89] Luiz Mello, "Familismo (anti-)homossexual e regulação da cidadania no Brasil", *Revista Estudos Feministas*, v. 14, n. 2, 2006, p. 150; Sergio Estrada Vélez, "Familia, matrimonio y adopción", *Revista de Derecho*, n. 36, 2011, p. 150.

[90] Gayle Rubin, "Pensando o sexo: notas para uma teoria radical das políticas da sexualidade", *Cadernos Pagu*, n. 21, 2003, p. 259-88.

recursos, apoio, divisão do trabalho doméstico e cuidado recíproco[91]. As condições de vida poderão ser diretamente beneficiadas por equipamentos públicos, ampliando as possibilidades de conciliação entre o trabalho remunerado e o provimento de cuidados e reduzindo a vulnerabilidade das pessoas, independentemente dos arranjos que organizem relacionamentos e afetos. Há algumas vantagens no fortalecimento dos direitos dos indivíduos e no deslocamento dos sentidos da família, de uma perspectiva centrada no casamento para outra centrada na vivência conjunta, no cuidado oferecido e nos laços especiais. Isso permite definir direitos de forma não excludente, reconhecer a necessidade de cuidado e proteção sem a restringir a uma divisão do trabalho e do afeto que sobrecarregue as mulheres, enquanto exime os homens da carga cotidiana, mas também os aliena e restringe suas experiências e suas capacidades. Além disso, possibilita dar passos para transpor os limites da visão privatista em direção a alternativas que fortaleçam a responsabilidade coletiva pelas pessoas mais vulneráveis. Do ponto de vista jurídico, as decisões de vanguarda no âmbito do direito de família passam a defini-la não mais como "instituição nascida do casamento legal heterossexual, e sim da disposição de cuidar de outrem (criança ou idoso, mais vulneráveis por definição)", deslocando-se das relações consanguíneas para as de cuidado[92].

Hoje muitos direitos estão ainda vinculados à conjugalidade e à família em diferentes países. Por isso, o direito ao casamento é um problema político. Seria pouco consequente desvalorizar as lutas pela equiparação entre as uniões homo e heterossexuais em nome de um horizonte emancipatório mais exigente, mas ainda distante em muitos aspectos do cotidiano das pessoas. A possibilidade de adotar crianças é uma das questões sensíveis, ainda pouco regulamentada mesmo nos países nos quais o casamento entre pessoas do mesmo sexo foi legalizado, sendo excluída da legislação relativa à união civil em países como o Chile. No Brasil, a primeira decisão favorável à adoção por um casal de mulheres foi proferida em 2006 pelo Tribunal de Justiça do Rio Grande do Sul. A contestação a essa decisão levou o caso para instâncias superiores, produzindo mais uma decisão favorável, agora no Superior Tribunal de Justiça (STJ), em 2010. Mais recentemente, em 2015, o STF se posicionou, pela primeira vez, favoravelmente à

---

[91] Judith Stacey, *In the Name of Family*, cit., p. 127; e *Brave New Families: Stories of Domestic Upheaval in Late-Twentieth-Century America* (Berkeley-CA, University of California Press, 1998 [1990]).

[92] Lígia Quartim de Moraes, "O sistema judicial brasileiro e a definição do melhor interesse da criança", cit., p. 27.

adoção por casais do mesmo sexo. No Congresso, o avanço do estatuto restritivo, de que se falava há pouco, vai de encontro a todas essas decisões.

Quando pensamos na capacidade reprodutiva, que por muito tempo foi (e é ainda na maior parte do mundo) um elemento da definição legal da família, as mudanças são profundas. Novas tecnologias ampliaram as alternativas para os casais heterossexuais e têm grande impacto potencial para casais homossexuais que desejam ter filhos. Exemplificam, claramente, a compreensão de que as "atuais formas familiares são 'coproduções' que envolvem – além de valores culturais – lei, tecnologia e dinheiro"[93] e que a parentalidade é resultado "das possibilidades institucionais que circundam a reprodução"[94].

As novas possibilidades abertas pela biogenética permitem apartar sexo e reprodução. Mas elas não estão acessíveis igualmente a todas as pessoas quando é a lógica de mercado que rege a oferta dos serviços. Há também a questão dos limites à comercialização de material genético e dos corpos das pessoas[95]. No Brasil, a Resolução 2.121/2015 do Conselho Federal de Medicina atualiza a regulamentação, levando em conta os desenvolvimentos científicos e a decisão do STF de 2012, que reconheceu a união entre pessoas do mesmo sexo. O atendimento para procedimentos de reprodução assistida passa a incluir relacionamentos homoafetivos e pessoas solteiras, além de expressamente permitir "a gestação compartilhada em união homoafetiva feminina em que não exista infertilidade". Mantém, no entanto, "o direito a objeção de consciência por parte do médico", o que permite que crenças religiosas e posições homofóbicas apresentadas como crenças se sobreponham às normas correntes. A resolução é bastante clara em outro limite estabelecido, que é a proibição da comercialização de óvulos e gametas e de doação temporária do útero ou gestação de substituição, que é comumente chamada de barriga de aluguel: esta fica restrita à família de um dos parceiros, em parentesco consanguíneo de até quarto grau. Neste caso, o que está em questão é qual o limite aceitável para a

---

93 Cláudia Fonseca, "Homoparentalidade: novas luzes sobre o parentesco", *Revista Estudos Feministas*, v. 16, n. 3, 2008, p. 781.

94 Ibidem, p. 776.

95 O debate teórico feminista a respeito é bastante rico. Para algumas contribuições, ver Anne Phillips, *Our Bodies: Whose Property?* (Princeton/Oxford, Princeton University Press, 2013); Debra Satz, *Why Some Things Should Not Be for Sale: The Moral Limits of Markets* (Oxford, Oxford University Press, 2010); e o volume organizado por Donna Dickenson, *Property in the Body: Feminist Perspectives* (Cambridge, Cambridge University Press, 2007).

comercialização dos corpos e de material genético, assim como para a utilização especificamente do aparelho reprodutivo com fins comerciais.

Por fim, gostaria de tocar em um ponto que está atualmente ganhando enorme destaque na "defesa da família" feita pelos setores reacionários do Brasil: trata-se do apelo ao interesse das crianças, como se este fosse definido em um âmbito moral apartado, não em processos políticos, como de fato ocorre. Isso porque a preservação da integridade física e psíquica das crianças depende de mecanismos legais e sociais que garantam seus direitos, não de um arranjo familiar específico. Nem a violência nem o cuidado afetuoso são monopólio de qualquer um desses arranjos. E a discriminação contra os pais certamente não serve aos "'melhores interesses' da criança"[96]. A definição de parentesco, se feita em termos sociais, em vez de biogenéticos, poderia colaborar para ampliar o amparo e reduzir preconceitos, desde que baseada na ideia de que as relações especiais de cuidado, que perduram no tempo, devem ser privilegiadas em detrimento de aspectos biológicos e, sem dúvida, de características da conjugalidade e da sexualidade dos pais.

Tem sido cada vez mais objeto de debate não só o traçado da linha divisória entre a autoridade dos pais e a do Estado, mas, sobretudo, entre os referenciais morais que orientam a família e os referenciais de justiça. Uma das facetas desse debate é o direito dos pais a restringir a educação das crianças, recusando diretrizes estabelecidas publicamente. Uma de suas expressões é o *homeschooling* – educação doméstica, fora de uma instituição escolar –, mas aquela que tem assumido forma mais aguda nas disputas políticas é a pressão para a restrição de conteúdos nas escolas. No Brasil, essa disputa ampliou-se a partir de 2014, quando grupos religiosos passaram a agir de forma orquestrada em assembleias legislativas e câmaras de vereadores para eliminar das diretrizes educacionais orientações para a valorização e o respeito à diversidade sexual e para a superação das desigualdades de gênero[97]. A própria palavra

---

[96] Judith Stacey, *In the Name of Family*, cit., p. 117.

[97] Grupos conservadores, religiosos e não religiosos, têm agido conjuntamente em defesa do que entendem como direito dos pais a educar seus filhos de acordo com seus valores. Comunismo e feminismo aparecem como alvos de grupos engajados nessa empreitada, constituídos por católicos, evangélicos e também um movimento autointitulado Escola sem Partido, que tem atuado no sentido de criminalizar professores que assumam posições em sala de aula, tematizem injustiças e estimulem crianças e adolescentes a debater problemas de desigualdades de gênero, raça e classe. Ver Luis Felipe Miguel, "Da 'doutrinação marxista' à 'ideologia de gênero'. Escola sem Partido e as leis da mordaça no parlamento brasileiro", *Direito & Práxis*, v. 7, n. 3, 2016, p. 590-621.

"gênero" vem sendo contestada e mesmo eliminada em certos casos. Embora a discussão remonte à apresentação inicial do Plano Nacional de Educação em 2014, uma peça fundamental no processo político foi Requerimento de Informação apresentado na Câmara dos Deputados em maio de 2015, em que um parlamentar solicitava esclarecimentos sobre o que chamou de "manutenção da ideologia de gênero como diretriz obrigatória para o Plano Nacional de Educação (PNE)". Em sua justificativa, alegava serem inaceitáveis – e característicos do que rotulava como "ideologia de gênero" – trechos do PNE que determinavam a inclusão nos conteúdos escolares da "promoção da igualdade racial, regional, de gênero e de orientação sexual" e a implementação de "políticas de prevenção à evasão motivada por preconceito e discriminação racial, por orientação sexual ou identidade de gênero, criando rede de proteção contra formas associadas de exclusão"[98].

Para além dos valores e das crenças privadas, há um problema concreto: no ambiente escolar, essas formas de discriminação e desvalorização produzem sofrimentos e comprometem a integridade física e psíquica de crianças e adolescentes, que por esse motivo podem afastar-se da escola[99]. Além disso, a restrição a um ensino voltado para o respeito e a igualdade pode implicar que a socialização das crianças se dê em ambientes que normalizam a violência e os preconceitos, em vez de confrontá-los. A escola desempenha papel fundamental na formação, podendo ativar concepções democráticas de vida ou reforçar preconceitos. As crianças são objeto das práticas ali adotadas, mas são também sujeitos de sua reprodução. Dados disponíveis mostram que, em 2013, foram registrados ao menos cinco casos de violência homofóbica por dia no Brasil, com indicações de que o número de agressões pode ser bem maior[100]. Quando essa violência deixa de ser reconhecida e combatida pelo poder público, o recado à sociedade é de que as práticas correntes são válidas.

---

[98] Flávia Biroli, "Political Violence against Women in Brazil: Expressions and Definitions", *Direito & Práxis*, v. 7, n 15, 2016, p. 557-89.

[99] Associação Brasileira de Lésbicas, Gays, Bissexuais, Travestis e Transexuais (ABGLT), *Pesquisa nacional sobre o ambiente educacional no Brasil 2015: as experiências de adolescentes e jovens lésbicas, gays, bissexuais, travestis e transexuais em nossos ambientes educacionais* (Curitiba, ABGLT, 2016).

[100] Secretaria Especial de Direitos Humanos, *Relatório de violência homofóbica no Brasil: ano 2013* (Brasília, Ministério das Mulheres, da Igualdade Racial e dos Direitos Humanos, 2016).

A empreitada contra a igualdade de gênero não se limita ao Brasil e está em curso de forma aguda em diferentes países e continentes. Há alguns marcos nessa investida conservadora. Um deles remete às contestações lideradas por grupos católicos às diretrizes assumidas na Conferência Internacional da Mulher, realizada pela Organização das Nações Unidas em Pequim, em 1995. Outro é o aparecimento da noção de "ideologia de gênero" em documento do Conselho Pontifício para a Família, da Igreja católica, em 2003[101]. A contestação da noção de gênero é, na prática, uma recusa ao reconhecimento da diversidade e da pluralidade nas sociedades. Trata-se, ainda, de uma investida contra um pilar (sempre incompleto e frágil, é certo) das democracias, que é a laicidade do Estado. Nas ações em curso na América Latina, a justificativa tem sido o direito dos pais a educar seus filhos segundo seus valores, independentemente das perspectivas ético-políticas que orientem a vida pública no país. Ainda que não consigam bloquear todo o debate no cotidiano das escolas nem retirar as referências a gênero de diferentes documentos e conteúdos escolares, essas ações comprometem os esforços que vêm sendo envidados há décadas para que os valores presentes na educação sejam condizentes com uma sociedade *efetivamente plural*. Embora as ações para constranger e censurar estejam voltadas para professoras e professores, também fica prejudicado o direito das crianças a ter contato com a pluralidade de valores e, eventualmente, refletir de modo crítico sobre aqueles que predominam no ambiente familiar.

O feminismo tem servido de alvo nos documentos do Vaticano, em justificações de peças legislativas e nas manifestações públicas "em defesa da família". Este capítulo permite perceber, acredito, que há mesmo motivos para que esses atores mirem o feminismo e as feministas em suas reações. Aqui procurei mostrar que teóricas e ativistas de fato desafiam há décadas as configurações da família que tornem as mulheres vulneráveis, levando-as a sofrer humilhações e violências e restringindo sua atuação na vida pública. Também desafiam a fusão entre casamento, heteronormatividade, monogamia e idealizações da maternidade e da família. No feminismo socialista e no feminismo negro, a privatização do cuidado e a mercantilização da vida também são colocadas sob escrutínio, estabelecendo-se uma conexão importante entre a crítica da família e

---

[101] Mónica Cornejo-Valle e J. Ignacio Pichardo, "La ideología de género frente a los derechos sexuales y reproductivos: el escenario español", *Cadernos Pagu*, n. 50, 2017.

a crítica ao capitalismo. Trata-se de abordagens que discutem as injustiças *nas* e *entre as* famílias, as dimensões do controle e as do privilégio. O que está em disputa é uma estrutura de privilégios de que se beneficiam homens brancos, adultos, dos estratos de maior renda da sociedade. Para as demais pessoas, faz pouco sentido defender uma definição de família que as exclui e pode comprometer sua integridade física e psíquica, além de impor às mulheres a condição de cidadãs menores, porque subordinadas, na lei ou na prática, à autoridade masculina.

4
ABORTO, SEXUALIDADE E AUTONOMIA

Quando tratamos das políticas do aborto e da sexualidade, lidamos com dinâmicas nas quais os corpos estão em disputa. Há diferenças entre as abordagens feministas relativas ao aborto, assim como há diversidade nas compreensões das políticas da sexualidade entre pensadoras e ativistas. Destaco, no entanto, algumas premissas que me parecem comuns. É determinante a compreensão de que o privado e o íntimo são atravessados por relações de poder. Por isso, retirar decisões e afetos do contexto social e institucional em que se definem compromete seu entendimento. O próprio traçado das fronteiras entre o que é privado e o que é público é uma questão política, que se define em processos e embates nos quais são desenhados os limites para a ação do Estado, as formas aceitáveis da autoridade e os direitos dos indivíduos não apenas na esfera pública, mas também no mundo privado e doméstico. Derivada desta primeira, a premissa de que as práticas e os valores adotados nos âmbitos da reprodução e da sexualidade se definem em contextos sociais, institucionais, econômicos e morais específicos é compartilhada amplamente entre as abordagens feministas. Em graus diferentes, essas abordagens retiram o corpo e as relações sexuais da ordem da "natureza" – ou do que é reivindicado como sendo natural – para apreendê-los em sua constituição social.

Embora existam especificidades, optei por dialogar neste capítulo simultaneamente com o debate sobre direitos reprodutivos e com o debate sobre direitos sexuais. Assumo desde já os riscos: trata-se de dois campos nos quais se acumulam e se qualificam há décadas estudos acadêmicos e lutas, havendo, além disso, razões políticas para que o direito ao controle autônomo sobre a capacidade reprodutiva não seja confundido com o direito à vivência livre e diversa da sexualidade. A opção por tratá-los em conjunto provém, por sua vez, do esforço para compreender de maneira abrangente as disputas políticas e as reações conservadoras que implicam formas de regulação dos corpos e dos afetos. No contexto brasileiro, mas não só, em muitos casos elas têm mirado, ao mesmo tempo, a reprodução e a sexualidade.

Além de a reprodução e a sexualidade serem fatos sociais – isto é, assumirem sentido e terem definidas suas circunstâncias e suas possibilidades em contextos bem determinados –, seu caráter político é evidente quando se observam formas de controle, regulação, intervenção, valorização diferenciada e produção dos sujeitos sexuados ao longo do tempo. Ainda nos anos 1980, Gayle Rubin afirmou que "o sexo é sempre político", mas "há períodos históricos em que a sexualidade é mais nitidamente contestada e mais excessivamente politizada", e "o domínio da vida erótica" é, assim, renegociado[1]. É algo que pode ser estendido ao debate sobre reprodução, maternidade e arranjos familiares. E que, além disso, cabe perfeitamente para situar o momento em que escrevo este texto, quando no Brasil e em toda a América Latina reações conservadoras se avolumam após décadas de transformações sociais e conquistas de direitos. Os conflitos em torno da reprodução e da sexualidade são agudamente políticos.

Aborto e sexualidade têm a ver, também, com o cotidiano da vida das pessoas, com o modo como elas organizam suas trajetórias em ambientes sociais, legais e morais que impõem e orientam, abrem alternativas tanto quanto tornam factíveis julgamentos e violências. Estão, assim, diretamente relacionados ao exercício da autonomia e ao modo como a vida das pessoas ganha sentido. Os corpos estão no centro das disputas, evidenciando o caráter político e social do que neles se passa, do que representam em uma economia simbólica e material mais ampla. Na regulação dos corpos é que emerge "o corpo", afirmando e rejeitando identidades simultaneamente[2]. As trajetórias das pessoas são impactadas pelo modo como esses corpos são visados por práticas normalizadoras e pela inscrição de violências fundadas não apenas no ódio, mas também em diferentes sistemas de crença e perspectivas morais.

No Brasil e, mais amplamente, na América Latina, a "defesa da família" tem sido palavra de ordem nas primeiras décadas do século XXI, em esforços que têm como objetivo retroceder nas exceções existentes à criminalização do aborto e que procuram anular decisões favoráveis à união entre pessoas do mesmo sexo, firmando o entendimento de que família, sexo e parentalidade são da ordem da natureza, não fatos sociais. Em maio de 2016, nas votações que suspenderam o mandato da primeira mulher eleita para a Presidência da

[1] Gayle Rubin, "Thinking Sex: Notes for a Radical Theory of the Politics of Sexuality", em Richard Parker e Peter Aggleton (orgs.), *Culture, Society and Sexuality: A Reader* (Nova York, Routledge, 1999), p. 143.

[2] Judith Butler, *Gender Trouble: Feminism and the Subversion of Identity* (Nova York, Routledge, 1999 [1990]).

República no Brasil, Dilma Rousseff, parlamentares que votaram pela sua deposição manifestaram seus "valores familiares" nos microfones da Câmara dos Deputados. O golpe de 2016 não foi o primeiro momento em que visões conservadoras da família se apresentaram como bandeira política em um contexto agudo de disputas. Na articulação do golpe de 1964, milhares de pessoas, entre elas um grande contingente de mulheres, foram às ruas em defesa da família e da ordem e colaboraram, assim, para a instauração da ditadura[3].

Começo esta discussão tratando da relação entre aborto, sexualidade e autonomia para, em seguida, caracterizar as reações conservadoras, de que falei também nos parágrafos finais do capítulo anterior.

O direito ao aborto é um eixo central da autonomia das mulheres. Sem o direito a controlar sua capacidade reprodutiva, a autonomia na definição de sua trajetória de vida fica fundamentalmente comprometida. A participação em outros âmbitos da vida tem estado atrelada à capacidade efetiva de planejamento da sua vida reprodutiva, ao modo como as tarefas de cuidado são divididas na esfera privada e, sobretudo, ao apoio público existente para o cuidado com as crianças e para a proteção no mundo do trabalho das mulheres gestantes e das mães. Por isso, a denúncia da maternidade compulsória esteve relacionada desde o início às lutas pela igualdade de gênero[4].

O dispositivo da maternidade conjuga incitações, constrangimentos e restrições ao comportamento das mulheres na fusão entre o feminino e o maternal[5]. Seu impacto ultrapassa as relações heterossexuais. A dissociação entre sexo e reprodução é necessária para que se possa reconhecer e legitimar relações que não tenham como fim a procriação e justificar arranjos familiares alternativos. A autonomia reprodutiva também está relacionada ao controle das mulheres sobre o prazer sexual[6], ao colocá-las como sujeitos, em vez de receptáculos e

---

[3] Sonia E. Alvarez, *Engendering Democracy in Brazil: Women's Movement in Transition Politics* (Princeton, Princeton University Press, 1990).

[4] Angela Y. Davis, *Mulheres, raça e classe* (trad. Heci R. Candiani, São Paulo, Boitempo, 2016 [1981]), p. 210-1.

[5] Elisabeth Badinter, *O amor incerto: história do amor maternal do século XVII ao século XX* (trad. Miguel Serras Pereira, Lisboa, Relógio d'Água, 1985 [1980]); Flávia Biroli, *Família: novos conceitos* (São Paulo, Fundação Perseu Abramo, 2014).

[6] Alisa Wellek e Mirian Yeung, "Reproductive Justice and Lesbian, Gay, Bisexual, and Transgender Liberation", em *Reproductive Justice Briefing Book: A Primer on Reproductive Justice and Social Change* (Atlanta/Nova York, SisterSong – Women of Color Reproductive Health Collective/ Pro-Choice Public Education Project, 2007), p. 18.

meios para a realização de algo que pode exceder suas escolhas, ainda que estejam engajadas em relacionamentos sexuais e afetivos. O temor de uma gravidez indesejada pode ser vivenciado em larga escala quando não há políticas adequadas para o controle reprodutivo pelas próprias mulheres. Há, ainda, uma interface entre, de um lado, o controle e as restrições ao exercício autônomo da sexualidade pelas mulheres e, de outro, a violência contra elas, socialmente amparada na dupla moral sexual e na diferenciação entre comportamentos que seriam respeitáveis e aqueles que seriam moralmente "duvidosos"[7]. Há correspondências entre o sexo aceitável e a maternidade respeitável, assim como entre o sexo reprovável e a maternidade que, vista como resultado de escolhas irresponsáveis e equivocadas, configura-se como um ônus que a mulher deve carregar por ter mantido relações sexuais fora do casamento ou de determinados padrões da afetividade.

Os movimentos organizados em defesa da saúde das mulheres têm atuado, a partir dos anos 1970, para promover políticas que permitam ampliar suas possibilidades de autodeterminação. Retomam e atualizam demandas feitas desde o século XIX pelo direito das mulheres a controlar sua sexualidade e sua capacidade reprodutiva, afirmando que "os usos – sexuais, reprodutivos ou outros – de seus corpos (e mentes)" são aspecto central de sua condição de "agentes morais ativos, com projetos e objetivos próprios"[8]. A produção de conhecimento na academia e a atuação militante de feministas, LGBT e ativistas da área da saúde – bastante marcada pela luta contra a Aids, que foi desde o início também uma luta contra a estigmatização de sujeitos e práticas sexuais – desaguou numa agenda que ganhou espaço nas políticas, em âmbito nacional e transnacional[9]. Foi assim que a sexualidade passou a figurar nos debates sobre cidadania e nas ações voltadas para a promoção desta e dos direitos humanos em diferentes partes do mundo. Do mesmo modo, o debate sobre direito à saúde passaria a levar em consideração o gênero, o que abriria novas frentes na análise da exclusão, da violência, do adoecimento e da dor.

---

[7] Daniella Georges Collouris, *A desconfiança em relação à palavra da vítima e o sentido da punição nos processos judiciais de estupro* (Tese de Doutorado em Sociologia, São Paulo, FFLCH-USP, 2010).

[8] Sonia Corrêa e Rosalind Petchesky, "Direitos sexuais e reprodutivos: uma perspectiva feminista", *Physis: Revista de Saúde Coletiva*, v. 6, n. 1-2, 1996, p. 152.

[9] Sonia Corrêa, Rosalind Petchesky e Richard Parker, *Sexuality, Health and Human Rights* (Nova York, Routledge, 2008).

Nas tradições liberais, o controle sobre o próprio corpo tem sido um pilar do exercício da autonomia pelas pessoas. Mas sua definição e sua efetividade têm sido historicamente distintas para mulheres e homens, além de assumirem como referência a heteronormatividade. Parte da crítica dirigida pelas teóricas feministas ao liberalismo tem como alvo as acomodações entre a garantia à liberdade individual de todas as pessoas e as normas ou as injunções efetivas que restringem seu exercício pelas mulheres, colaborando para naturalizar sua subordinação (aos homens a que estão ligadas por laços sanguíneos ou conjugais) ou para que sejam alvo de controles específicos por parte do Estado[10]. Numa perspectiva de classe e racial, liberdade e controles também são seletivos e diferenciados nos efeitos.

Até muito recentemente, o leque de desigualdades abrigadas na legislação era amplo. Em outras palavras, as desigualdades tinham também, em muitos casos, estatuto formal. Era o caso, por exemplo, dos direitos desiguais no casamento e nas relações familiares que, como expus no capítulo anterior, no Brasil só foram totalmente eliminados no Código Civil de 2002. Nas sociedades em que hoje se encontram equalizados direitos de mulheres e homens, as regras dessa equalização foram sendo construídas ao longo do século XX. Em muitos casos, o casamento correspondia à alienação parcial do controle da mulher sobre si e sobre seu corpo, já que implicava formalmente a subordinação à autoridade do marido. Assim, a tolerância social a uma série de violências na família estava respaldada na legislação, pois a estrutura de autoridade reconhecida as chancelava, enquanto garantia a opacidade da família. O estupro no casamento, por exemplo, era assim visto como impossibilidade lógica – e, com isso, ausente como problema e objeto de legislação e de decisões no campo jurídico[11]. Embora isso possa parecer um registro do passado, só até certo ponto superamos as restrições formais no campo das relações de gênero e da posição diferenciada que os indivíduos nelas assumem. As restrições no direito ao aborto e no direito das pessoas ao casamento e à adoção de crianças são algumas das formas atuais de abrigo pela lei das assimetrias sociais nas relações de gênero.

---

[10] Nancy Hirschmann, *Gender, Class & Freedom in Modern Political Theory* (Princeton, Princeton University Press, 2008); Flávia Biroli, *Autonomia e desigualdades de gênero: contribuições do feminismo para a crítica democrática* (Niterói/Valinhos, Eduff/Horizonte, 2013; Susan Okin, *Women in Western Political Thought* (Princeton/Oxford, Princeton University Press, 1992 [1979]); Carole Pateman, *The Sexual Contract* (Stanford, Stanford University Press, 1988).

[11] Flávia Biroli, *Autonomia e desigualdades de gênero*, cit.

As lutas dos movimentos feministas e LGBT pelo direito ao exercício da sexualidade sem violência e discriminação levaram de fato a avanços formais e a mudanças nos padrões sociais de julgamento. Mas o exercício seguro da sexualidade, física e psicologicamente, está distante de ser uma realidade para muitas mulheres e muitos homens. Mais de setenta países, distribuídos por quatro continentes (a exceção é a Europa), ainda criminalizam a homossexualidade, e na legislação de dez deles está prevista a pena de morte para homossexuais[12]. Há, ainda, países em que há restrições à circulação de imagens nas quais apareçam casais do mesmo sexo, como a Rússia, e países em que a omissão do Estado é assumida como diretriz política, como tem ocorrido no Brasil em circunstâncias recentes, nas quais as pressões de grupos conservadores impediram a adoção de material educativo contrário à homofobia[13]. A liberdade no exercício da sexualidade se distribui desigualmente no globo, mas também em sociedades específicas.

Violências e constrangimentos se organizam segundo convergências de gênero, sexualidade, classe e raça[14]. Não é apenas a ação discriminatória, mas também a inação do Estado que dá livre curso às formas múltiplas de violência estrutural. A recusa dos direitos sexuais, a homofobia e o sexismo são vividos em sua conjugação com as desigualdades socioeconômicas e regionais, o racismo, aspectos geracionais e deficiências, entre outros fatores[15].

No Brasil, embora tenha havido avanços recentes na inclusão das demandas da população LGBT junto ao Estado, no sentido da construção de políticas públicas de combate à homofobia e a outras formas de violência, os resultados

---

[12] Dados divulgados pela International Lesbian, Gay, Bisexual, Trans and Intersex Association na 11ª edição da publicação "State-Sponsored Homophobia", de 2016. Disponível em: <ilga.org/downloads/02_ILGA_State_Sponsored_Homophobia_2016_ENG_WEB_150516.pdf>; acessado em: fev. 2017.

[13] Conferir o material "Escola sem homofobia", do governo federal, que foi apelidado de "kit gay" na imprensa e retirado de circulação (formalmente) após pressões de setores conservadores. Disponível em: <acervo.novaescola.org.br/pdf/kit-gay-escola-sem-homofobia-mec.pdf>; acessado em: fev. 2017. Foi elaborado no âmbito do Programa Brasil sem Homofobia, implementado em 2004, um dos principais alvos da reação conservadora. Disponível em: <bvsms.saude.gov.br/bvs/publicacoes/brasil_sem_homofobia.pdf>; acessado em: fev. 2017.

[14] Ver o "Relatório sobre violência homofóbica no Brasil (2012)". Disponível em: <www.sdh.gov.br/assuntos/lgbt/pdf/relatorio-violencia-homofobica-ano-2012>; acessado em: fev. 2017. E também as discussões em Sérgio Carrara e Adriana Vianna, "'Tá lá o corpo estendido no chão...': a violência letal contra travestis no município do Rio de Janeiro", *Physis: Revista de Saúde Coletiva*, v. 16, n. 2, 2006, p. 233-49.

[15] Sonia Corrêa, Rosalind Petchesky e Richard Parker, *Sexuality, Health and Human Rights*, cit., p. 3.

têm sido pouco efetivos[16], e sistemáticos os vetos por parte de setores conservadores dentro do Congresso. A mobilização de recursos para a atuação política das igrejas tem assumido novos padrões desde os anos 1980, e é na recusa aos direitos sexuais e reprodutivos que segmentos religiosos reacionários têm apostado quando se trata de construir as identidades político-eleitorais de seus representantes. Tratei um pouco desse tema no capítulo 3 e voltarei a ele no fim deste e no próximo, quando discuto os padrões de participação política.

A recusa ao direito ao aborto, por sua vez, mantém na legislação concepções diferenciadas de indivíduo e do direito ao próprio corpo, à integridade física e psíquica e à dignidade. O acesso a esses direitos, quando se criminaliza o aborto, é distinto *na letra da lei* segundo o sexo dos indivíduos. Da criminalização do aborto decorrem ainda distinções de classe e raça, uma vez que a integridade física e psíquica das mulheres negras e pobres é comprometida de forma aguda. Essa diferenciação social, que não se restringe às políticas do aborto, existe também quando a legislação silencia sobre diferenças e desigualdades que continuam marginalizando grupos da população, deixando assim de agir para reduzi-las ou superá-las.

Historicamente, as desigualdades entre mulheres e homens, assim como as de classe, raça e sexualidade, foram subsumidas nas abordagens dos direitos, da liberdade e da autonomia, sem que fossem problematizadas. O indivíduo, essa abstração que passaria a constituir subjetividades tanto quanto normas e valores sociais, tem histórias diferentes se pensamos em homens ou em mulheres, se levamos em conta a raça e o lugar do mundo em que vivem, o ambiente cultural em que sua vida se desenrola e, sem dúvida, se incluímos na nossa visada as assimetrias nos recursos materiais. Imersas em relações em que a autoridade masculina e a heteronormatividade constituíram as condições de possibilidade para suas trajetórias, os processos de individuação desiguais e diferenciados não permitem que tratemos dos direitos individuais ou do individualismo como se significassem a mesma coisa para todas as pessoas. Dar-se conta disso é romper com a abstração e partir da concretude das posições, das relações entre as pessoas em sociedades específicas, dos sentidos socialmente atribuídos a elas e dos sentidos que são mobilizados por elas próprias nos relatos e nos embates cotidianos.

---

[16] Luiz Mello, Walderes Brito e Daniela Maroja, "Políticas públicas para a população LGBT no Brasil: notas sobre alcances e possibilidades", *Cadernos Pagu*, n. 39, 2012, p. 403-29.

Assim, embora o feminismo liberal possa acolher em sua agenda a luta pela igualdade de acesso aos direitos reprodutivos e aos direitos sexuais, estabelece-se, já de partida, uma tensão com as noções abstratas de indivíduo e de universalidade. Isso ocorre porque não se trata de estender às mulheres direitos já conquistados pelos homens, como nas campanhas pelo direito das mulheres ao voto e à propriedade ou mesmo pelo direito ao divórcio; quando o assunto é reprodução e sexualidade, o reconhecimento de *diferenças* e *desigualdades,* de *controles* e *privilégios* é fundamental para a promoção de políticas justas e igualitárias. A capacidade reprodutiva das mulheres, assim como a preservação de sua saúde, não pode ser subsumida em políticas que não levem em conta o direito ao controle do próprio corpo e o contexto social em que reprodução e sexualidade são vividos *por elas.* Entendo que nos situamos, assim, no ponto em que as identidades são consideradas em suas condicionantes políticas, econômicas e culturais.

O fato de direitos reprodutivos e direitos sexuais terem emergido, como agenda, na convergência do ativismo e da produção acadêmica[17] colabora para a consideração de experiências situadas, imersas em relações de poder e em contextos políticos, econômicos e culturais específicos. Assim, noções como as de direitos humanos e direitos individuais, vinculadas a tradições que nem sempre incorporaram os grupos mais vulneráveis e o modo como eles próprios dão significado a seus interesses, ganham novas abordagens quando as vozes das mulheres tomam parte do debate sobre direitos.

Entendo que é desse modo que direitos individuais e sociais passam a ser considerados conjuntamente nos estudos e nas lutas em defesa dos direitos sexuais e reprodutivos. Como operar sem a noção de direitos individuais quando às mulheres é retirado o direito básico do controle sobre o próprio corpo? E como operar sem a noção de direitos sociais quando as restrições ao exercício da autonomia são estabelecidas na convergência entre formas estruturais de violência e de opressão que não estão contidas no gênero e, por isso, só podem ser explicadas com atenção à pobreza, ao racismo, à estigmatização?

Tanto quanto as restrições, as escolhas abertas às mulheres com os avanços nos direitos formais não estão disponíveis para todas da mesma forma, ainda que estas estejam situadas em um mesmo contexto normativo. Isso torna o problema mais complexo. A própria definição dos direitos sexuais e reprodutivos como

---

[17] Sonia Corrêa, Rosalind Petchesky e Richard Parker, *Sexuality, Health and Human Rights*, cit.

escolhas individuais pode ocultar que as condições em que as pessoas escolhem são constituídas por uma série de assimetrias, expressas no acesso desigual a recursos materiais e simbólicos. O ambiente em que as alternativas se definem é, assim, um elemento fundamental para que se possam compreender as possibilidades efetivas de escolha. Os direitos sociais e as condições socioeconômicas incidem na efetividade das escolhas no âmbito sexual e reprodutivo[18]. Racismo e heteronormatividade, conjugados às desigualdades de classe, também incidem sobre essas escolhas na forma de normas e políticas excludentes, assim como da omissão do Estado na construção de políticas que levem em consideração as especificidades e as vulnerabilidades diferenciadas.

Por isso tenho insistido em que se considerem as tensões que as abordagens feministas apresentam para as análises do exercício da autonomia[19]. A tematização do direito ao corpo em termos abstratos pode dizer pouco sobre a posição das mulheres, suas motivações e o contexto das decisões. Os limites dessa temática são ainda maiores quando consideramos as diferenças entre as mulheres e as distâncias relativas entre a garantia formal de um direito codificado como universal e a implicação desse direito nas oportunidades e nas garantias concretamente disponíveis para elas.

Um problema que se pode formular, nesse ponto, é o da definição dos critérios a partir dos quais os dilemas morais e os problemas políticos são construídos. Se uma concepção abstrata de direitos é insuficiente ou mesmo perniciosa em alguns casos, como trazer ao debate as vivências e abrir a possibilidade de que nele se definam interesses políticos plurais, imbricados nas posições diferentes e desiguais das pessoas na sociedade? No caso do aborto, em que o modo de construção do problema e as convenções e as normas incidem diretamente sobre as mulheres, sobre seu corpo, sua integridade física e psíquica e sua trajetória, é patente a relevância da inclusão das motivações ou, se quisermos, da posição específica e concreta dos indivíduos como ponto de partida. A manutenção ou a interrupção de uma gravidez tem para as mulheres um impacto distinto do que tem para os homens, porque afeta diferentemente sua integridade física[20] e psíquica. Dada a divisão sexual do trabalho,

---

18 Sonia Corrêa e Rosalind Petchesky, “Direitos sexuais e reprodutivos”, cit., p. 149.

19 Flávia Biroli, *Autonomia e desigualdades de gênero*, cit.

20 Judith Jarvis Thomson, “A Defense of Abortion”, *Philosophy & Public Affairs*, v. 1, n. 1, 1971, p. 47-66.

que faz das mulheres as principais responsáveis pelo cuidado das crianças – como foi discutido nos primeiros capítulos deste livro –, suas trajetórias também são afetadas de modo distinto das dos homens quando decidem ter filhos.

Incluídas as vozes das mulheres, o ponto de partida deixa de ser o indivíduo em abstrato e desvinculado das relações. Também não é o feto nem uma relação idealizada entre a "mulher-como-mãe" (papel social) e o feto, conforme ocorre nas formulações contrárias ao direito ao aborto[21]. A vida concreta das mulheres torna-se, assim, um fato incontornável[22].

A linguagem da escolha individual, que organizou largamente o campo da defesa do direito ao aborto pelas mulheres no hemisfério Norte a partir de meados do século XX, ressalta o direito a escolher como contraponto à maternidade compulsória. A importância dessa ênfase na *escolha das mulheres*, não em um *papel social que já pressuporia escolhas*, é inegável. Há, no entanto, limitações nessa abordagem, uma vez que as condições de escolha podem ser restritas e desfavoráveis, sobretudo para as mais desprivilegiadas entre elas.

Dada a geopolítica do conhecimento e da circulação nas agências internacionais, o processo de estabelecimento do direito ao aborto nos Estados Unidos vem sendo referência importante nesse debate[23]. Por suas características, é um exemplo frequente na literatura sobre os efeitos desiguais que a legislação relativa ao aborto tem para as mulheres, especialmente no que se refere às restrições no atendimento às que decidem interromper uma gestação. Naquele país, o direito ao aborto foi codificado como direito à privacidade por duas decisões da Suprema Corte em 1973 (*Roe v. Wade* e *Doe v. Bolton*). Pouco tempo depois, em 1976, foi aprovada no Congresso a Emenda Hyde, que restringe o uso de fundos públicos para o aborto. Uma nova decisão da Suprema Corte, em 1980 (*Harris v. McRae*), firmou o entendimento de que o direito de escolha não inclui o direito a fundos públicos para a saúde, o que na prática diferenciou as

---

[21] Naara Luna, "A polêmica do aborto e o III Programa Nacional de Direitos Humanos", *Dados*, v. 57, n. 1, 2014, p. 237-75.

[22] Flávia Biroli, "Autonomia e justiça no debate teórico sobre aborto: implicações teóricas e políticas", *Revista Brasileira de Ciência Política*, n. 15, 2014, p. 37-68.

[23] A geopolítica do conhecimento torna o peso da experiência estadunidense muito maior que o dos processos seguidos por outros países e continentes. Mas outra razão para essa experiência ser registrada aqui é o fato de que as batalhas em torno do direito ao aborto vêm sendo multiplicadas a partir daquele país por organizações em defesa da escolha e por organizações contrárias ao direito ao aborto, que detêm recursos para incidir nos enquadramentos assumidos por essas disputas em outras partes do mundo.

condições de acesso ao aborto por parte de mulheres pobres e ricas. O caráter racializado da pobreza e, em especial, da miséria nos Estados Unidos criou uma fronteira de cor entre a efetividade da decisão de 1973 e os obstáculos materiais à realização de abortos seguros.

Além disso, outros fatores distinguem mulheres brancas e não brancas no debate sobre aborto, nos Estados Unidos e em outras partes do mundo, como na América Latina. As lutas feministas têm sido travadas pelo direito das mulheres a decidir se e quando serão mães. Mas a história dos movimentos em defesa do controle da natalidade, que é algo tão relevante para o exercício da autonomia pelas mulheres, misturou-se, ao longo do século XX, a políticas racistas de controle populacional. Perspectivas eugênicas estiveram na base de propostas de flexibilização das leis que criminalizavam o aborto na América Latina, no início do século XX[24]. Entre as mulheres pobres, negras e indígenas da América, o racismo e o controle populacional fundamentaram políticas de controle que promoveram a esterilização, realizada em grande escala em meados do século XX[25] e adotada como política de Estado até muito recentemente, nos anos 1990, no Peru de Alberto Fujimori[26].

Mesmo entre mulheres que foram referência na defesa da autonomia reprodutiva, como a estadunidense Margaret Sanger, ganharam guarida os argumentos em defesa do controle populacional dos pobres e de pessoas portadoras de deficiências físicas ou comportamentais[27]. Estima-se que 65 mil pessoas foram esterilizadas por programas de controle populacional em 33 estados norte-americanos entre os anos 1920 e 1970. Mais recentemente, decisões tomadas nos estados de Virginia e Carolina do Norte determinaram o pagamento de indenizações às vítimas. No Peru, as esterilizações forçadas, estimadas em mais de 400 mil, foram condenadas pela Corte Internacional de Direitos Humanos e reconhecidas formalmente pelo governo peruano em 2003 – embora as denúncias contra Fujimori tenham sido arquivadas naquele país mais de uma vez nos

---

[24] Mala Htun, *Sex and the State: Abortion, Divorce, and the Family under Latin American Dictatorships and Democracies* (Cambridge, Cambridge University Press, 2003), p. 146.

[25] Johanna Schoen, *Choice and Coertion: Birth Control, Sterilization, and Abortion in Public Health and Welfare* (Chapel Hill, The University of North Carolina Press, 2005).

[26] Giulia Tamayo, *Nada personal: reporte de derechos humanos sobre la aplicación de la anticoncepción quirúrgica en el Perú: 1996-1998* (Lima, Comité de América Latina y el Caribe para la Defensa de los Derechos de la Mujer – Cladem, 1999).

[27] Angela Y. Davis, *Mulheres, raça e classe*, cit., p. 213-7.

anos recentes, sob o argumento de que as esterilizações massivas não teriam sido definidas pelo Programa Nacional de Salud Reproductiva y Planificación Familiar de Fujimori, mas por falhas em seu desenho e sua implementação. O caso peruano gerou registros e depoimentos que detalham a violência de esterilizações cirúrgicas realizadas por meio de chantagens, mentiras, coerção e mesmo aprisionamento de mulheres[28]. Em outras partes do mundo, práticas que não implicam necessariamente coerção aberta, mas, sim, um contexto no qual as mulheres decidem pela esterilização como forma de controle reprodutivo, revelam os interesses em jogo e as condições materiais e institucionais em que as escolhas são feitas. A pobreza, as características das políticas de controle reprodutivo *e* de controle populacional e a insegurança na maternagem compõem o ambiente em que a esterilização passou a ser uma opção para muitas mulheres[29].

A cooperação entre governantes e médicos locais, agências internacionais – estadunidenses, na maior parte dos casos documentados – e grupos privados da área de saúde produziu situações nas quais a indistinção entre controle de natalidade e controle populacional teve efeito sobretudo na população indígena e negra. Eugenia, racismo e busca de controle social da pobreza fundamentaram, assim, políticas que fizeram do corpo das mulheres objeto de intervenções sancionadas.

Embora mais recente que outros e marcado por violência aguda contra as mulheres indígenas, o caso já mencionado do Peru nos anos 1990 não foi de todo singular na América Latina. Recursos da US Agency for Internacional Development (Usaid) e do Fundo de População das Nações Unidas (UNFPA) teriam sido utilizados para a esterilização da população pobre e indígena também em outras partes do continente. No Brasil, ao menos desde os anos 1980, acumulam-se denúncias de esterilização em massa de mulheres das regiões mais pobres do país, levando inclusive à abertura de uma Comissão Parlamentar Mista de Inquérito (CPMI) no Congresso Nacional, em 1992. Em 1965, já sob a ditadura instaurada com o golpe de 1964, a International Planned Parenthood Federation passou a atuar no país, alinhada às políticas dos Estados Unidos para redução da população no chamado Terceiro Mundo. Assim, surgiria no Brasil a Sociedade de Bem-Estar Familiar, a Bemfam, que se

---

[28] Giulia Tamayo, *Nada personal*, cit.

[29] Ver também o caso de Porto Rico entre os anos 1930 e 1950 e, fora do continente americano, o da Índia, no mesmo período, ambos descritos em detalhes por Johanna Schoen, *Choice and Coertion*, cit.

disseminou principalmente nas regiões Nordeste e Centro-Oeste do país[30]. A partir de então, clínicas privadas passaram a oferecer esterilização às mulheres brasileiras, no vácuo de políticas públicas alternativas e com a conivência – em alguns casos, com uma visão racista e eugênica expressa – de governantes nos níveis nacional e estadual[31]. Com a articulação de grupos feministas em defesa dos direitos das mulheres, agora no ambiente de transição da ditadura para um regime democrático, foi criado em 1983 o Programa de Assistência Integral à Saúde da Mulher (Paism). Pela primeira vez, a orientação pública do Estado em política reprodutiva continha o entendimento de que as escolhas das mulheres são questões privadas e remetem à sua saúde integral[32].

Foi diante de processos como os mencionados – nos quais o controle sobre a capacidade reprodutiva foi subtraído das mulheres seletivamente – que emergiu a noção de "justiça reprodutiva". Reconhecendo que o controle reprodutivo é fundamental para o exercício da autonomia e que esta, por sua vez, é uma dimensão da cidadania, feministas negras, de origem latina e asiática, têm assumido uma perspectiva interseccional na definição dos direitos reprodutivos e na agenda de suas lutas. Essa perspectiva derivaria "do reconhecimento das histórias de opressão e abuso no âmbito da reprodução"[33]. Na América Latina, estudos e documentos que registraram essas histórias, em alguns casos pelas vozes das próprias mulheres, expõem a perspectiva social e, no vocabulário mais recente, interseccional do aborto[34]. As histórias de opressão, os relatos de vida de mulheres concretas, mostram os efeitos das convergências entre gênero, raça, etnia, classe, sexualidade e origem no globo.

Às esterilizações forçadas ou induzidas em condições sociais de precariedade, unem-se os efeitos da criminalização do aborto. Nesse universo de violências, é

---

30 Congresso Nacional, "Relatório final da comissão parlamentar mista de inquérito", n. 2 (Brasília, 1993). Disponível em: <www2.senado.leg.br/bdsf/bitstream/handle/id/85082/CPMIEsterilizacao.pdf?sequence=7>; acessado em: jan. 2018.

31 Geledés, "Esterilização: impunidade ou regulamentação", *Cadernos Geledés*, São Paulo, Geledés – Instituto da Mulher Negra, v. 2, 1991.

32 Maria José Martins Duarte Osis, "Paism: um marco na abordagem da saúde reprodutiva no Brasil", *Cadernos de Saúde Pública*, v. 14, suplemento 1, 1998, p. 25-32.

33 Toni M. Bond, "Reproductive Justice and Women of Color", em *Reproductive Justice Briefing Book: A Primer on Reproductive Justice and Social Change* ((Atlanta/Nova York, SisterSong – Women of Color Reproductive Health Collective/Pro-Choice Public Education Project, 2007), p. 15-6; aqui, em tradução minha.

34 July Chaneton e Nayla Vacarezza, *La intemperie y lo intempestivo: experiencias del aborto voluntario en el relato de mujeres y varones* (Buenos Aires, Marea, 2011); Giulia Tamayo, *Nada personal*, cit.

preciso também considerar a omissão do Estado na construção de políticas para a garantia do planejamento autônomo e da maternagem segura, quando é essa a escolha das mulheres. As complicações derivadas do aborto inseguro persistem em um contexto de melhoria do acesso das mulheres a direitos e serviços de saúde nos países latino-americanos. Enquadradas como questão de saúde pública no registro internacional predominante, ganham contornos singulares em um continente em que o aborto é amplamente criminalizado[35].

Laicidade, democracia e cidadania

Colocar as decisões das mulheres no centro do debate, reconhecendo as desigualdades entre elas e a heterogeneidade de suas vivências e suas motivações, é fundamental para que se possa fazer frente ao conservadorismo em um quadro como esse. Nas histórias de opressão que marcam a vida das mulheres, ressaltam-se: a) regulação e intervenção por parte do Estado e de seus agentes, na forma de criminalização, por um lado, mas também sua omissão quando a ação se faz necessária[36]; b) controles e violências praticados no âmbito familiar por pais, maridos, mas também por outras mulheres; c) regulação baseada em crenças religiosas, seja pela interferência direta na legislação e nas políticas públicas, seja pela ação política com o fim de transformar crenças em moralidade pública, utilizando-se de meios de comunicação e de recursos político-eleitorais; d) experiência diferenciada das mulheres nos meios urbano e rural e segundo os recursos materiais de que dispõem para prevenir a concepção e, quando julguem necessário, interromper uma gravidez indesejada.

Falar de aborto nos leva a tocar em questões fundamentais para a cidadania e a democracia. Não se trata de um problema das mulheres, mas de um problema das sociedades democráticas e de como impedem ou possibilitam aos indivíduos do sexo feminino o controle sobre o que se passa no e com seu próprio corpo. Como visto, é de uma perspectiva interseccional que podemos apreender a seletividade das democracias também nesse caso. A análise das políticas do aborto nos leva a indagar em que medida uma sociedade garante em suas leis e suas práticas o respeito à integridade física e psíquica das pessoas,

---

[35] Andrzej Kulczycki, "Abortion in Latin America: Changes in Practice, Growing Conflict, and Recent Policy Developments", *Studies in Family Planning*, v. 42, n. 3, set. 2011, p. 199-220.

[36] Ressalto que a vida das mulheres está em risco ou é precarizada não apenas por ações, mas também por omissões significativas por parte do Estado.

mas também quais são as características que apartam algumas pessoas, mais do que outras, dessas garantias. Falar de aborto é falar, enfim, da democracia e de seus limites. E um desses limites vem sendo a ação, menos ou mais aberta, de grupos religiosos conservadores, na contramão de valores democráticos fundamentais. A questão da laicidade do Estado é central, hoje, para o debate sobre direitos sexuais e reprodutivos.

Nas disputas atuais, mas também no histórico que as precede ao menos desde a Idade Média, sexo, sexualidade e reprodução têm sido objeto da ação normalizadora do Estado, que põe em prática simultaneamente perspectivas científicas e religiosas. As ciências médicas, da saúde coletiva e da população, em conjunto com as religiões, não a contrapelo destas, vêm tecendo há séculos padrões de referência, sanções e estratégias para a produção de sujeitos cujos corpos e comportamentos correspondam à "normalidade" delimitada por discursos de verdade. Esses discursos não atendem às fronteiras da secularidade[37], ainda que em nível mundial existam variações no modo como têm ocorrido a "institucionalização política da autoridade religiosa"[38] e a "religiosização da política"[39]. Os padrões valorizados e aceitáveis das relações sexuais, familiares e afetivas são definidos em dado contexto sociocultural, assim como a legislação sobre família, sexualidade e reprodução. Geradas em contextos específicos de cultura, as leis também atuam sobre eles, colaborando para manter ou transformar valores e instituições.

Nos países ocidentais, tem sido importante a narrativa da superação histórica da fusão entre Igreja e Estado no processo de construção do Estado de direito e das democracias na modernidade, sendo essa uma referência para balizar a construção de fronteiras e avançar na garantia de direitos em contextos plurais. Mas, na maior parte dos casos, o processo de secularização não levou à divisão estrita entre crenças privadas e esfera pública política. Em muitos países, é porosa a fronteira entre o Estado e a atuação institucional das

[37] Sonia Corrêa, Rosalind Petchesky e Richard Parker, *Sexuality, Health and Human Rights*, cit.; Michel Foucault, *História da sexualidade*, v. 1: *A vontade de saber* (trad. Maria Thereza da Costa Albuquerque e J. A. Guilhon Albuquerque, 16. ed., Rio de Janeiro, Graal, 2005 [1976]).

[38] Mala Htun e Laurel S. Weldon, "Religious Power, the State, Women's Rights, and Family Law", *Politics & Gender*, n. 11, 2015, p. 456.

[39] Carolina Ivanescu, "Politicised Religion and the Religionisation of Politics", *Culture and Religion*, v. 11, n. 4, 2010, p. 313, citado em Maria das Dores Campos Machado, "Pentecostais, sexualidade e família no Congresso Nacional", *Horizontes Antropológicos*, v. 23, n. 47, 2017, p. 356.

igrejas para fazer valer posições baseadas em doutrinas e crenças, e essa realidade tem implicações específicas ao se considerarem os países latino-americanos. Mesmo quando a laicidade do Estado existe formalmente, sua independência em relação a crenças de um ou outro grupo religioso é questão em permanente disputa, o que torna o trânsito entre um modelo político-jurídico e sua validade social um tema relevante de pesquisa[40]. Além disso, embora a face pública das disputas seja a agenda "moral", no caso brasileiro será preciso levar em conta o empenho das igrejas para garantir seus interesses econômicos, se quisermos explicar seus padrões de ação política, muitas vezes orientados para a manutenção de privilégios, como a isenção de impostos e o acesso a concessões de rádio e televisão.

O problema central não é propriamente a separação entre Igreja e Estado, mas o fundamento da autoridade – que pode ser democrático em países nos quais a separação não existe formalmente, como Dinamarca e Noruega, ou ancorado em religiões organizadas, ferindo os requisitos da democracia em países que são formalmente laicos[41]. No Brasil, o princípio da laicidade foi incorporado pela primeira vez na Constituição de 1891, sem que, no entanto, houvesse um apartamento entre instituições políticas e religiosas[42].

Embora seja esse o percurso histórico que conhecemos, isto é, o de uma laicidade que não suspendeu a ação política das instituições religiosas, valores fundamentais da democracia estão em risco sempre que as políticas de Estado são influenciadas ou mesmo orientadas por essas instituições. Soberania popular, equidade entre as pessoas (cidadãos iguais perante o Estado, que não sejam discriminados em função de suas crenças nem de seus modos de vida) e respeito à pluralidade de crenças e à descrença (cidadãos respeitados em sua diversidade) são valores minados na base pela ação política de grupos religiosos que procuram fazer valer seus interesses na esfera pública. As pesquisas sobre

---

[40] Roberto Blancarte, "El por qué de un Estado laico", em *Los retos de la laicidad y la secularización en el mundo contemporaneo* (Cidade do México, Centro de Estudios Sociológicos, 2008); e *Las leyes de reforma: importancia histórica y validez contemporanea* (México, El Colegio de México/ Universidad Nacional Autónoma de México, 2013).

[41] Idem, "El por qué de un Estado laico", cit., p. 28-9. Para um quadro sintético da legislação sobre a relação entre Estado e religião na América Latina, ver Ari Pedro Oro e Marcela Ureta, "Religião e política na América Latina: uma análise da legislação dos países", *Horizonte Antropológico*, v. 13, n. 27, 2007, p. 281-310.

[42] Emerson Giumbelli, "Religião, Estado e modernidade: notas a propósito de fatos provisórios", *Estudos Avançados*, v. 18, n. 52, 2004, p. 47-52.

as interfaces entre religião, política e direitos chamam atenção para a necessidade de levar em conta o contexto concreto dessas interações, considerando-se a diversidade das denominações religiosas e a variedade na agenda e nos padrões de ação pública a que correspondem, mesmo quando se trate de religiões cristãs. As divisões internas a cada denominação religiosa e seus processos históricos refletem, além de mudanças e pressões sociais absorvidas pelas diversas igrejas, também os pesos relativos dos grupos que as compõem. Isso pode, em alguns casos, explicar mais da agenda pública e dos padrões da ação política do que dogmas e fundamentos. No entanto, as pesquisas também demonstram que, apesar das diferenças, há um amplo foco de suas ações na chamada agenda "moral". Desse modo, as discussões em torno de reprodução, sexualidade e concepções de família passam necessariamente pela questão da laicidade e por eventuais limites à atuação das igrejas como grupos de interesse na política.

Na América Latina, de maioria católica, alguns processos tiveram especial importância. Em meados do século passado, perspectivas católicas de esquerda, com forte preocupação social, como a Teologia da Libertação e as Comunidades Eclesiais de Base, tiveram muita influência na luta pela democracia e na resistência aos regimes ditatoriais instaurados a partir dos anos 1960. Mas, no período iniciado em 1978, com o longo papado do polonês Karol Wojtyla (João Paulo II), que terminaria quase três décadas depois, por ocasião de sua morte, em 2005, a Igreja trabalhou para desmantelar movimentos progressistas desse tipo. Em contraposição, cresceram dentro dela setores conservadores, como por exemplo o "carismático". Sob a batuta de Wojtyla, a Igreja passou a atuar politicamente para represar o curso – que sabemos agora ter sido irreversível – das mudanças na família e do direito ao divórcio. Atuou também, de modo sistemático, desde então, em defesa da ampla criminalização do aborto na legislação, o que no caso brasileiro e no de outros países latino-americanos corresponde ao objetivo de restringir o alcance das exceções existentes, como o direito ao aborto em casos de gravidez resultante de estupro. Nesse contexto, a oposição ao controle da natalidade e ao uso de contraceptivos, como o preservativo e a pílula anticoncepcional, apareceria aliada à ação sistemática contra o aborto voluntário. A resposta dos grupos autointitulados "pró-vida", católicos e pentecostais, tem sido frequentemente a defesa da abstinência sexual, em vez da educação sexual e da prevenção, para lidar com os desafios da gravidez indesejada na adolescência e com a contaminação por doenças sexualmente transmissíveis, como a Aids. Vale observar que não há apenas posições contrárias aos direitos sexuais e ao direito ao aborto entre esses grupos religiosos. A organização Católicas pelo Direito de Decidir, presente em vários países latino-americanos, inclusive no Brasil, desde os anos 1990, é um exemplo claro da diversidade interna ao campo religioso nessa agenda.

Vale notar que, nesse mesmo contexto, as políticas de caráter eugenista, mencionadas anteriormente, foram questionadas pela Igreja católica e por outras religiões organizadas, mas não por atentarem contra a autonomia individual das mulheres. Nesse caso, a condenação à violência do Estado mobiliza o entendimento de que as mulheres não interromperiam uma gravidez em seu próprio interesse. A valorização de concepções cristãs convencionais de família e de uma ordem sexual conservadora, baseada no casamento e na suposta complementaridade entre homens e mulheres, foi e é ainda um eixo ideológico nessa ação política. A posição da mulher é tomada como *seu papel nessas relações*, com sua individualidade subsumida à maternidade.

O pentecostalismo, movimento surgido nos Estados Unidos nos primeiros anos do século XX e que desde então vem se estabelecendo na América Latina, também teria novas características a partir dos anos 1970. São dessa fase o chamado neopentecostalismo, a maior inserção dos pentecostais na política e na mídia, assim como "as teologias da prosperidade e da guerra espiritual"[43]. Na década de 1980, houve um salto na presença de representantes eleitos ligados às igrejas neopentecostais no Congresso Nacional, que superaram pela primeira vez os chamados protestantes históricos[44]. Hoje, tem sido atribuído a esse setor a liderança ideológica no Congresso Nacional, em que os evangélicos empreendem um "combate vigoroso" às "concepções alternativas de sexualidade, às políticas públicas nelas inspiradas e às tentativas de regulamentação jurídica de novas formas de relações de gênero"[45]. Mas isso tem sido feito em alianças com outro movimento, o dos católicos conservadores ligados à Renovação Católica Carismática, que se estabeleceu no Brasil a partir dos anos 1960, como reação aos movimentos progressistas na Igreja católica e ao crescimento

---

[43] Ari Pedro Oro e Daniel Alves, "Renovação Carismática Católica: movimento de superação da oposição entre catolicismo e pentecostalismo", *Religião e Sociedade*, v. 33, n. 1, 2013, p. 123.

[44] Maria das Dores Campos Machado, "Discursos pentecostais em torno do aborto e da homossexualidade na sociedade brasileira", *Cultura y Religión*, v. 7, n. 2, 2013, p. 48-68.

[45] Idem, "Pentecostais, sexualidade e família no Congresso Nacional", cit., p. 352.

do pentecostalismo[46]. Também os católicos carismáticos têm investido cada vez mais na atuação midiática e, recentemente, em padrões de atuação político-eleitoral semelhantes aos de denominações neopentecostais que tiveram sucesso nos pleitos legislativos e na negociação de espaço na estrutura do governo federal. Entre estas últimas, destaca-se a Igreja Universal do Reino de Deus, precursora no Brasil de um modelo de sucesso na atuação político-eleitoral que foi mimetizado também por outras igrejas[47], como a Assembleia de Deus. A potência política dessas igrejas está associada ao controle de concessões de rádio e televisão e à mobilização de votos entre os fiéis.

Um dos marcos da atuação do pentecostalismo no Congresso Nacional foi a criação da Frente Parlamentar Evangélica, em 2003. Naquele momento, ela contava com 58 parlamentares, 23 deles (cerca de 40%, portanto) ligados à Assembleia de Deus. Os demais eram ligados principalmente às igrejas Universal do Reino de Deus, Batista, Presbiteriana e Quadrangular. A maior representação sempre foi da Assembleia de Deus, seguida inicialmente pela Universal, que nas legislaturas seguintes ficaria em terceiro lugar, ultrapassada pelos parlamentares das igrejas Batista[48]. A Frente reúne, assim, denominações que têm posições distintas em relação à agenda dos direitos sexuais e reprodutivos e estratégias de atuação política diferenciadas. O principal exemplo é a defesa pública da legalização do aborto pelo bispo Edir Macedo, da Universal. A temática da "defesa da família", por outro lado, atravessa o discurso de parlamentares de diferentes denominações e tem ganhado destaque na atuação daqueles que recorrem à identidade de evangélicos na construção de sua imagem pública político-eleitoral.

Outro marco que precisa ser considerado, nesse sentido, é a criação de frentes parlamentares "em defesa da vida e da família", que vão além da temática do aborto, mas se concentram, sobretudo, em ações contrárias a esse direito. Com algumas variações, têm sido reunidas com essa designação, ao menos desde 2005,

---

[46] Antonio Flávio Pierucci e Reginaldo Prandi, *A realidade social das religiões no Brasil* (São Paulo, Hucitec, 1996), citado em Ari Pedro Oro e Daniel Alves, "Renovação Carismática Católica: movimento de superação da oposição entre catolicismo e pentecostalismo", cit.

[47] Ari Pedro Oro, "A política da Igreja Universal e seus reflexos nos campos religioso e político brasileiros", *Revista Brasileira de Ciências Sociais*, v. 18, n. 53, 2003, p. 53-69.

[48] Tatiana Duarte, *A casa dos ímpios se desfará, mas a tenda dos retos florescerá: a participação da Frente Parlamentar Evangélica no Legislativo brasileiro* (Dissertação de Mestrado em Antropologia, Brasília, UnB, 2011).

frentes formadas na Câmara, no Senado e mistas, presididas por parlamentares espíritas, católicos e pentecostais de diferentes denominações.

A atuação desses grupos no Congresso Nacional é, sem dúvida, um elemento central na gramática das batalhas morais em curso, dada a prioridade da agenda voltada para os comportamentos sexuais e a configuração das famílias entre esses atores político-religiosos. As inflexões conservadoras na orientação da Igreja católica para a América Latina e o crescimento do pentecostalismo podem ser compreendidos, em conjunto, como *reação* a transformações sociais e políticas. Daí sua batalha principal ser, hoje, como detalharei adiante, promover retrocessos na legislação existente e nas condições de acesso ao aborto – assim como nos direitos sexuais, em que incluo o acesso à educação sexual nas escolas. As mudanças sociais possibilitadas pelo uso de anticoncepcionais e pelas novas tecnologias reprodutivas forneceram condições renovadas para que as pessoas, em suas práticas cotidianas e independentemente de sua relação com lutas e ideologias, possam dissociar sexo e reprodução. A maior presença dos movimentos feministas e LGBT na sociedade, por sua vez, fortaleceu no debate público perspectivas alternativas às interpretações convencionais das relações de gênero, da família e do papel das mulheres na sociedade. Foi justamente a partir dos anos 1970, como já mencionado, período da virada conservadora na Igreja católica e de avanço do pentecostalismo na América Latina, que movimentos e organizações feministas passaram a constituir uma ampla rede, com ramificações internacionais e locais, em defesa dos direitos das mulheres a controlar sua capacidade reprodutiva e sua sexualidade.

Aborto, família e disputas políticas

Reconhecida como questão de direito, de cidadania e de garantia à integridade física e psíquica das mulheres, a interrupção voluntária da gravidez foi descriminalizada em países de diferentes continentes a partir dos anos 1970. Há variações na legislação, e a descriminalização é comumente acompanhada de uma série de restrições e condições. Por isso, parece mais adequado pensar na legislação existente em um espectro que vai da recusa à interrupção da gestação em qualquer circunstância ao acesso amplo ao aborto legal. O espectro da legalidade alargou-se significativamente, inclusive em países nos quais a religião é uma variável forte na história e na experiência da população, como Espanha, Itália e Portugal. Preponderou o entendimento de que a religiosidade não pode ser um obstáculo à garantia de direitos políticos e de cidadania, o que possibilitou retraçar a fronteira entre o universo individual das crenças e das adesões a instituições religiosas e o universo dos direitos de cidadania. Embora as disputas permaneçam, a atuação de grupos de direitos humanos e ativistas pelos direitos das mulheres, com trajetória singular em diferentes países, permitiu que o debate ultrapassasse o enquadramento moral, em direção a um enquadramento de saúde pública, de igual dignidade e de direito à autonomia. As diversas legislações nacionais, assim como o debate público em torno do aborto, atendem a variações relacionadas ao contexto político-jurídico, à atuação histórica da Igreja católica e de outras instituições religiosas, à maior ou à menor presença do ativismo feminista e de direitos humanos no debate público e no campo político institucional, entre outros fatores.

No processo de descriminalização e de construção de exceções à penalização tiveram peso documentos internacionais que se tornaram novos recursos para a ação de organizações em defesa dos direitos reprodutivos e da saúde das mulheres. Há dois marcos principais, o Programa de Ação da Conferência Internacional sobre População e Desenvolvimento – a Conferência do Cairo –, de 1994, e a Plataforma de Ação da Conferência de Pequim, de 1995, que reafirmava o entendimento de que o aborto inseguro é uma questão prioritária de saúde pública, com a qual governos comprometidos com a saúde das mulheres deveriam lidar[49].

Mais de setenta países têm hoje leis que permitem amplo acesso ao aborto. A maior parte dos países em que o aborto foi descriminalizado está concentrada no hemisfério Norte e entre os países mais ricos do globo[50]. Na América Latina, o aborto é legalizado em Cuba desde 1965. Em outubro de 2012, o Uruguai aprovou uma lei que permite a interrupção voluntária da gravidez até a 12ª semana de gestação. Poucos anos antes, em 2007, lei semelhante foi aprovada no México, mas ela é válida apenas para o Distrito Federal. No Chile, um dos poucos países do mundo a proibir até pouco tempo o aborto em qualquer circunstância, a Câmara e o Senado aprovaram, em 2016 e em 2017, respectivamente, três exceções à penalização (risco para a vida da mulher, gestação resultante de estupro e inviabilidade fetal), tornando a legislação

[49] Ver especialmente o parágrafo 8.25 do Programa de Ação da Conferência do Cairo.

[50] Segundo os dados do Center for Reproductive Rights, são 74 países. Disponível em: <worldabortionlaws.com/>; acessado em: fev. 2017.

próxima à brasileira, de que voltarei a falar em breve. É também na América Latina, porém, que estão algumas das leis mais restritivas, resultantes de avanços conservadores nas décadas recentes. Em 1988, El Salvador modificou sua legislação, proibindo o aborto inclusive nos casos antes permitidos no país – de estupro e risco de vida para a gestante; em 2006, foi a vez da Nicarágua retroceder na legislação, que antes permitia o acesso ao aborto terapêutico e hoje o proíbe em qualquer circunstância.

A criminalização não significa que as mulheres não recorram ao aborto voluntário, nem reduz esse recurso. Estima-se que, entre 2010 e 2014, foram realizados no mundo 56 milhões de abortos por ano, o que representa uma taxa de 35 abortos para cada mil mulheres entre 15 e 44 anos. O número de abortos é, no entanto, inversamente proporcional à descriminalização: 88% dos casos de aborto nesse período deram-se em países em desenvolvimento. Nos países ricos, o número de casos caiu dezenove pontos percentuais em relação aos dados da década anterior, enquanto as taxas de abortamento voluntário se mantiveram estáveis nos países mais pobres, proporcionais ao crescimento populacional. A redução ocorreu justamente no conjunto de países em que há maior presença de legislação amplamente permissiva e de avanços nas políticas para a garantia do acesso a anticonceptivos, educação sexual e saúde reprodutiva para as mulheres. Outro dado importante é que 73% dos abortos foram realizados por mulheres casadas[51].

O Brasil é parte dessa realidade. Também aqui, a criminalização não impede que as mulheres recorram a abortos, realizados com o uso de substâncias tradicionais, como chás abortivos; com o uso de medicamentos de fácil acesso, como o misoprostol; com o uso de substâncias químicas cáusticas; com o uso doméstico de instrumentos que podem causar perfurações; ou com o recurso a abortamentos cirúrgicos em clínicas clandestinas[52]. Segundo a Pesquisa

---

[51] Gilda Sedgh et al., "Abortion Incidence Between 1990 and 2014: Global, Regional, and Sub-Regional Levels and Trends", *Lancet*, v. 388, n. 10.041, 2016, p. 258-67.

[52] Débora Diniz e Marcelo Medeiros, "Itinerários e métodos do aborto ilegal em cinco capitais brasileiras", *Ciência & Saúde Coletiva*, v. 17, n. 7, 2012, p. 1671-81; Alberto Pereira Madeiro e Débora Diniz, "Induced Abortion among Brazilian Female Sex Workers: A Qualitative Study", *Ciências & Saúde Coletiva*, v. 20, n. 2, 2015, p. 587-93; Flávia de Mattos Motta, "Não conta pra ninguém: o aborto segundo mulheres de uma comunidade popular urbana", em Silvia Maria Fávero Aremd et al. (orgs.), *Aborto e contracepção: histórias que ninguém conta* (Florianópolis, Insular, 2012); Maria das Dores Nunes, Alberto Madeiro e Débora Diniz, "Histórias de aborto provocado entre adolescentes em Teresina, Piauí, Brasil", *Ciência & Saúde Coletiva*, v. 18, n. 8, 2013, p. 2.311-18.

Nacional do Aborto de 2016, meio milhão de mulheres recorreram ao aborto em 2015, o que corresponde a 1.300 mulheres por dia, quase uma mulher por minuto. Também aqui a maioria dos abortos é realizada por mulheres casadas que já têm filhos. Não há distinções significativas por região do país, e a maior parte das mulheres é religiosa – católica ou evangélica[53].

A mortalidade materna por aborto vem diminuindo ao longo dos anos, provavelmente pelo maior acesso a substâncias químicas como o misoprostol, em vez de métodos perfurativos ou cáusticos. Ainda assim, o aborto foi a causa de 8,4% das mortes maternas em 2010, nesse caso com variações regionais que expõem desigualdades significativas – no Amapá, por exemplo, é a causa de 33% dessas mortes[54] –, além de produzir complicações, mutilações e sequelas em um grande número de mulheres, muitas delas jovens e mães. Dados dos últimos anos mencionam 240 mil internações por ano, no Sistema Único de Saúde (SUS), para tratar complicações decorrentes de abortamentos[55].

Para muitas mulheres brasileiras, essa é a realidade ao mesmo tempo social e profundamente pessoal do aborto. A realidade política que circunscreve suas alternativas é ambivalente. O Brasil vem, progressivamente, legislando a favor do direito ao aborto, criminalizado por um Código Penal instituído em 1940, 48 anos antes, portanto, da Constituição vigente, que é de 1988. Há, desde 1940, duas exceções à penalização, que são a gestação resultante de estupro e risco de vida para a mãe. Mais de setenta anos depois, em 2012, em resposta a uma Arguição de Descumprimento de Preceito Fundamental (ADPF) apresentada pela Confederação Nacional dos Trabalhadores na Saúde em 2004, o Supremo Tribunal Federal (STF) determinaria uma terceira exceção, a anencefalia fetal, caso em que o feto é inviável[56].

---

[53] Débora Diniz, Marcelo Medeiros e Alberto Madeiro, "Pesquisa Nacional do Aborto – 2016", *Ciência & Saúde Coletiva*, 2017.

[54] Ministério da Saúde, *Indicadores e dados básicos (IDB)*, Brasília, Rede Interagencial de Informações para a Saúde (Ripsa)-Ministério da Saúde, 2012.

[55] Idem, *Magnitude do aborto no Brasil: aspectos epidemiológicos e sócio-culturais*, Brasília, Secretaria de Atenção à Saúde-Ministério da Saúde, 2008.

[56] Para situar essa decisão no contexto sul-americano, é importante lembrar que 2012 foi o ano da descriminalização do aborto no Uruguai e de uma decisão da Corte Suprema da Argentina pela garantia do acesso ao aborto legal (caso A. F., "F., A. L. s/ medida auto satisfactiva", que determina a não judicialização nos casos de aborto permitido por lei, decisão judicial de 13 de março de 2012).

Com a transição da ditadura de 1964 para um regime democrático, no período da Constituinte (1987-1988) as mulheres atuaram pela primeira vez como grupo organizado de interesses. Católicos e pentecostais conservadores, aliados a parlamentares ligados ao espiritismo ou kardecismo, impuseram barreiras a avanços na legislação relativa ao aborto. A posição da Igreja católica naquele momento era de defesa da inclusão dos direitos do nascituro na Constituição, a mesma posição sustentada nos anos 2000 pela aliança entre católicos e pentecostais, com o objetivo de anular as exceções existentes à penalização do aborto no país.

Os anos 1990 trariam novas ações de uma e de outra parte. Em 1997, o PL 20/1991, que dispunha sobre a obrigatoriedade de atendimento, pelo SUS, dos casos previstos no Código Penal, foi aprovado na Comissão de Constituição e Justiça e de Cidadania da Câmara dos Deputados após ter sido também aprovado, em 1995, na Comissão de Seguridade Social e Família da casa. Naquele momento, que coincidiu com a vinda de João Paulo II ao Brasil e com uma exposição ampliada do catolicismo conservador no país, sua tramitação foi travada pela ação de grupos conservadores, liderada pela Igreja católica. Assistiríamos, então, a uma dinâmica que se repetiria nos anos recentes. Setores progressistas pressionam pelo avanço nos direitos sexuais e reprodutivos, conseguindo mobilizar recursos e atores políticos a favor desses direitos, sem obter, no entanto, maioria parlamentar. Os avanços são barrados no Congresso Nacional e mesmo pela pressão direta junto ao Executivo.

Com a chegada do Partido dos Trabalhadores (PT) ao governo federal em 2003, essa situação se tornaria mais aguda. Movimentos sociais progressistas são base social histórica do PT. Muitas e muitos de seus integrantes atuaram no âmbito estatal durante os quatro governos do partido, ampliando as possibilidades de avanço nas políticas de saúde da mulher e de garantia dos direitos sexuais e reprodutivos. Em alguns casos, isso significou que foram dados passos importantes para tornar efetiva a legislação vigente e adotar perspectivas de gênero e interseccionais nas políticas públicas. As instâncias de participação ativadas nesse período, como conselhos e conferências, tiveram importância na ampliação do debate e nas orientações assumidas. Em todos os casos, isso foi feito por meio do diálogo com os movimentos organizados de mulheres. Mas esse é, no entanto, apenas um lado da história. O outro consiste justamente nas alianças conservadoras que restringiram os avanços. Pesou a relação histórica entre o PT e a Igreja católica (ainda que tenham sido os setores progressistas realmente importantes na formação do partido), de resto influente em toda a história política brasileira. Pesaram, em especial, as alianças feitas pelo partido para eleger-se e governar, que incluíram setores reacionários da política, com influência nos partidos da base de apoio ao governo no Congresso Nacional. Essas alianças, contraditoriamente e a despeito das posições programáticas e das lutas políticas de muitas de suas integrantes, fizeram do PT e de seus governos um fator de fortalecimento dos grupos religiosos e da "religiosização" da política no Brasil na primeira quadra do século XXI.

Avanços e recuos marcaram, então, as políticas do aborto, bem como as da sexualidade, nesse período. Ressalto de antemão que, se os avanços foram tímidos, não foram assim considerados pelos grupos que chegaram ao poder com a deposição de Dilma Rousseff em 2016, que encerrou o ciclo de quatro vitórias consecutivas do PT nas eleições para a Presidência da República desde a eleição de Luiz Inácio Lula da Silva, em 2002. Retornarei a esse tema de maneira mais detalhada no próximo capítulo, com atenção aos atores e aos padrões das disputas.

O acesso ao aborto legal consiste em um dos eixos em que pode ser apreendida a dialética de avanços, investidas reacionárias e recuos. O atendimento aos casos de aborto previstos no Código Penal de 1940 seria regulamentado pela Norma Técnica do Ministério da Saúde "Prevenção e Tratamento dos Agravos Resultantes de Violência Sexual Contra as Mulheres e Adolescentes", de 1999. Apesar do combate sistemático dos grupos conservadores, essa norma foi reeditada, revista e ampliada em 2005. Nessa edição, publicada novamente em 2011, tornou-se desnecessária a apresentação de Boletim de Ocorrência (BO) para atendimento e profilaxia da gravidez em caso de estupro. Dada a necessidade de rápido atendimento e as condições da mulher vítima de violência, a suspensão desse requisito é importante para que o acesso aos serviços de saúde seja viável. Pode parecer uma garantia muito básica, mas essa norma despertou reações imediatas dos grupos conservadores que, no Congresso, têm trabalhado para retroceder na legislação, eliminando os permissivos legais. O governo cedeu parcialmente a essas pressões em 2005[57].

---

[57] A Portaria 1.508/2005 tornou obrigatório um procedimento de justificação e autorização da interrupção da gravidez, que inclui um "termo de relato circunstanciado" assinado pela mulher que sofreu violência e por dois profissionais do serviço de saúde, além de termos de responsabilidade e de consentimento livre e esclarecido.

Um ano antes, em 2004, com protagonismo da Secretaria Especial de Políticas para Mulheres (SPM), ocorreu a I Conferência Nacional de Políticas para as Mulheres, e uma das demandas aprovadas foi a de revisão da legislação punitiva do aborto. Uma comissão tripartite, composta por representantes do Executivo, do Legislativo e da sociedade civil, elaborou a correspondente proposta de anteprojeto de lei a ser entregue à Câmara Federal[58]. O anteprojeto da comissão tripartite, que foi incorporado na forma de substitutivo ao PL 1.135/1991, de autoria de Eduardo Jorge (PT-SP) e Sandra Starling (PT-MG), instituía o direito à interrupção da gravidez até a 12ª semana, e até a 20ª nos casos de estupro, obrigando o SUS e os planos de saúde a realizar o atendimento. Foi rejeitado em 2008, após dezessete anos de tramitação do PL original, tanto na Comissão de Seguridade Social e Família quanto na Comissão de Constituição e Justiça e de Cidadania. Trata-se de um marco de inflexão importante, que revela as reações e, em especial, um contexto paulatinamente mais fechado ao debate sobre o direito ao aborto no Congresso[59].

Em 2013, os avanços conquistados por meio de normas técnicas seriam incorporados à Lei n. 12.845/2013, que define violência sexual como "qualquer forma de atividade sexual não consentida", tornando obrigatório o atendimento integral imediato no SUS de mulheres que sofreram violência, incluindo a realização de profilaxia da gravidez. Por isso, a lei é chamada, pelos que se opõem ao direito ao aborto, de "Lei Cavalo de Troia": em nome do atendimento às mulheres violentadas, ela teria ampliado o acesso ao aborto. Duas observações são importantes aqui. A lei apenas torna mais efetiva a legislação vigente, ampliando as garantias para o acesso ao aborto legal; nesse caso, houve ainda atuação do Executivo junto ao Legislativo, algo que não se repetiria nos anos restantes do governo de Rousseff, que se tornaria,

---

[58] O governo recuou no momento da entrega, mantida pela então ministra Nilcea Freire, mas já sem o apoio anterior. Isso teria ocorrido em virtude de um acordo entre o então presidente Luiz Inácio Lula da Silva e a Confederação Nacional dos Bispos no Brasil (CNBB), da Igreja católica, em troca do apoio público desta ao governo na chamada crise do "mensalão", que consistiu na denúncia de compra de votos de parlamentares pelo governo. Ver Lia Zanotta Machado, "Feminismos brasileiros na relação com o Estado: contextos e incertezas", *Revista Pagu*, n. 47, 2016.

[59] Luis Felipe Miguel, Flávia Biroli e Rayani Mariano, "O debate sobre aborto na Câmara dos Deputados, de 1990 a 2014", em Flávia Biroli e Luis Felipe Miguel, *Aborto e democracia* (São Paulo, Alameda, 2016).

cada vez mais, refém de setores conservadores que acabariam por se tornar pivôs no processo de sua deposição.

Os avanços obtidos pela via do Judiciário, importantes nesse período, também despertaram reações. Já tratei aqui do fato de que a terceira exceção à penalização do aborto se deu por decisão do Supremo Tribunal Federal em 2012, mais de setenta anos depois da inclusão dos dois permissivos mais antigos no Código Penal de 1940. Depois dela, surgiram outras ações em defesa da descriminalização, e temos fatos novos também dessa perspectiva.

Em um cenário já complexo das disputas, emergiu um fator novo, a relação entre a contaminação pelo vírus zika, transmitido pelo mosquito *Aedes aegypti*, e a ocorrência de síndrome fetal congênita associada ao vírus. Mulheres que planejaram ser mães viram-se diante de uma epidemia que parece ter como um de seus efeitos malformações fetais graves, como a microcefalia. A manutenção da gestação nessas condições pode implicar enorme sofrimento, ampliando as consequências perniciosas da criminalização do aborto[60]. A situação das mulheres diante da epidemia de zika foi o fundamento para a apresentação ao STF da Ação Direta de Inconstitucionalidade 5.581, protocolada pela Associação Nacional dos Defensores Públicos (Anadep) em agosto de 2016. Caso seja julgada favoravelmente, produzirá mais uma exceção à penalização do aborto no Brasil. No debate que se estabelece nessas circunstâncias, parece-me relevante discernir entre a autonomia das mulheres para decidir, com as informações disponíveis, sobre a manutenção ou a interrupção de uma gravidez e, diferentemente, o exercício de controle pelo Estado, forçando a manutenção ou a interrupção de uma gravidez.

Poucos meses depois da ação ancorada nas consequências da epidemia de zika, uma decisão do STF de 29 de novembro de 2016 firmou o entendimento de que o aborto até a 12ª semana de gestação é um direito constitucional das mulheres. Embora não seja vinculatória, essa decisão, que foi motivada por um processo contra funcionários de uma clínica que realizava abortos em Duque de Caxias, no Rio de Janeiro, abre a possibilidade de que juízes e cortes de todo o país julguem do mesmo modo casos afins. Em outras palavras, estabelece precedentes para que o aborto até a 12ª semana não seja penalizado. O voto do ministro Luís Roberto Barroso trata das principais

---

60 Débora Diniz, *Zika: do sertão nordestino à ameaça global* (Rio de Janeiro, Civilização Brasileira, 2016).

questões levantadas nas últimas décadas pelo ativismo em defesa dos direitos das mulheres: a criminalização do aborto estabelece uma desigualdade de direitos que está em desacordo com a Constituição, compromete a integridade física e psíquica das mulheres e pune, sobretudo, as mulheres mais pobres, que têm menor chances de interromper a gestação com segurança.

Cito, pela relevância, os trechos do parecer do ministro, aprovado no STF, que expressam claramente esse entendimento:

> A criminalização é incompatível com os seguintes direitos fundamentais: os direitos sexuais e reprodutivos da mulher, que não pode ser obrigada pelo Estado a manter uma gestação indesejada; a autonomia da mulher, que deve conservar o direito de fazer suas escolhas existenciais; a integridade física e psíquica da gestante, que é quem sofre, no seu corpo e no seu psiquismo, os efeitos da gravidez; e a igualdade da mulher, já que homens não engravidam e, portanto, a equiparação plena de gênero depende de se respeitar a vontade da mulher nessa matéria.
>
> A tudo isso se acrescenta o impacto da criminalização sobre as mulheres pobres. É que o tratamento como crime, dado pela lei penal brasileira, impede que estas mulheres, que não têm acesso a médicos e clínicas privadas, recorram ao sistema público de saúde para se submeterem aos procedimentos cabíveis. Como consequência, multiplicam-se os casos de automutilação, lesões graves e óbitos.

Outro fato seguiu-se a esses quando, em março de 2017, foi protocolada pela primeira vez no país, junto ao STF, uma ação pela descriminalização do aborto até a 12ª semana. A Ação de Descumprimento de Preceito Fundamental (ADPF 442), de autoria do Partido Socialismo e Liberdade (PSOL) com o apoio da Anis – Instituto de Bioética, argumenta que a criminalização do aborto viola o direito das mulheres à dignidade. Desrespeitando a autonomia das mulheres, retira-lhes a possibilidade de integrar seu corpo e sua capacidade reprodutiva a seus projetos de vida. Trata-se também de um direito de cidadania, como registra a ação, porque remete a dois de seus principais fundamentos: o igual direito ao exercício da autonomia entre pessoas adultas, independentemente do sexo, e o igual direito a ter respeitada sua integridade física e psíquica. A ADPF toma forma nesse contexto histórico de ações em defesa do aborto como um direito fundamental das mulheres. Além disso, ressalta, como havia feito o parecer que acompanhou a decisão de 2016 nos trechos que destaquei há pouco, que a criminalização do aborto fere a Constituição por tratar de forma desigual mulheres e homens, mas não só. O acesso ao aborto é uma questão de justiça também internamente ao grupo das mulheres, como já foi discutido aqui, porque compromete sobretudo a saúde e a vida de mulheres pobres e negras, por estarem em situação social de desvantagem.

O Judiciário tem sido um âmbito importante das disputas, algo que é repudiado pelos setores conservadores no Congresso. Às ações e às decisões aqui elencadas, somam-se outras, relativas à sexualidade e às identidades sexuais. Tratei antes da decisão de 2011, a partir da qual a união entre pessoas do mesmo sexo passou a ser reconhecida legalmente no Brasil. Em 2009, decisões do Superior Tribunal de Justiça (STJ) determinaram que pessoas que realizaram cirurgia de mudança de sexo poderiam alterar nome e sexo nos registros civis. Mais recentemente, em maio de 2017, o STJ decidiu a favor da possibilidade de que transexuais modifiquem o sexo registrado nos documentos de identidade civil, sem que tenham realizado cirurgia de mudança de sexo. Trata-se de decisões que incorporam concepções de gênero mobilizadas pelos movimentos feministas e LGBT em todo o mundo, a partir da segunda metade do século XX.

Outros episódios na construção de políticas para a igualdade de gênero no âmbito do Executivo também foram tomados como afronta pelos grupos conservadores, que reagiram na forma de ameaças de retirada de apoio no Congresso Nacional. Alguns exemplos foram a produção de material para a educação sexual nas escolas, pelo Ministério da Educação; campanhas para a prevenção da Aids e de outras doenças sexualmente transmissíveis, voltadas para o público LGBT; ou campanhas de saúde pública dirigidas a trabalhadoras do sexo, produzidas no âmbito do Ministério da Saúde. Mas, juntamente com a Norma Técnica reeditada em 2005, o ponto mais destacado foi a edição do Plano Nacional de Direitos Humanos 3 (PNDH-3) pelo governo federal, em 2009. As reações ao plano se acentuariam, mais tarde, com as decisões do STF sobre união homoafetiva e direito ao aborto em caso de anencefalia fetal, de 2011 e 2012, respectivamente, que realizariam via Judiciário algumas das diretrizes nele presentes.

O PNDH-3 foi o terceiro documento unificado com recomendações para a promoção dos direitos humanos no Brasil após a ditadura de 1964 que durou mais de duas décadas. Os dois primeiros foram lançados em 1996 e 2002, durante o primeiro e o segundo mandato de Fernando Henrique Cardoso. Na versão de 2002, o tema do aborto apareceria pela primeira vez, com a defesa do "alargamento dos permissivos para a prática do aborto legal" e sua descrição como problema de saúde pública, o que justificaria "a garantia aos serviços de saúde para os casos previstos em lei"[61]. No PNDH-3, além de firmar posição sobre a necessidade de garantir o acesso aos serviços de aborto legal, a defesa do direito ao aborto é feita de forma mais aberta, pelo apoio à aprovação de legislação que descriminalize o aborto e pela afirmação de que ela diz respeito à "autonomia das mulheres para decidir sobre seus corpos". O aborto aparece, ainda, entre os direitos que permitiriam "o estabelecimento das condições necessárias" para a cidadania das mulheres. As reações, imediatas, levaram à modificação do texto por um decreto publicado pelo governo em 2010 (Decreto n. 7.177), que retrocedia na definição do direito ao aborto como exercício de autonomia pelas mulheres e retirava as recomendações diretas para a garantia de acesso a serviços de abortamento nos casos previstos na legislação.

A defesa do direito ao aborto não foi a única plataforma para a cidadania e os direitos humanos que provocou reações ao PNDH-3. O texto de 2009 também recomendava medidas para o combate à homofobia e garantias para as uniões entre pessoas do mesmo sexo, como o direito à adoção. Além disso, é o marco inicial de instauração da Comissão da Verdade, que pela primeira vez no Brasil apurou crimes cometidos pelo Estado durante a ditadura iniciada em 1964[62]. Trata-se, assim, de um documento que contém pontos decisivos contra os quais têm sido construídas as investidas reacionárias no Congresso, em alguns casos com bastante sucesso na construção dos enquadramentos predominantes nos meios de comunicação – isto é, da perspectiva que articula os elementos em uma história que colaborou para o adensamento das reações ao "petismo" e ao governo de Rousseff. Quando o processo de *impeachment* que a afastou do poder foi votado na Câmara dos Deputados, em maio de 2016, muitos parlamentares – em sua larga maioria, homens – justificaram seu voto como uma "defesa da família" ou dedicaram à família sua participação na deposição da primeira mulher a presidir o país, numa exibição rasgada da ideologia "familista" na política brasileira[63].

---

[61] Naara Luna, "A polêmica do aborto e o III Programa Nacional de Direitos Humanos", cit., p. 239.

[62] Sérgio Adorno, "História e desventura: o III Programa Nacional de Direitos Humanos", *Novos Estudos*, n. 86, 2010, p. 5-20.

[63] Flávia Biroli, "Political Violence against Women in Brazil: Expressions and Definitions", *Direito & Práxis*, v. 7, n. 15, 2016, p. 557-89; Cristina Ninô Biscaia, "Um golpe chamado machismo", em Carol Proner et al. (orgs.), *A resistência ao golpe de 2016* (Bauru, Práxis, 2016).

A face mais explícita das reações no Legislativo talvez esteja no número de projetos de lei que representam retrocessos na legislação atual sobre aborto. Enquanto nos anos 1990 foram pelo menos seis proposições apresentadas na Câmara dos Deputados com o objetivo de restringir a legalidade do aborto ou aumentar a punição para a prática, entre 2000 e 2015 foram pelo menos 32 proposições. Por outro lado, enquanto nos anos 1990 seis projetos apresentados na Câmara propunham a descriminalização, entre 2000 e 2015 os projetos nesse sentido foram apenas dois. Nos anos 1990, houve também projetos apresentados com o objetivo de criar novas exceções à lei penal em casos de anomalias fetais graves, o que só ocorreria via Judiciário[64]. Entre as reações à ampliação de garantias para o aborto legal e à maior inscrição desse debate no âmbito estatal, destacam-se proposições e projetos de lei e de emendas constitucionais que determinam que o "direito à vida" existe desde a concepção (PL 478/2007, o chamado Estatuto do Nascituro, PEC 164/2012 e PEC 29/2015). Sua aprovação permitiria a criminalização do aborto nos casos hoje despenalizados.

A defesa da "família cristã", que encarnaria arranjos convencionais numa perspectiva moral e econômica, tem sido o denominador comum nas ações correntes não apenas contra o direito ao aborto, mas também contra a união homoafetiva. A "ideologia de gênero", rubrica sob a qual os atores conservadores vêm reunindo movimentos sociais, agendas e políticas públicas que estejam em sua mira, tem servido para caricaturar os avanços e justificar a recusa de políticas para a igualdade de gênero e para a superação de preconceitos e violências. Trata-se, aliás, de algo que nos ajuda a compreender a conexão entre o contexto brasileiro e uma reação transnacional, que vem sendo construída desde os anos 1990, contra a utilização da noção de gênero em documentos e programas de ação de encontros e organizações internacionais[65].

Merece nota a articulação entre diferentes grupos conservadores. A aliança apelidada de "BBB" (boi, bala e Bíblia) inclui os segmentos religiosos já mencionados, mas também a bancada ruralista, em que predominam os

---

[64] Rayani Mariano e Flávia Biroli, "O debate sobre aborto na Câmara dos Deputados (1991-2014): posições e vozes das mulheres parlamentares", *Cadernos Pagu*, n. 51, 2017.

[65] Mónica Cornejo-Valle e J. Ignacio Pichardo, "La ideología de género frente a los derechos sexuales y reproductivos: el escenario español", *Cadernos Pagu*, n. 50, 2017; Maria das Dores Campos Machado, *Ideologia de gênero: discurso cristão para desqualificar o debate acadêmico e os movimentos sociais*, X Encontro da Associação Brasileira de Ciência Política, Belo Horizonte, set. 2016.

interesses do chamado agronegócio – dos proprietários de terra, especialmente daqueles engajados na produção intensiva para exportação –, e a bancada da bala, em que predominam os interesses da indústria armamentista e das empresas privadas de segurança. A face pública dessas alianças define-se de formas distintas. A aliança Bíblia-bala tem mais sustentação "ideológica" – no sentido de que adota e colabora para reforçar o discurso de que algumas formas desejáveis de ordem social estão sendo ameaçadas. É por meio da agenda "moral", em que se destaca a temática da família, que parlamentares vinculados a diferentes denominações religiosas procuram construir sua imagem pública. A defesa da família encontra ecos, ainda, no discurso da segurança, que exibe uma sociedade ameaçada e uma oposição não apenas entre o bem e o mal, mas entre a ordem e a desordem, atribuindo à última componentes morais. A agenda de desregulamentação dos direitos trabalhistas e previdenciários tem atravessado essas alianças. Há, em linhas gerais, apoio a ações que correspondam à *redução* do Estado na regulação e na garantia de direitos e à *ampliação* de sua ação ostensiva para a criminalização e a repressão a movimentos de trabalhadores urbanos e rurais, movimentos em defesa do direito à terra e à moradia, movimentos feministas e indígenas, além de setores especialmente vulneráveis à violência da polícia e do crime organizado, como a juventude negra.

Há aspectos conjunturais e pragmáticos nessa convergência de agendas, mas há também uma dimensão ideológica, que parece importante identificar e discutir. A "defesa da família" corresponde a uma concepção restrita dos arranjos familiares que condiz com a visão neoliberal do Estado e não é contraditória com a desregulamentação do trabalho. É algo que discuti na análise de diferentes concepções de "responsabilidade", no capítulo 2. A agenda da segurança, por sua vez, expõe claramente que a proteção à infância e aos lares é seletiva e desenha fronteiras entre aqueles que teriam seus direitos preservados, sejam eles direitos concentrados na entidade familiar ou nos indivíduos, e aqueles que são alvo da violência do Estado. Assim, criminalização e encarceramento são elementos importantes numa política de controle dos corpos, em que o apagamento de experiências e identidades é o subtexto de muitas proposições, num espectro que vai do Estatuto da Família às propostas em tramitação para a redução da maioridade penal no país.

Pode-se, assim, compreender a temática da família como uma espécie de guarda-chuva na dinâmica atual. Ela tem sido mobilizada, ainda, por movimentos que atuam para constranger e censurar professores, em busca de bloquear o que apresentam como sendo um "ensino partidário", isto é, um ensino pautado por concepções de justiça social antirracistas, igualitárias e valorizadoras da diversidade. A ofensiva para a retirada da noção de gênero do Plano Nacional de Educação (PNE) e dos planos de educação nos estados e municípios iniciada em 2014, que discuti no capítulo anterior, trouxe a público uma versão ampliada da reação ao material publicado pelo governo em 2004, para a educação sexual nas escolas, que foi então apelidado de "kit gay" pelos conservadores. Nos casos em que a empreitada reacionária obteve sucesso, a palavra "gênero" foi eliminada dos planos de educação, e isso continua acontecendo em diversos municípios brasileiros, apesar do julgamento do Supremo Tribunal Federal que determinou a inconstitucionalidade de legislação afim[66].

A proposição original para a contestação formal do Plano Nacional de Educação – um requerimento de informação dirigido ao Ministério da Educação em maio de 2015, de autoria de um deputado do PSDB do Distrito Federal – solicitava esclarecimentos sobre a "manutenção da ideologia de gênero como diretriz obrigatória para o PNE", contrariamente ao que teria sido determinado pela apreciação do Congresso Nacional. O que caracterizaria essa "ideologia", segundo o requerimento, estaria presente no inciso III do artigo 2º do PNE, que define como diretriz a "superação das desigualdades educacionais, com ênfase na promoção da igualdade racial, regional, de gênero e de orientação sexual", e na estratégia 3.12 da Meta 3, que apresenta como objetivo "implementar políticas de prevenção à evasão motivada por preconceito e discriminação racial, por orientação sexual ou identidade de gênero, criando rede de proteção contra formas associadas de exclusão".

Trata-se claramente de uma contestação do que é de fato abarcado pela noção de gênero, nos debates acadêmicos e na luta política: a compreensão de que desigualdades e assimetrias não são naturais e podem ser combatidas. O que tem sido questionado por movimentos feministas e LGBT é o caráter autoritário e coercivo de códigos morais baseados no que é tomado como realidade irrefutável da natureza humana – nesse caso, do sexo biológico. Esses

66 A Ação Direta de Inconstitucionalidade 5.537 foi julgada em 21 de março de 2017. Determinou a inconstitucionalidade de lei aprovada no estado de Alagoas, inspirada no movimento Escola Sem Partido, que busca constranger e criminalizar professores que debatam questões políticas em sala de aula.

códigos produzem a hierarquização dos indivíduos e a consequente visão de que só alguns merecem respeito. E isso ocorre desde muito cedo, produzindo dor e humilhação[67], daí a necessidade de incidir no ambiente escolar para eliminar preconceitos e violências.

Mas não se trata apenas de reduzir a discriminação. A inclusão do debate sobre gênero e raça no PNE também foi feita numa perspectiva afirmativa, para promover concepções que colaborem para a redução do sexismo, da violência contra as mulheres, da homofobia e do racismo. A violência contra as mulheres está, em grande medida, associada a valores que vinculam a masculinidade ao controle sobre as mulheres e à recusa ostensiva da homossexualidade como alternativa. O comportamento "desviante" das mulheres – ao terminar um relacionamento, assumir um comportamento afetivo e sexual mais autônomo e mesmo ao vestir-se de maneiras consideradas indecorosas – as expõe a agressões. A violência contra gays, lésbicas e transexuais, por sua vez, ancora-se no entendimento de que existem formas corretas de amar e de se relacionar com outras pessoas, enquanto outras formas constituiriam desvios que marcam os indivíduos negativamente e os incluem, por conseguinte, no grupo de pessoas que podem ser violentadas e torturadas. Afirma-se a superioridade de determinadas identidades ao mesmo tempo que se promove a desvalorização das vidas construídas como seu "outro".

As crianças são objeto de práticas menos ou mais tolerantes e igualitárias, mas são, também, sujeitos na reprodução. A importância da educação para a igualdade e a diversidade é, portanto, dupla. Ela pode orientar a atuação de professoras/es e alunas/os, de forma a diminuir o sofrimento dos indivíduos que veem reduzido o valor de sua vida – meninas sujeitas a estupro e abuso, meninas e meninos agredidos em razão de sua identidade sexual ou dos arranjos familiares de que fazem parte –, e pode aumentar as chances de que as crianças venham a ser agentes na construção de relações orientadas por critérios de justiça, ampliando o respeito e solidificando vínculos numa perspectiva democrática.

Não são os riscos reais da reprodução do sexismo e da homofobia que os conservadores consideram. Eles mobilizam uma ficção: a de que as famílias estariam ameaçadas quando seus filhos tomam contato com valores associados

---

[67] Associação Brasileira de Lésbicas, Gays, Bissexuais, Travestis e Transexuais (ABGLT), *Pesquisa nacional sobre o ambiente educacional no Brasil 2015: as experiências de adolescentes e jovens lésbicas, gays, bissexuais, travestis e transexuais em nossos ambientes educacionais* (Curitiba, ABGLT, 2016).

ao respeito à diversidade. No Brasil e em outros países latino-americanos, como Peru, Colômbia e México, campanhas semelhantes levadas a público sob o *slogan* "*Con mis hijos no te metas*" têm promovido a associação entre o debate sobre o gênero e a pedofilia. Os estudos de gênero promoveriam uma agenda contrária à família e que justificaria uma suposta intromissão nas identidades sexuais das crianças. É isso que está na base das mobilizações contra pesquisadoras e pesquisadores em curso quando este livro é finalizado, algo que ganhou destaque com a reação violenta orquestrada por alguns desses grupos à vinda da intelectual estadunidense Judith Butler ao Brasil, em novembro de 2017. O caráter dessas manifestações é revelador. Além de cartazes ofensivos e da queima de uma boneca vestida como bruxa em frente ao local onde Butler participaria de um seminário sobre a democracia, em São Paulo, a autora foi agredida no aeroporto de Congonhas, na mesma cidade, por uma senhora que carregava um cartaz com sua imagem desfigurada e a chamava de "pedófila". Ao falar dessa agressão posteriormente, Butler levantou a hipótese de que a chamada "ideologia de gênero" seja um fantasma criado para desviar a atenção da corrupção moral no interior da Igreja católica. Reproduzo aqui sua indagação:

> Por que um movimento a favor da dignidade e dos direitos sexuais e contra a violência e a exploração sexual é acusado de defender pedofilia se, nos últimos anos, é a Igreja católica que vem sendo exposta como abrigo de pedófilos, protegendo-os contra processos e sanções, ao mesmo tempo que não protege suas centenas de vítimas?[68]

As reações às transformações na vivência dos afetos e da sexualidade também acabam por revelar o reconhecimento das mudanças e o receio em relação a elas por parte de segmentos organizados. As lutas dos segmentos LGBT por direitos e contra a violência e a estigmatização têm incidido nos debates e confrontado normas excludentes. Essa luta tem permitido uma nova organização *pública* das identidades e dos problemas enfrentados pelas pessoas em ambientes heteronormativos. Demandas relativas à conjugalidade e à identidade civil, assim como o debate sobre a criminalização da homofobia, que resultou em projeto de lei na Câmara dos Deputados (PL 5.003/2001) e em legislativos estaduais, são colocadas sob suspeita. Indivíduos e grupos conservadores, com destaque para segmentos religiosos, atuam politicamente

---

[68] Judith Butler, "O fantasma do gênero: reflexões sobre liberdade e violência", *Folha de S.Paulo*, *Ilustríssima*, 19 nov. 2017.

orientados pela percepção de que "a expansão dos direitos dos homossexuais e a visibilidade e a aceitação desta parcela da população" seria uma ameaça a seus valores e à ordem social[69].

As reações conservadoras às transformações e aos movimentos sociais que permitiram os processos aqui elencados, de ampliação de debates e construção de direitos, expressam controvérsias já existentes e geram também novas controvérsias públicas[70]. Os segmentos religiosos mais engajados nessas controvérsias no Brasil hoje – neopentecostais e carismáticos católicos – podem ser considerados "atores sociais de um tipo de modernidade que se desenvolveu em uma sociedade marcada pela desigualdade de renda, pela instabilidade política e pelo papel proeminente da Igreja católica". Confrontam mudanças, ou mutações dessa modernidade, que geraram o fortalecimento do "ideário dos direitos humanos e dos movimentos de minorias sexuais"[71].

Essa é a cena em que hoje estão situadas as disputas no âmbito dos direitos sexuais e dos direitos reprodutivos. A imagem de uma progressão linear dos direitos não permite apreendê-las nem compreender a forma aguda que assumiram nos anos recentes. Em contrapartida, enxergar a reação sem compreender a que ela se volta é pouco produtivo. Trata-se de um contexto, no mínimo, ambivalente, algo que as disputas relativas ao aborto, já discutidas, também revelam. Em fevereiro de 2016, em votação na Câmara dos Deputados[72], seria aprovado um destaque que retirou a "perspectiva de gênero" das atribuições do Ministério das Mulheres, da Igualdade Racial e dos Direitos Humanos. Na contramão dos acordos internacionais mais recentes firmados pelo Brasil e do processo de inscrição de novos direitos e de uma agenda de igualdade e

---

69 Marcelo Natividade e Paulo Victor Leite Lopes, "Os direitos das pessoas GLBT e as respostas religiosas: da parceria civil à criminalização da homofobia", em Luiz Fernando Dias Duarte et al. (orgs.), *Valores religiosos e legislação no Brasil* (Rio de Janeiro, Garamond, 2009), p. 79.

70 Maria das Dores C. "Discursos pentecostais em torno do aborto e da homossexualidade na sociedade brasileira", cit., p. 46.

71 Idem.

72 Essa votação, em contexto de crise aguda do governo de Dilma Rousseff, foi referente à Medida Provisória da Reforma Administrativa (MP 696/2015), que reduzia o número de ministérios. Entre outras medidas, ela fundia a Secretaria de Políticas para Mulheres (SPM), a Secretaria de Políticas para a Igualdade Racial (Sepir) e a Secretaria de Direitos Humanos (SDH), que tinham *status* de ministério, no Ministério das Mulheres, Igualdade Racial e Direitos Humanos, que deixaria de existir no governo de Michel Temer, após a deposição de Rousseff naquele mesmo ano. A mudança de estrutura levou à inclusão de uma descrição do novo ministério na Medida Provisória, à qual a reação que agora descrevo foi endereçada.

respeito à diversidade, uma manobra permitiu a inclusão, como orientação para as políticas nacionais, do Pacto de São José da Costa Rica, de 1969, cujo artigo 4º, em seu parágrafo 1º, ao tratar do direito à vida, inclui a expressão "desde o momento da concepção". Parlamentares que se manifestaram a favor da retirada da "perspectiva de gênero" justificaram-se dizendo que ela é contrária aos interesses "da família" e fizeram referência à "ideologia de gênero", caracterizada como "destruição da família, célula *mater* e base da sociedade". O conceito de gênero foi definido por um parlamentar como "termo para esvaziar o conceito de homem e mulher"[73].

Isso se deu logo depois de um episódio que revelou a ampliação do engajamento favorável ao direito ao aborto no Brasil. Em outubro e novembro de 2015, o PL 5.069/2013, que tem como objetivo restringir o atendimento em caso de estupro, impondo retrocessos relativamente às normas correntes, levou milhares de mulheres às ruas em várias cidades brasileiras. As redes sociais tiveram importância na forma e nas dimensões que esse debate assumiu, algo a que retornarei no próximo capítulo. O acúmulo dos debates feministas, os avanços nos direitos das mulheres e as transformações em sua posição social nas relações de trabalho, familiares e afetivas, colaboraram para um ambiente de maior sensibilidade e abertura à agenda de gênero.

Vivemos, assim, um momento de intensificação da reação, especialmente no Congresso Nacional, mas também de grande disposição entre as mulheres, algumas delas bastante jovens, para disputar a agenda de construção dos direitos[74]. Avanços na institucionalização da agenda de gênero desde os anos 1980 e, em especial, a partir de 2003 podem ser considerados um componente na difusão dessa agenda – e nas reações a ela. Trata-se de um ambiente marcado pelo desquilíbrio de forças nos espaços políticos institucionais. No Congresso Nacional e nos legislativos estaduais e municipais, as mulheres continuam sub-representadas. Enquanto isso, a reação é ativada por atores munidos de cargos e de recursos para disputar processos eleitorais e pressionar governos constituídos. Tendo isso em mente, no próximo capítulo trato da atuação política de mulheres e movimentos feministas, assim como das implicações desse desequilíbrio.

---

73 Flávia Biroli, "Political Violence against Women in Brazil", cit.

74 Sonia E. Alvarez, "Para além da sociedade civil: reflexões sobre o campo feminista", *Cadernos Pagu*, n. 43, 2014, p. 13-56.

5
FEMINISMOS E ATUAÇÃO POLÍTICA

O debate contemporâneo sobre a participação política das mulheres tem como ponto de partida o diagnóstico de que o direito ao voto e o direito a disputar eleições, conquistados na maior parte do mundo entre as primeiras décadas do século XX e meados do mesmo século, não redundaram em condições igualitárias de participação. Sua análise demanda, assim, que se vá além das regras formais, dos direitos estabelecidos, em direção a um entendimento mais complexo da permeabilidade seletiva das democracias contemporâneas. No caso das mulheres, isso significa levar em consideração as relações de gênero no cotidiano da vida social e os obstáculos informais à participação nos espaços institucionais, tendo em mente que sua posição não se esgota nas relações de sexo ou gênero, mas é definida em conjunto com variáveis como classe, raça, etnia, sexualidade e geração. As barreiras mostram-se mais espessas quando analisamos as condições de participação das mulheres mais pobres, das mulheres negras e indígenas, das trabalhadoras do campo.

Os obstáculos remetem a dinâmicas sociais de desvantagem, que situo neste livro a partir da divisão sexual do trabalho, com seus componentes materiais e simbólicos. Elas se entrelaçam à seletividade própria aos espaços formais de representação, historicamente masculinos. Algumas análises têm-se concentrado na socialização de gênero e nas condições para que a "ambição política" se manifeste. Elas remetem à reprodução de papéis, competências e julgamentos no cotidiano familiar, escolar e nos meios de comunicação e, com diferentes ênfases, à conformação masculina e sexista das campanhas e do ambiente político[1]. Outros estudos têm-se voltado mais diretamente para os óbices na

---

[1] Clara Araújo e Céli Scalon, "Gênero e a distância entre a intenção e o gesto", *Revista Brasileira de Ciência Política*, v. 21, n. 62, 2006, p. 45-68; Maria Braden, *Women Politicians and the Media* (Lexington, The University Press of Kentucky, 1996); Kim Fridkin Kahn, *The Political Consequences of Being a Woman* (Nova York, Columbia University Press, 1996) e *The Changing Face of Representation* (Ann Arbor, University of Michigan Press, 2014); Jennifer L. Lawless e Richard

construção das candidaturas e para as dificuldades na manutenção de carreiras políticas entre aquelas que passam pelo filtro eleitoral. Consistem em análises comparadas de sistemas e regras eleitorais, do funcionamento dos partidos políticos e, numa dimensão menos formal, da violência contra as mulheres na política[2]. É possível sustentar, a partir do conjunto amplo e heterogêneo de estudos que temos hoje à disposição, que obstáculos materiais, simbólicos e institucionais erigem barreiras que dificultam a atuação das mulheres e alimentam os circuitos da exclusão.

A política é *atualizada* como espaço masculino. A história do espaço público e das instituições políticas modernas é a história da acomodação do ideal de universalidade à exclusão e à marginalização das mulheres e de outros grupos sociais subalternizados. Vem sendo contada por intelectuais feministas de um modo que explicita as conexões e as tensões entre patriarcado e capitalismo[3], desvenda o caráter patriarcal do pensamento e das instituições políticas modernas[4] e as matrizes de dominação que são ao mesmo tempo patriarcais,

L. Fox, *It Takes a Candidate: Why Women Don't Run for Office* (Cambridge, Cambridge University Press, 2005); Luis Felipe Miguel e Flávia Biroli, "Práticas de gênero e carreiras políticas: vertentes explicativas", *Revista Estudos Feministas*, v. 18, n. 3, 2010, p. 653-79, e *Caleidoscópio convexo: mulheres, política e mídia* (São Paulo, Editora da Unesp, 2011).

2 Clara Araújo, "Partidos políticos e gênero: mediações nas rotas de ingresso das mulheres na representação politica", *Revista de Sociologia e Política*, n. 24, 2005, p. 193-215; Clara Araújo e José Eustáquio Diniz Alves, "Impactos de indicadores sociais e do sistema eleitoral sobre as chances das mulheres nas eleições e suas interações com as cotas", *Dados*, v. 50, n. 3, 2007, p. 535-77; Flávia Biroli, "Political Violence against Women in Brazil: Expressions and Definitions", *Direito & Práxis*, v. 7, n. 15, 2016, p. 557-89; Daniela Cerva Cerna, "Participación política y violencia de género en México", *Revista Mexicana de Ciencias Políticas y Sociales*, v. 59, n. 222, 2014, p. 105-24; Drude Dahlerup (org.), *Women, Quotas and Politics* (Londres/Nova York, Routledge, 2006); Mona Lena Krook, *Quotas for Women in Politics: Gender and Candidate Selection Reform Worldwide* (Oxford, Oxford University Press, 2009); Mona Lena Krook e Fiona Mackay, *Gender, Politics, and Institutions: towards a Feminist Institutionalism* (Londres, Palgrave Macmillan, 2015); Mona Lena Krook e Juliana Restrepo Sanin, "Gender and Political Violence in Latin America", *Política y Gobierno*, v. 23, n. 1, 2016, p. 125-57.

3 Heleieth Saffioti, *A mulher na sociedade de classes: mito e realidade* (3. ed., São Paulo, Expressão Popular, 2013 [1969]); Sylvia Walby, *Theorizing Patriarchy* (Oxford, Basil Blackwell, 1990).

4 Jean Bethke Elshtain, *Public Man, Private Woman: Women in Social and Political Thought* (2. ed., Princeton, Princeton University Press, 1981); Nancy Hirschmann, *Gender, Class & Freedom in Modern Political Theory* (Princeton, Princeton University Press, 2008); Susan Moller Okin, *Women in Western Political Thought* (Princeton/Oxford, Princeton University Press, 1992 [1979]); Carole Pateman, *The Problem of Political Obligation: A Critique of Liberal Theory* (Berkeley, University of California Press, 1985 [1979]) e *The Sexual Contract* (Stanford, Stanford University Press, 1988).

racistas e colonialistas[5]. Seus efeitos não são idênticos na vida de todas as mulheres porque elas estão situadas diferentemente no globo e nas dinâmicas de exploração do trabalho, racialização e precarização da vida. Por isso, a existência de diversos ambientes políticos nos quais homens brancos e proprietários são sobrerrepresentados não implica a existência dos mesmos problemas para todas as mulheres. Ainda que os obstáculos à participação política das mulheres sejam um problema em si, os efeitos dessa participação desigual não as atingem da mesma forma, podendo até preservar as posições vantajosas de algumas entre elas. Tomemos como exemplo a legislação relativa ao trabalho doméstico no Brasil, que só em 2015 equalizou os direitos das trabalhadoras domésticas aos dos demais trabalhadores. A recusa dos legisladores, na maioria homens, a reconhecer esses direitos e regulamentá-los permitiu que fossem menores os percalços enfrentados por mulheres mais ricas para se profissionalizar e ingressar no mundo das carreiras, porque amparadas pelo trabalho mal remunerado e desempenhado em longas jornadas por mulheres pobres e negras, como discuti nos capítulos iniciais deste livro.

No contexto político da América do Sul, as dinâmicas específicas de institucionalização de regimes autoritários em meados do século XX e da democratização nas décadas recentes expõem a concentração de poder e a prevalência de interesses que incidem também sobre as mulheres, sem dúvida, mas de formas variadas. Penso na atuação dos proprietários de terra e empresários do setor agrícola, recentemente reunidos sob a rubrica "agronegócio" para a promoção de seus interesses, e na atuação de grupos religiosos conservadores, antes capitaneada pela Igreja católica e cada vez mais liderada por alianças entre católicos e evangélicos. As barreiras para conter a violência e as formas de apropriação no campo incidem diretamente sobre trabalhadoras rurais e indígenas, que têm agregado novos aportes ao debate feminista sobre direitos, participação e democracia, forçando a inclusão de temáticas ambientais e de análises críticas de modelos de desenvolvimento e de inclusão[6]. Grupos

---

[5] Patricia Hill Collins, *Black Feminist Thought: Knowledge, Consciousness, and the Politics of Empowerment* (Nova York/Londres, Routledge, 2009 [2000]); Chandra Talpade Mohanty, *Feminism without Borders: Decolonizing Theory, Practizing Solidarity* (Durham, Duke University Press, 2003); Rita Laura Segato, *La guerra contra las mujeres* (Madri, Traficantes de Sueños, 2016).

[6] Carmem Diana Deere e Magdalena León, "Diferenças de gênero em relação a bens: a propriedade fundiária na América Latina", *Sociologias*, n. 10, 2003 p. 100-53; Carmem Diana Deere, "Os direitos da mulher à terra e os movimentos sociais rurais na reforma agrária brasileira", *Revista Estudos Feministas*, v. 12, n. 1, 2004, p. 175-204.

religiosos conservadores, que têm sido capazes de impor barreiras ou retardar a construção de direitos em vários países, entre os quais o Brasil, investem abertamente contra a agenda feminista, atuando nos espaços institucionais em defesa da criminalização de mulheres e das organizações feministas, para a restrição do debate sobre gênero e para o desmonte das políticas públicas que, por ele pautadas, foram construídas em décadas recentes[7]. A atuação informal desses grupos, tanto quanto sua participação política nos espaços formais de representação, colaborou historicamente para dar forma ao Estado e à legislação, sobretudo quando compreendemos que a institucionalização das famílias e da sexualidade é um de seus pilares fundamentais[8].

É necessário ir além das regras formais também porque a compreensão dessas controvérsias demanda a incorporação de outras dimensões da atuação política das mulheres. Ao explicar as barreiras à participação política delas, as análises têm se voltado para sua ausência e para as restrições à sua atuação; por outro lado, cabe lembrar que a ação organizada das mulheres tem seguido cursos alternativos e produzido efeitos também no âmbito estatal. Isso explica por que, ao mesmo tempo que as mulheres e, em especial, as feministas estão sub-representadas na política, observa-se forte reação a suas pautas. Em outras palavras, estabelecem-se reações e controvérsias porque as mulheres e seus movimentos organizados têm encontrado maneiras de dar visibilidade a suas reivindicações e promover suas pautas recorrendo a campanhas, protestos, marchas e formas de participação nos espaços institucionais não restritos às disputas eleitorais. Também afirmo que têm assumido pautas radicais em sua crítica aos limites da democracia, o que atribuo a dois fatores: a origem do ativismo de muitas mulheres em grupos marxistas e socialistas[9] e o forte

---

[7] Sonia Corrêa e Rosalind Petchesky, "Direitos sexuais e reprodutivos: uma perspectiva feminista", *Physis: Revista de Saúde Coletiva*, v. 6, n. 1-2, 1996, p. 147-77; Maria das Dores Campos Machado, "Ideologia de gênero: discurso cristão para desqualificar o debate acadêmico e os movimentos sociais", *X Encontro da Associação Brasileira de Ciência Política*, Belo Horizonte, set. 2016, e "Pentecostais, sexualidade e família no Congresso Nacional", *Horizontes Antropológicos*, v. 23, n. 47, 2017, p. 351-80.

[8] Neuma Aguiar, "Patriarcado, sociedade e patrimonialismo", *Sociedade & Estado*, v. 15, n. 2, 2000, p. 303-30; Mala Htun, *Sex and the State: Abortion, Divorce, and the Family under Latin American Dictatorships and Democracies* (Cambridge, Cambridge University Press, 2003); Mala Htun e S. Laurel Weldon, "Religious Power, the State, Women's Rights, and Family Law", *Politics & Gender*, n. 11, 2015, p. 451-77.

[9] Sonia E. Alvarez, *Engendering Democracy in Brazil: Women's Movement in Transition Politics* (Princeton, Princeton University Press, 1990).

protagonismo das mulheres negras na contestação de pautas restritas e acomodadas ao racismo e às hierarquias de classe[10].

A baixa presença e mesmo a ausência, em muitos casos, das mulheres em cargos eletivos e de primeiro escalão, no âmbito estatal, não significa que não atuem politicamente, mas, sim, que essa atuação é dificultada e, quando existente, ocorre em ambiente político historicamente masculino, em que predominam brancos e proprietários. O desequilíbrio de influência entre diferentes grupos é o que a análise feminista das democracias submete ao escrutínio crítico. Em outras palavras, há diferença entre lidar com as formas de *silenciamento* que constituem o ambiente político e definem suas fronteiras e presumir algum tipo de *silêncio*, como se as vozes contestatórias não fizessem parte do espaço público.

Os movimentos feministas têm atuado de "fora" (exercendo pressão a partir das ruas) e "dentro" do Estado, participando da construção de políticas e de novos marcos de referência para as democracias contemporâneas no âmbito estatal nacional e em organizações e espaços transnacionais. Não cabe dizer que essa atuação ocorre a despeito da baixa presença nos espaços formais de representação, mas, sim, que assume formas que têm relação direta com ela e que produz efeitos concretos, sendo imprescindível considerá-la para compreender a história política recente da América Latina[11]. No Brasil, os movimentos feministas tiveram grande protagonismo em momentos-chave de nossa história contemporânea, como no processo de transição da ditadura de 1964 para um regime democrático, nos anos 1980, em que se destacaram as disputas para a construção da nova carta constitucional de 1988[12]. Desde então, sua atuação sistemática tem imprimido perspectivas de gênero a instituições e políticas, o que foi interpretado como um processo de despatriarcalização do Estado[13]. Há, assim, boas razões para se pensar o atrelamento da participação nos espaços formais à atuação de movimentos e organizações feministas e de mulheres.

---

[10] Sueli Carneiro, "Mulheres em movimento", *Estudos Avançados*, n. 17, v. 49, 2003, p. 117-32.

[11] Jules Falquet, *Por las buenas o por las malas: las mujeres en la globalización* (Bogotá, Universidad Nacional de Colombia/Pontificia Universidad Javeriana, 2011).

[12] Jacqueline Pitanguy, "Mulheres, Constituinte e Constituição", em Maria Aparecida Abreu, *Redistribuição, reconhecimento e representação: diálogos sobre igualdade de gênero* (Brasília, Ipea, 2011), p. 17-46.

[13] Marlise Matos e Clarisse Goulart Paradis, "Desafios à despatriarcalização do Estado brasileiro", *Cadernos Pagu*, n. 43, 2014, p. 57-118.

A presença reduzida das mulheres em cargos eletivos pode ser constatada na maioria dos países do mundo, mas no Brasil essa realidade é acentuada. Por aqui, a média de mulheres eleitas nos legislativos tem oscilado em torno de 10%, embora as mulheres sejam mais da metade do eleitorado e o país tenha, desde 1997, legislação que prevê a reserva de 30% de candidaturas femininas nas listas partidárias. Em 2017, o Brasil ocupava a 154ª posição no ranking global feito pela Inter-Parliamentary Union (IPU), com 10,7% de mulheres na Câmara dos Deputados e 14,8% no Senado Federal. No contexto das Américas, a média das duas casas no mesmo ano foi de 28,3% e 27,5%, respectivamente[14]. Nos cargos executivos, a situação não é muito diferente. Embora uma mulher, Dilma Rousseff, tenha sido eleita para a Presidência em 2010 e 2014, apenas um estado, entre os 27 que compõem a federação, elegeu uma mulher como governadora no ano em que Rousseff foi reeleita e, em 2016, somente 11,5% dos municípios elegeram mulheres como prefeitas.

Apesar desses dados, falar de mulheres e política no Brasil não é fazer o relato de uma ausência. As mulheres têm atuado em partidos, sindicatos e movimentos ao longo da história e em diferentes contextos nacionais. Organizações coletivas e movimentos feministas ampliaram-se a partir da segunda metade do século XX, atuando em diversas frentes, entre as quais se destacam o direito a creches, o combate à violência contra as mulheres, a defesa de direitos reprodutivos e sexuais e a agenda da ampliação da participação feminina na política. Com o enfraquecimento da ditadura e a retomada do pluralismo partidário no fim dos anos 1970, mulheres e movimentos passaram a atuar para incluir organismos e políticas públicas para mulheres na nova institucionalidade, forçando a construção de espaços de atuação e redefinindo o patamar das disputas. Permanecem, no entanto, muitos dos filtros que as impedem de construir carreiras políticas, vencer eleições ou receber indicações para cargos de primeiro escalão.

O direito ao voto foi um dos eixos da chamada "primeira onda" do feminismo. A partir do fim do século XIX, as mulheres conquistaram o direito a votar em diferentes partes do mundo – com uma variação significativa no tempo em que isso se deu e na amplitude da inclusão, isto é, na definição legal de quais mulheres poderiam votar. Nova Zelândia, Austrália, Finlândia, Suécia, Noruega, Dinamarca, Rússia, Holanda, Alemanha, Hungria e Inglaterra estão

---

[14] Inter-Parliamentary Union (IPU), *Women in National Parliaments. World and Regional Averages*, (Genebra, IPU, 2017).

entre os primeiros países a inscrever esse direito na legislação. A Suíça costuma ser mencionada como exemplo de conquista tardia das mulheres, uma vez que lá esse direito data de 1971. Mas a referência nesse caso é ao continente europeu. Nos países africanos, as mulheres conquistaram o direito ao voto a partir de meados do século XX e, em alguns casos, como na África do Sul, no Zimbabwe e no Quênia, esse direito foi instituído em momentos diferentes para mulheres brancas e negras. Entre os países asiáticos, há grande variação. Em alguns deles, o voto feminino foi conquistado já nas primeiras décadas do século XX. Mas naquele continente estão casos que escapam a todos os parâmetros, como o Barém (ou Barhain), onde as mulheres passaram a ter esse direito em 2002, e os Emirados Árabes – o caso mais tardio –, em que essa conquista só ocorreu em 2006. Na América Latina, o primeiro país a incluir as mulheres no eleitorado foi o Equador, seguido de Uruguai, Chile, Brasil e Bolívia. Na década de 1950, era uma realidade em todo o continente, com exceção do Paraguai, que contaria com o sufrágio feminino apenas em 1961.

No Brasil, o direito a votar, que as mulheres conquistaram em 1932, só se igualaria ao dos homens na Constituição de 1946, quando o alistamento feminino deixou de ser facultativo. Como em outros países da América do Sul, voto e eleição foram restringidos por ditaduras nas décadas posteriores. Isso comprometeu não apenas o exercício do voto, mas a construção de carreiras políticas e a participação em movimentos e organizações que fizessem críticas a tais regimes. Por isso, muitas das mulheres brasileiras que têm participado da política institucional nos anos recentes – aí incluída a primeira mulher a chegar à Presidência da República, Dilma Rousseff – atuaram em organizações clandestinas e mesmo de luta armada na juventude. A violência da repressão não foi neutra em termos de gênero. Estão hoje documentadas práticas de tortura a mulheres, que incluíram a violação e formas específicas de humilhação e terror, assim como a perseguição a homossexuais e o combate ao "homossexualismo"[15]. Mas é possível argumentar que só mais tarde se teria a compreensão de que misoginia e sexismo foram elementos fundamentais no processo político e na dinâmica de dominação do período. Naquele momento, muitas das mulheres se engajaram na luta política como partícipes de uma luta mais "geral" anticapitalista e contra injustiças

[15] James Green e Renan Quinalha, *Ditadura e homossexualidades: repressão, resistência e a busca da verdade* (São Carlos, EdUFSCar, 2015); Comissão Nacional da Verdade (CNV), *Violência sexual, violência de gênero e violência contra crianças e adolescentes* (Brasília, CNV, 2014), v. I, cap. 10.

sociais[16]. O foco das ações e tensões, nessa participação, consistiu nas conexões entre a luta das mulheres e a luta de classes, entre "as necessidades *específicas* das mulheres e a necessidade de uma transformação social geral"[17].

Ideologias conservadoras, baseadas na conexão entre ordem familiar e ordem política, revelavam os padrões das relações entre a Igreja católica e o Estado na ditadura brasileira e nos regimes autoritários vigentes em outros países latino-americanos no período[18]. Ao mesmo tempo, mudanças profundas estavam em curso nas relações de trabalho e no âmbito da sexualidade, incidindo diretamente sobre as relações familiares e as relações de gênero de forma mais ampla. A pílula anticoncepcional começou a ser comercializada, no Brasil, no início dos anos 1960. Ainda que o contexto fosse o das medidas para o controle populacional nos países mais pobres do globo[19], abriam-se, assim, novas possibilidades para a revolução sexual no mesmo momento em que a ditadura era implementada e fazia corresponder à "ordem" uma orientação moral conservadora e um submundo de violência contra as mulheres que ousaram confrontá-la. O debate sobre as mudanças correntes em sua posição na sociedade encontrava limites na censura, que fazia da mulher fora de seu papel convencional de mãe um "assunto proibido"[20].

Assim, nas décadas da revolução comportamental que, no hemisfério Norte, correspondeu à chamada "segunda onda" do feminismo, quando ganharam

---

[16] Sonia E. Alvarez, "Latin American Feminisms 'Go Global': Trends of the 1990's and Challenges for the New Millennium", em Sonia E. Alvarez, Evelina Dagnino e Arturo Escobar (orgs.), *Cultures of Politics, Politics of Culture: Re-visioning Latin American Social Movements* (Boulder/Oxford, Westview Press, 1998), p. 295-6.

[17] Sonia E. Alvarez, *Engendering Democracy in Brazil*, cit., p. 96. Ainda segundo Sonia Alvarez, a linha entre o específico e o geral, que estava relacionada à questão da autonomia dos movimentos, mas também às alternativas na definição das pautas feministas no período, teve relação direta com as divisões internas aos movimentos e marcou muitos dos encontros ocorridos nos anos 1970. Duas mulheres participantes das organizações Nós Mulheres e Brasil Mulher, entrevistadas pela autora em 1983, relataram que "as questões que diziam respeito a priorizar o geral sobre o específico ou vice-versa, foram essas as questões que nos dividiram... elas foram as fontes das nossas discordâncias e das disputas políticas e ideológicas... nosso feminismo era muito incipiente, muito elementar... mas nossas visões sobre as mudanças sociais 'gerais' estavam arraigadas em anos de prática política...". Ibidem, p. 97.

[18] Mala Htun, *Sex and the State*, cit.

[19] Joana Pedro, "A experiência com contraceptivos no Brasil: uma questão de geração", *Revista Brasileira de História*, v. 23, n. 45, 2003, p. 239-60.

[20] Maria Amélia de Almeida Teles, *Breve história do feminismo no Brasil e outros ensaios* (São Paulo, Alameda, 2017), p. 121.

força a tematização e o enfrentamento da opressão contra as mulheres em diferentes dimensões da vida, as brasileiras enfrentavam a misoginia do regime ditatorial e, ainda que de formas distintas, também a dos grupos de esquerda[21]. Foi no combate à ditadura e entre os movimentos progressistas que se estabeleceram lutas que politizaram as relações de gênero, numa atuação que, a partir dos anos 1980, assumiu uma perspectiva interseccional. É algo que pode ser percebido na imprensa feminista da época, em jornais como *Mulherio*, *Nós Mulheres*, *Brasil Mulher* e *Nzinga Informativo*[22].

Vale lembrar, no entanto, que as mulheres não estiveram presentes apenas na confrontação ao regime autoritário. Às vésperas do golpe de 1964, a Marcha da Família com Deus pela Liberdade, que reuniu cerca de 300 mil pessoas nas ruas de São Paulo, contou com organizações como a Campanha da Mulher pela Democracia (Camde) e a União Cívica Feminina, levando grande número de mulheres para as ruas[23]. Assim, as mulheres atuaram à esquerda e à direita, na legitimação e na confrontação da ditadura. Mas a trilha para os espaços institucionais não se fez do mesmo modo nem entre elas nem quando se compara o caminho delas àquele que foi assumido pelos homens. As características masculinas e brancas dos ambientes políticos institucionais permaneceram durante o regime ditatorial e, ainda que a presença feminina tenha aumentado, não foram de modo algum superadas após a transição para a democracia nos anos 1980.

Durante a ditadura de 1964, a violência de gênero, o autoritarismo com fortes componentes patriarcais, a censura e o fechamento característico de regimes autoritários à participação política levaram a atuação das mulheres para espaços alternativos, junto a comunidades locais, em alguns casos ligados à Igreja católica e às Comunidades Eclesiais de Base, em movimentos de direitos humanos e sindicatos. Dado o caráter autoritário e abertamente excludente do regime e do ambiente estatal, a organização dos feminismos foi moldada por

---

21 Idem, "A construção da memória e da verdade numa perspectiva de gênero", *Revista Direito GV*, v. 11, n. 2, 2015, p. 505-22.

22. Sonia E. Alvarez, *Engendering Democracy in Brazil*, cit., p. 100; ver também Viviane Gonçalves Freitas, "Mulheres negras na imprensa feminista brasileira: um recorte de duas décadas", *X Encontro da Associação Brasileira de Ciência Política*, Belo Horizonte, set. 2016, e *De qual feminismo estamos falando? Desconstruções e reconstruções das mulheres, via imprensa feminista brasileira, nas décadas de 1970 a 2010* (Tese de Doutorado em Ciência Política, Brasília, UnB, 2017).

23 Janaína Martins Cordeiro, *Direitas em movimento: a campanha da mulher pela democracia e a ditadura no Brasil* (Rio de Janeiro, Editora da FGV, 2009).

uma atitude de desconfiança em relação ao Estado e, como mostram embates internos nos anos 1970 e 1980, entendeu-se que sua autonomia e seu potencial crítico dependiam necessariamente da distinção – e da distância – em relação ao Estado e aos partidos políticos[24]. Foi na reação ao mesmo tempo

> às instituições excludentes e frequentemente repressivas do regime e ao 'centralismo democrático' da oposição de esquerda que as feministas definiram uma política cultural distinta que valorizava práticas democráticas radicais e autonomia organizacional.[25]

Mais uma vez, ressalto que afirmavam a autonomia dos movimentos, mas mantinham um horizonte mais amplo de transformações político-estruturais como orientação para sua atuação.

Com a democratização, a rejeição à atuação no âmbito estatal se reduz. A possibilidade de interferir mais diretamente na nova institucionalidade estreitou as relações entre os movimentos e os partidos políticos. A atuação nos governos locais e como grupo de interesse no Congresso Nacional teve impacto no processo de institucionalização do novo regime e de construção de direitos – "específicos" e "gerais", como se verá.

Foi nesse processo que a temática da sub-representação das mulheres na política institucional ganhou destaque. A baixa presença das mulheres foi transformada em *problema político* pelas lutas dos movimentos de mulheres e feministas. A história do exercício masculino de influência no espaço público institucional, isto é, a história da larga sobrerrepresentação dos homens, amparada na dualidade entre a esfera pública e a esfera privada, possibilita que a reprodução dessa assimetria seja naturalizada, ainda que isso se dê em contextos de mudanças nos regimes de participação e de reconfiguração das relações de gênero. Nessa dimensão das desigualdades, passa-se algo semelhante ao que ocorre na divisão sexual do trabalho, já discutida. Quando a contestação das mulheres não ganha espaço no debate público mais amplo, a responsabilização desigual e a atribuição desvantajosa de responsabilidades e competências podem aparecer como um segundo tipo de natureza.

Também por isso o período de transição, entre os anos finais da década de 1970 e a aprovação da nova Constituição, em 1988, foi significativo para os

---

24 Sonia E. Alvarez, *Engendering Democracy in Brazil*, cit., e "Latin American Feminisms 'Go Global'", cit.

25 Idem, "Latin American Feminisms 'Go Global'", cit., p. 296.

movimentos feministas e de mulheres. Sua atuação na construção de organismos de políticas para mulheres inseriu a temática no espaço estatal de forma mais direta, com a criação de conselhos estaduais e do Conselho Nacional dos Direitos das Mulheres (CNDM), que resultou da atuação de grupos feministas e surgiu como proposta específica no VII Encontro Nacional Feminista, em Belo Horizonte (MG), em 1985[26].

Vinculado ao Ministério da Justiça, o CNDM respondia, no entanto, à Presidência da República. Tinha como finalidade promover, em âmbito nacional, políticas para a eliminação da discriminação contra a mulher, "assegurando-lhe condições de liberdade e de igualdade de direitos". Entre suas competências estavam a formulação de políticas para a "eliminação das discriminações que atingem a mulher", a assessoria ao poder Executivo e a proposição de medidas "nas questões que atingem a mulher", além da sugestão de projetos de lei à Presidência, fiscalização e exigência de cumprimento de legislação, realização de convênios, análise de denúncias e manutenção de "canais permanentes de relação com o movimento de mulheres, apoiando o desenvolvimento das atividades dos grupos autônomos, sem interferir no conteúdo e orientação de suas atividades" (Lei n. 7.353, de 1985), expondo linguagens e preocupações presentes nos feminismos brasileiros naquele momento. O conselho foi composto por mulheres que representavam diferentes setores dos movimentos feministas, como Rose Marie Muraro e Lélia Gonzalez, e teve à frente, inicialmente, a atriz e deputada estadual Ruth Escobar, a primeira a presidi-lo, e a socióloga Jacqueline Pitanguy, que presidiu o conselho no período da Constituinte. As temáticas nas quais o Conselho atuava também expunham a conexão

[26] Esses encontros vinham sendo realizados anualmente desde 1979, quando do I Encontro Nacional Feminista em Fortaleza (CE). Entre 1979 e 1985, foram abrigados nas reuniões anuais da Sociedade Brasileira para o Progresso da Ciência (SBPC). Tiveram periodicidade anual até 1989, tendo ocorrido posteriormente em 1991, 1997, 2000 e 2004. A organização dos grupos em arenas específicas, ao longo dos anos 1980 e 1990, também resultou no I Encontro Nacional de Mulheres Negras, que ocorreu em Valença (RJ), em 1988; no I Encontro Nacional de Mulheres Trabalhadoras Rurais, em São Paulo (SP), no ano 1995; e no I Seminário Nacional de Lésbicas, que aconteceu no Rio de Janeiro (RJ), em 1996. Vale observar que em julho de 2004, ano do último encontro, realizou-se a I Conferência Nacional de Políticas Públicas para Mulheres, que contou com 1.800 delegadas e mais de 2 mil participantes. Foi seguida das conferências de 2007, 2011 e 2016, de que voltarei a falar. Entre 1979 e 2016, é possível acompanhar as mudanças nas estratégias e nos padrões de atuação, bem como a multiplicação de movimentos, organizações e pautas, com atenção crescente à diversidade entre as mulheres.

com campanhas e protestos realizados por grupos organizados de mulheres desde os anos 1970 e a interface com movimentos atuantes nos anos 1980.

Nesse sentido, a ação que culmina nas campanhas "Constituinte para valer tem que ter palavra de mulher" e "Constituinte para valer tem que ter direitos de mulher", capitaneadas pelo CNDM, expõe um modo de articulação de diferentes dimensões da atuação política feminista, diante de constrangimentos advindos do caráter masculino do Judiciário, dos partidos e do funcionamento do campo político. Naquele momento, o autoritarismo dos anos da ditadura não estava sendo propriamente superado, mas atualizado em novas formas do conservadorismo, sem dúvida matizadas pelas pressões que, com a transição, ganhavam maior presença no debate político. O grupo que atuou diariamente junto ao Congresso e ao Executivo, em ações de *advocacy*[27], firmou uma agenda de direitos na Assembleia Constituinte e trabalhou para que houvesse alguma identidade na atuação política das 26 mulheres para ela eleitas. Elas eram pouco mais do que 5% do total de parlamentares, vinculadas a oito partidos diferentes e, na maioria, não tinham identificação prévia com as pautas feministas. Justamente por serem minoritárias em ambiente largamente masculino é que essa identidade na ação foi crucial, ampliando a efetividade de sua atuação ao menos naquelas temáticas que puderam ser assumidas como pautas comuns, apesar das diferenças ideológicas e partidárias[28].

Essa articulação contou com os conselhos estaduais e municipais criados a partir de 1982, com organizações de trabalhadoras rurais, empregadas domésticas, trabalhadoras das centrais sindicais (CGT e CUT), associações profissionais, grupos feministas e movimentos sociais de todo o país. No fim de 1986, o Encontro Nacional Mulher e Constituinte reuniu centenas de mulheres de diferentes regiões do país em Brasília, na Câmara dos Deputados. Nele, foi aprovada a "Carta das mulheres aos constituintes", que seria entregue em março de 1987 ao deputado Ulisses Guimarães, que presidia a Assembleia Constituinte, e às Assembleias Legislativas nos estados. A "Carta" é um documento representativo da radicalidade e da abrangência das demandas encampadas naquele momento. Seu preâmbulo prometia desobediência civil, ainda que indiretamente, por meio da citação de palavras de Abgail Adams, defensora dos direitos das mulheres nos Estados Unidos no século XIX e esposa do segundo

---

[27] Jacqueline Pitanguy, "Mulheres, Constituinte e Constituição", cit., p. 20.

[28] Céli Pinto, *Uma história do feminismo no Brasil* (São Paulo, Fundação Perseu Abramo, 2003), p. 74.

presidente estadunidense, John Adams: "Se não for dada a devida atenção às mulheres, estamos decididas a fomentar uma rebelião e não nos sentiremos obrigadas a cumprir leis para as quais não tivemos voz nem representação". Nos seis eixos específicos em que foram organizadas as reivindicações – família, trabalho, saúde, educação e cultura, violência, questões nacionais e internacionais –, os problemas de gênero apareciam entrelaçados aos de classe, raça e sexualidade, com atenção à propriedade de terra no campo, aos direitos trabalhistas e a exigências específicas de acesso universal à saúde e à seguridade.

A defesa da autonomia sexual e reprodutiva, incluída sob a temática da saúde, levantava duas das pautas principais dos movimentos naquele período: a proibição de que Estado e empresas multinacionais atuassem para reduzir a natalidade de forma discriminatória e, de modo complementar, a demanda pela garantia ao direito das mulheres a controlar autonomamente sua capacidade reprodutiva. Do Estado, esperava-se o reconhecimento da "função social" da maternidade e da paternidade, garantindo "os meios necessários à educação, creche, saúde, alimentação e segurança de seus filhos" e a oferta de "condições de acesso gratuito aos métodos anticoncepcionais", assim como de informações para o planejamento autônomo da vida reprodutiva pelas mulheres.

Ao mesmo tempo, embora as palavras "sexualidade" e "aborto" não tenham sido utilizadas, a problemática do direito ao corpo aparecia no item que registrava que "será garantido à mulher o direito de conhecer e decidir sobre seu próprio corpo" e no item que demandava "garantia de livre opção pela maternidade, compreendendo-se tanto a assistência ao pré-natal, parto e pós-parto, como o direito de evitar ou interromper a gravidez, sem prejuízo para a saúde da mulher". Essa pauta estava situada em uma perspectiva mais ampla sobre o direito à saúde, que reivindicava um Sistema Único de Saúde com gestão comunitária e programas de Assistência Integral à Saúde da Mulher, "independentemente de sua condição biológica de procriadora". Defendia, ainda, que essas políticas contassem com a participação de mulheres em sua formulação e implementação, fazendo eco ao debate apresentado no capítulo 4 sobre a autonomia das mulheres e as barreiras ao controle da natalidade por agências nacionais e estrangeiras.

O chamado Lobby do Batom, capitaneado pelo CNDM, resultou na apresentação de trinta emendas sobre os direitos das mulheres, "englobando praticamente todas as reivindicações do movimento feminista"[29]. Além disso, entre

[29] Idem.

as 122 emendas populares apresentadas à Assembleia Constituinte[30], quatro versavam sobre direitos para as mulheres, duas delas exigindo garantias no âmbito do direito à saúde e dos direitos reprodutivos. A mais polêmica, a Emenda Popular n. 65/1987, falava explicitamente do direito ao aborto, associado à ampliação de garantias para o direito à maternidade e o direito à saúde. Procurava, assim, garantir o direito de gestar e ser mãe com segurança, o direito a evitar a concepção e o direito a interromper a gestação até noventa dias após seu início. A justificativa afirmava que o exercício do direito de escolha era essencial às mulheres e que a maternidade deveria ser tratada ao mesmo tempo como função social e opção individual, mencionando as consequências dos abortamentos clandestinos. De autoria do Coletivo Feminista Sexualidade e Saúde, da União das Mulheres de São Paulo e do Grupo Nós Mulheres do Rio de Janeiro, essa emenda, que foi subscrita por 32.995 eleitoras e eleitores, gerou reações contrárias ao direito ao aborto entre parlamentares constituintes, nos discursos de mulheres e homens em Plenário.

A ação conjunta da bancada feminina findava quando o tema era o aborto. Esse tópico tem sido, desde então, um dos limites na construção de uma agenda comum entre as mulheres parlamentares nas temáticas "específicas" – nas gerais, que dizem respeito ao papel do Estado, ao trabalho e à seguridade, para dar alguns exemplos importantes nos embates atuais, não há algo a que se possa dar o nome de agenda comum das mulheres. Mais de duas décadas depois, em 2013, quando a bancada feminina ganhou um novo *status* institucional na Câmara dos Deputados, com representação no Colégio de Líderes e criação da Secretaria da Mulher, o aborto continuava sendo um limite para a ação conjunta das parlamentares, enquanto as ações contrárias à violência e por "mais mulheres na política" permitiram alianças entre mulheres de diferentes posições sociais, ideológicas e partidárias[31].

Nesse sentido, voltando ainda à Constituinte, a Emenda "Direitos da Mulher", de n. 20/1987, era mais palatável, embora também tratasse dos direitos sexuais e reprodutivos e contivesse pautas que punham em xeque não apenas as hierarquias de gênero, mas as desigualdades de acesso à propriedade e de garantias de direitos

---

[30] Foram analisadas 83 emendas, as demais foram eliminadas por não cumprirem requisitos regimentais.

[31] Maíra Kubík T. Mano, "Contradições e limites da bancada feminina na Câmara dos Deputados: uma análise da 54a Legislatura (2011-2014)", *XL Encontro Anual da Anpocs*, Caxambu, 2016.

para mulheres e homens. De autoria da Rede Mulher-SP, Serviço de Informação da Mulher-MS e SOS Corpo-PE, a emenda, que contou com 42.444 subscrições, exigia a eliminação de qualquer discriminação da carta constitucional, a proibição de diferenças salariais "por motivo de sexo, cor ou estado civil" e a garantia de direitos em diversas frentes: licença-maternidade e licença-paternidade; saúde pública com atendimento integral à mulher em qualquer fase da vida; igualdade na família e reconhecimento, pelo Estado, da função social da maternidade e da paternidade; liberdade e acesso a informações para o planejamento familiar; e garantia de reforma agrária com direito de mulheres e homens à titularidade da terra. As justificativas mencionavam a "dupla opressão" sofrida pelas mulheres e faziam uma crítica direta à "subordinação da mulher ao homem" e à "inferioridade da mulher em relação ao homem na partilha das responsabilidades do lar e no cuidado dos filhos e em relação a participação social e política".

As demais emendas dispunham sobre o acesso das mulheres à aposentadoria. A Emenda n. 19/1987, apresentada por associações de bairro da Bahia e pela Associação de Mulheres de Cosme de Farias e subscrita por 132.528 eleitoras e eleitores, tinha como objetivo assegurar o direito das donas de casa à aposentadoria, mediante contribuição ao sistema de seguridade social. Além da contribuição dessas trabalhadoras para a renda familiar e para uma "economia invisível", porque ignorada pelas estatísticas, a justificativa à emenda definia esse direito como "medida reparadora" para mulheres que tiveram "suas atividades profissionais suprimidas por causa dos serviços desenvolvidos no recesso do lar". Não havia, nesse caso, um questionamento direto da divisão sexual do trabalho, mas uma proposta que procurava reduzir a vulnerabilidade das mulheres *dada essa divisão*. Por fim, a única entre as quatro emendas que versavam sobre os direitos das mulheres que não se originou de movimentos de mulheres ou feministas, a Emenda Popular n. 23/1987, subscrita por 32.040 eleitores e eleitoras, por um senador e uma senadora, pretendia estabelecer a aposentadoria integral para a mulher após 25 anos de contribuição, tema em disputa no momento em que este livro foi finalizado, quando tramitava no Congresso uma proposta de alteração no acesso à aposentadoria que, se aprovada, aumentará o tempo de contribuição necessário para que as mulheres se aposentem[32].

---

[32] Flávia Biroli, "A PEC 247 contra as mulheres", *O blog do Demodê*. Disponível em: <grupo-demode.tumblr.com/post/157581196902/reforma-da-previd%C3%AAncia-a-pec-287-contra-as>; acessado em: jul. 2017.

Algumas das reivindicações presentes nas emendas das parlamentares e nas emendas populares foram incluídas na Constituição de 1988, que equiparava mulheres e homens em direitos e obrigações (Artigo 5º, I), definindo um novo patamar constitucional – algo que, entendo, estabeleceria limites às investidas posteriores contra os direitos das mulheres. Alguns dos pontos que merecem destaque, além da equiparação ampla de direitos e deveres, são a proibição de diferenças salariais por razão de sexo, idade, cor ou estado civil, a previsão de licença-maternidade e licença-paternidade sem prejuízo salarial ou de emprego, a inclusão de trabalhadores e trabalhadoras rurais na Previdência Social, o direito das mulheres presidiárias a manter seus filhos junto de si no período de amamentação e a titularidade de domínio e concessão de propriedade para mulheres e homens independentemente do estado civil.

A igualdade no casamento e o direito ao planejamento familiar como "livre decisão do casal" também foram previstos no Artigo 226 da Constituição, mas a temática do aborto ficou restrita à Emenda n. 65/1987 e, por um recuo do próprio CNDM e pela falta de consenso entre as mulheres parlamentares, não foi discutida. Além disso, os debates para a garantia da licença-maternidade e licença-paternidade esbarraram nos limites impostos pelos interesses dos empregadores e na visão sexista do cuidado que predominava na casa. A demora na regulamentação de dispositivos da licença de 120 dias para as mulheres e a previsão da licença-paternidade de apenas 5 dias são efeitos da prevalência de uma lógica convencional, que dificulta a institucionalização do compartilhamento das responsabilidades pelo cuidado entre mulheres, homens e a coletividade. Se esse ponto pode ser atribuído às convenções de gênero, sua conexão com os interesses de classe fica clara em outra matéria: a equiparação dos direitos e dos benefícios das trabalhadoras domésticas aos de outras categorias de trabalhadoras e trabalhadores, que foi apenas parcialmente incorporada. Quase três décadas se passariam até que se transformasse em lei com a regulamentação, em 2015, da chamada PEC das Domésticas (72/2013).

Considerando-se a posição das mulheres, que são ainda as principais responsáveis pelo trabalho doméstico e pelo cuidado das pessoas mais vulneráveis, e, em especial, a posição das mulheres negras, que estão à frente das unidades domésticas de menor renda e são maioria entre a camada mais empobrecida da população, a incorporação do entendimento de que o trabalho é um direito social e as provisões para a seguridade na Constituinte são de especial importância[33]. Marcas de uma visão democratizante do cuidado estariam presentes, posteriormente, na Lei Orgânica de Assistência Social (Lei n. 8.742/1993), no Estatuto da Criança e do Adolescente (Lei n. 8.069/90), no Estatuto do Idoso (Lei n. 10.741/2003) e no Programa de Complementação ao Atendimento Educacional às Pessoas Portadoras de Deficiência (Lei n. 10.845/2004).

De fato, é perceptível uma série de efeitos da participação das mulheres, desde a criação do CNDM, em 1985, até a participação dos movimentos organizados na Constituinte e seus efeitos na Constituição de 1988. Do mesmo modo, a institucionalização da agenda feminista em duas frentes prioritárias nas lutas dos anos 1980 – o combate à violência (nas delegacias da mulher, criadas a partir de 1985, e nos conselhos de direitos das mulheres ou da "condição feminina", em estados e municípios) e a defesa de políticas para a saúde das mulheres (na criação, em 1983, do Programa de Assistência Integral à Saúde da Mulher, o Paism) – pode ser vista como indicador de "uma participação efetiva das mulheres no cenário da política, que as análises que se limitam a estudá-la por intermédio de resultados eleitorais não permitem vislumbrar"[34]. Esses "passos para dentro do Estado"[35] possibilitam, ainda, compreender como os movimentos e suas representantes lidaram com resistências a suas pautas no âmbito estatal, algo que se deu de modo conflitivo, mas também por meio de ajustes e acomodações.

Em 1989, menos de um ano depois da aprovação da Constituição, o recém-empossado ministro da Justiça levou à renúncia coletiva as integrantes do CNDM, que foram substituídas por um grupo distante dos movimentos feministas. No início dos anos 1990, o conselho foi, na prática, desarticulado[36]. Segundo Jacqueline Pitanguy, que presidiu o CNDM entre 1986 e 1989, o desmonte do conselho remonta a conflitos ocorridos na segunda metade dos anos 1980, em torno de eventos que expõem, mais uma vez, a amplitude e a radicalidade das pautas dos movimentos e o modo como, ainda que ajustadas, tais pautas penetraram no "feminismo de Estado" do período[37]. O primeiro evento foi o lançamento do livro *Violência contra mulheres e crianças no campo*,

---

33 Idem.

34 Céli Pinto, *Uma história do feminismo no Brasil*, cit., p. 95.

35 Jacqueline Pitanguy, "Mulheres, Constituinte e Constituição", cit., p. 20-1.

36 Fabrícia Faleiros Pimenta, *Políticas feministas e os feminismos na política: o Conselho Nacional dos Direitos da Mulher (1985-2005)* (Tese de Doutorado em História, Brasília, UnB, 2010).

37 Jacqueline Pitanguy, "Mulheres, Constituinte e Constituição", cit., p. 27-9.

resultado de trabalho conjunto do CNDM e do Ministério da Reforma Agrária, que também sofria pressões e passava por desmonte naquele momento. Ressalto que a temática da violência aparecia, aqui, associada à da exploração do trabalho e à da propriedade da terra, o que a tornava menos palatável do que a luta contra agressões e assassinatos no âmbito doméstico e conjugal. Embora tenham existido, e existam ainda, enormes dificuldades para transformar em resultados efetivos a luta contra a violência que atinge as mulheres, sua inclusão no debate público e em normas de âmbito nacional e transnacional atesta o sucesso dos movimentos feministas em pautar a violência dentro de certos enquadramentos e limites[38], tensionados pela tematização da violência no campo.

O segundo evento apresenta uma dinâmica semelhante ao trazer o racismo para o centro dos debates em 1988, quando foram celebrados os cem anos da abolição da escravatura. Numa perspectiva crítica, a Comissão da Mulher Negra do CNDM, em vez de adotar atitude celebratória, organizou a campanha "Mulher negra, 100 anos de discriminação, 100 anos de afirmação", que incluía um ciclo de debates e, ao final, um tribunal performático – composto pela Pastoral da Terra, pela Anistia Internacional e pela Ordem dos Advogados do Brasil (OAB) –, para o qual o conselho tentava viabilizar a vinda de Winnie Mandela. O relato feito por Pitanguy sobre a reação do então ministro da Justiça, Paulo Brossard, mostra os termos em que se deu: "Ele dizia que o CNDM era subversivo porque, se no Brasil não existia discriminação racial, como um órgão de governo ia criar um tribunal fictício para tratar dessas questões?"[39].

Apesar do recuo durante a Constituinte, o terceiro elemento das tensões relatadas, que permaneceria expressivo nas disputas posteriores, é o direito ao aborto[40]. Foram fortes as resistências enfrentadas pelas ações para que o aborto fosse debatido no Congresso, para a inclusão mais direta dos direitos reprodutivos na implementação do Programa de Assistência Integral à Saúde da Mulher

---

[38] Jules Falquet, *Por las buenas o por las malas*, cit.; Monserrat Sagot, "Un paso adelante y dos atrás? La tortuosa marcha del movimiento feminista en la era del neointegrismo y del 'fascismo social' en Centroamérica", em Alba Carosio (org.), *Feminismo y cambio social en América Latina y el Caribe* (Buenos Aires, Clacso, 2012).

[39] Jacqueline Pitanguy, "Mulheres, Constituinte e Constituição", cit., p. 28.

[40] O recuo nessa temática, que foi eliminada das demandas do CNDM à Assembleia Constituinte, foi justificado pelo risco de que os grupos conservadores se articulassem para incluir na Constituição a proibição do aborto (ibidem, p. 40), nos moldes do projeto de lei em tramitação hoje na Câmara dos Deputados (PL 478/2007, o chamado Estatuto do Nascituro, PEC 164/2012 e PEC 29/2015).

(Paism) e nas plataformas eleitorais da disputa presidencial de 1989. Em conjunto, as reações mostram que a relativa porosidade dos anos iniciais da transição e do primeiro governo civil se reduzira e que os setores conservadores, em seu reagrupamento, aumentavam a espessura das barreiras para a ação das feministas no âmbito estatal. Esse setor não era constituído por um "bloco monolítico", mas se ajustava estendendo ou estreitando o "leque de alianças", conforme a pauta em questão[41]. Também não se tratava de um conservadorismo específico, isto é, de uma reação à pauta de gênero isoladamente. Foi na conexão entre a implementação de políticas neoliberais e o conservadorismo nas pautas de gênero, raciais e da sexualidade que se deu o desmonte do CNDM, o que me leva a situá-lo no contexto mais amplo de cortes e privatizações do período – de desmonte do Estado, portanto, a partir do início do governo de Fernando Collor de Melo, em 1990.

Nesse ambiente, as eleições de 1994, que poderiam ser uma nova janela para a atuação dos movimentos junto ao Estado, redundaram em tentativas frustradas de ação. A reativação do CNDM no governo de Fernando Henrique Cardoso (PSDB), ocorrida em 1995, não foi contemplada com um orçamento que permitisse estruturar o conselho; além disso, o quadro de conselheiras foi composto sem diálogo algum com os movimentos. Apenas em 2003, após a eleição de Luiz Inácio Lula da Silva (PT) e a criação da Secretaria Especial de Políticas para Mulheres (SPM), foi que se definiriam novos patamares para a atuação dos movimentos feministas no âmbito federal. Justamente nesse período, intensificou-se a atuação de representantes desses movimentos em conferências internacionais. O protagonismo que assumiram na Conferência Internacional sobre População e Desenvolvimento (Conferência do Cairo), em 1994, e na IV Conferência Mundial sobre a Mulher da Organização das Nações Unidas (Conferência de Pequim), em 1995, não corresponderia a recursos na atuação estatal.

A Conferência de Pequim revelou a multiplicação e a organização dos movimentos, assim como as tensões presentes no próprio campo feminista[42]. A ambivalência criada pela a expansão da pauta à noção de gênero e pelo recurso à *expertise* de muitas feministas, em um processo de incorporação dos projetos de desenvolvimento e combate à pobreza à agenda hegemônica, também tem sido apresentada como uma questão importante nesse momento.

---

[41] Ibidem, p. 27.

[42] Sonia E. Alvarez, "Latin American Feminisms 'Go Global'", cit.

"Despolitizada e tecnocratizada", a noção de gênero passou a figurar no "receituário neoliberal de muitos governos latino-americanos e instituições intergovernamentais no pós-Consenso de Washington"[43]. A agenda mais radical dos feminismos latino-americanos pôde, assim, ser transfigurada em pautas como a do "empoderamento das mulheres"[44]. Isso se deu justamente no contexto de maior incorporação das pautas de gênero em organismos internacionais, como a própria ONU, enquanto no âmbito nacional se dava a "onguização" dos movimentos, que permitia a captação de recursos nesse novo ambiente. Surgiram, assim, ONGs com atuação significativa na promoção da agenda feminista e LGBT, no âmbito jurídico e legislativo, sobretudo em três frentes: direitos reprodutivos, direitos sexuais e violência[45].

Foi também nos anos 1990 e no processo de mobilização na esfera internacional que se criou uma das principais coalizões feministas de abrangência nacional, a Articulação de Mulheres Brasileiras (AMB), fundada em 1994, segundo documentos da própria organização, "para coordenar as ações dos movimentos de mulheres brasileiras com vistas à sua consolidação como sujeito político" na Conferência de Pequim. A história da AMB é, de certo modo, a história desse cenário complexo de que venho tratando. Ela tem atuado nas esferas internacional e nacional, participando formalmente de processos políticos, com presença em conselhos e conferências. Ao mesmo tempo, atua na potencialização e na organização dos movimentos, de marchas e protestos, e apresenta uma agenda radical de luta antirracista e anticapitalista conectada à agenda de luta das mulheres e da população LGBT. "Democratização

---

43 Idem, "Para além da sociedade civil: reflexões sobre o campo feminista", *Cadernos Pagu*, n. 43, 2014, p. 30.

44 Jules Falquet, *Por las buenas o por las malas*, cit., p. 121.

45 Entre elas estão o Observatório de Políticas de Aids, de 1987, que daria lugar posteriormente ao Observatório de Sexualidade e Política, de 2002; Cepia, de 1990; Themis, de 1993; e Anis – Instituto de Bioética, de 1999. Outra organização de destaque, o CFemea (Centro Feminista de Estudos e Assessoria), fundado em 1989, segundo seus próprios documentos, com o objetivo de trabalhar pela regulamentação dos direitos conquistados na Constituição de 1988, após a renúncia coletiva do CNDM no mesmo ano, realiza desde então o acompanhamento da agenda dos direitos das mulheres no Congresso Nacional, colaborando para divulgar para os movimentos o que ali se passa. Também no fim dos anos 1980, em 1988, foi criada uma das principais organizações de mulheres negras do país, o Geledés – Instituto da Mulher Negra. Entre essas organizações, é a única que põe o racismo no topo da agenda, definindo-se como "organização da sociedade civil que se posiciona em defesa de mulheres e negros por entender que esses dois segmentos sociais padecem de desvantagens e discriminações no acesso às oportunidades sociais em função do racismo e do sexismo vigentes na sociedade brasileira".

radical do Estado no Brasil", "controle social da população em todos os níveis de governo", "igualdade de direitos e boas condições de vida para as mulheres, garantindo solidariedade e promovendo justiça social, econômica e ambiental, contrapondo-se à perspectiva neoliberal nos processos de desenvolvimento da economia capitalista na região", são pontos enunciados como objetivo permanente da organização[46].

Em 2000, seria fundada a Marcha Mundial de Mulheres, originada do movimento "2.000 razões para marchar contra a pobreza e a violência". O destaque conjunto à pobreza e à violência é significativo. Segundo os documentos disponíveis, a Marcha defende "a visão de que as mulheres são sujeitos ativos nas lutas pela transformação de suas vidas e que essa luta está vinculada à necessidade de superar o sistema capitalista patriarcal, racista, homofóbico e destruidor do meio ambiente"[47]. É certo que um referencial programático radical não garante radicalidade na atuação efetiva, dadas as restrições que se apresentam quando as mulheres participantes desses movimentos atuam no âmbito estatal e nas organizações internacionais, em situações nas quais pesa também o acesso a financiamentos que contribuem para a viabilidade e a longevidade das organizações. Tal referencial pode, no entanto, modular ações e incidir sobre as esferas formais de participação, o que ajuda a explicar a radicalidade da agenda das conferências realizadas no período.

Com a redemocratização, as fronteiras entre a atuação no âmbito estatal e o ativismo dos movimentos se tornaria mais porosa, devido aos novos dispositivos de participação[48]. A "permeabilidade inédita do Estado"[49] com a chegada do Partido dos Trabalhadores (PT) ao governo federal em 2003 abriria um novo capítulo na relação entre os movimentos feministas e o Estado, numa história que ainda está por ser contada no momento em que finalizo este livro. O PT tem nos movimentos sociais – incluídos aí os movimentos feministas e de mulheres – uma de suas bases históricas, o que explica a intensificação da

---

[46] Ver a página eletrônica da Articulação de Mulheres Brasileiras, disponível em: <articulacaodemulheres.org.br/historia/>; acessada em: 1º ago. 2017.

[47] Ver a página eletrônica da Marcha Mundial de Mulheres, disponível em: <marchamulheres.wordpress.com/>; acessada em: 1º ago. 2017.

[48] Adrian Lavalle e José Szwako, "Sociedade civil, Estado e autonomia: argumentos, contra-argumentos e avanços no debate", *Opinião Pública*, v. 21, n. 1, 2015, p. 157-87.

[49] Rebecca Naeara Abers, Lizandra Serafim e Luciana Tatagiba, "Repertórios de interação Estado-sociedade em um Estado heterogêneo: a experiência na Era Lula", *Dados*, v. 57, n. 2, 2014, p. 325-57.

participação e seus efeitos[50]. Entre estes, destaco a legislação para a equalização dos direitos das trabalhadoras domésticas aos de outros trabalhadores (PEC das Domésticas, 72/2013, regulamentada em junho de 2015) e para a criminalização e o combate à violência contra as mulheres (Lei Maria da Penha, n. 11.340, sancionada em 2006, e Lei do Feminicídio, n. 13.104, sancionada em março de 2015), normas e políticas públicas para a garantia de direitos reprodutivos e de direitos sexuais (Normas Técnicas do Ministério da Saúde, editadas em 2005 e 2011) e a adoção de orientações educacionais e políticas de incentivo para uma socialização mais igualitária (Programa Brasil sem Homofobia, de 2004, e Programa Mulher e Ciência, de 2005). Alguns desses exemplos podem ser utilizados para a reflexão sobre avanços, mas também sobre retrocessos. A oposição conservadora à agenda dos direitos reprodutivos e dos direitos sexuais provocou, inclusive, inflexões em conquistas construídas nas últimas décadas, como a priorização de políticas para a maternidade pelo programa Rede Cegonha, lançado pelo Ministério da Saúde em 2011, em vez da abordagem integral da saúde reivindicada e institucionalizada desde os anos 1980. Algumas das reações produziram o estreitamento e mesmo a suspensão de políticas e campanhas postas em prática, como as que tinham como objetivo a redução da homofobia e a prevenção de doenças entre segmentos específicos, como a juventude LGBT e as prostitutas. Reações posteriores a 2014, quando emergiu a oposição orquestrada à chamada "ideologia de gênero", mostram que, na percepção dos atores conservadores, sobretudo de segmentos religiosos católicos e evangélicos que compunham a base aliada do governo no período, a agenda de gênero teria ganho demasiada centralidade. Institucionalizada em programas e áreas técnicas em ministérios como o da Educação e o da Saúde e incorporada a políticas no âmbito da seguridade, da assistência social e do trabalho, ela teria desafiado o enquadramento conservador da família, da conjugalidade e da sexualidade, sem que correspondesse às opiniões e aos interesses predominantes no Congresso Nacional[51].

---

[50] É algo que ecoa também na participação das mulheres no próprio partido, que em 2011 aprovou a paridade de gênero na direção e a determinação de que sua composição conte com no mínimo 20% de pessoas com menos de 30 anos e 20% de pessoas negras. Ainda que as barreiras permaneçam e não seja possível inferir que as cotas produziram um equilíbrio de forças entre mulheres e homens no partido, a atuação intrapartidária é mais uma face da participação política das mulheres nos anos recentes.

[51] Fica aberta a questão – ainda não discutida nos estudos de que tenho conhecimento – de saber se a participação de mulheres dos movimentos organizados no Executivo foi nesse período

Um componente que deve ser considerado nessas disputas é o fato de que as articulações, tanto no campo feminista quanto no conservador, se estabeleceram em ambiente internacional, no qual circulam atores e recursos e estabelecem-se as linguagens das contendas atuais. As iniciativas contra a chamada "ideologia de gênero" pipocaram simultaneamente em diferentes países da América do Sul a partir de 2014, compartilhando a mesma terminologia e, em alguns casos, as mesmas imagens e os mesmos documentos. Essa investida, que ganha corpo nos anos recentes, incorporada em propostas legislativas e ativada para bloquear políticas, remonta aos anos 1990. Os embates entre movimentos feministas e setores religiosos conservadores sobre a categoria gênero ocorreram inicialmente no contexto da Conferência de Pequim, em 1995[52]. Depois disso, a reação estaria inscrita em documentos do Vaticano, nos quais os movimentos feministas são percebidos como atores políticos que promoveriam uma ideologia contrária à família[53].

Mais uma vez, o que pode nos ajudar a compreender as disputas é o entendimento de que se trata de um contexto complexo de avanços, modulações e reações. Mencionei antes, a partir das análises de Jules Falquet e Sonia Alvarez, que a incorporação da agenda de gênero nas esferas internacionais, aliada à "onguização" que tornou os movimentos "funcionais", de acordo com os requisitos desse ambiente, enfraqueceu e despolitizou essa mesma agenda. Essa perspectiva apresenta como referência a radicalidade das pautas de enfrentamento com o capitalismo neoliberal, substituídas por noções bastante domesticadas de desenvolvimento, redução da pobreza e empoderamento das mulheres. Da ótica do conservadorismo religioso, no entanto, a noção de gênero foi entendida, no mesmo processo, como disruptiva.

O feminismo teórico e militante chegou ao Vaticano, isto é, foi percebido como ameaça por essa instituição. As reações, orquestradas pela Igreja católica, foram dirigidas às noções de autonomia reprodutiva e à distinção entre sexo e gênero, pelo fato de esta confrontar o binarismo sexual. Mas têm transformado a produção de conhecimento feminista, progressivamente, em alvo preferencial.

---

amplificada pela intensificação do "feminismo difuso" entre as brasileiras. Céli Pinto, *Uma história do feminismo no Brasil*, cit. Essa amplificação pode ter ocorrido no debate público, mas também pode ter fortalecido perspectivas feministas entre as (e os) burocratas.

52 Maria das Dores Campos Machado, "Ideologia de gênero", cit.

53 Mónica Cornejo-Valle e J. Ignacio Pichardo, "La ideología de género frente a los derechos sexuales y reproductivos: el escenario español", *Cadernos Pagu*, n. 50, 2017.

É nesse ponto que se situam as investidas contra a "ideologia de gênero" nas escolas e contra pesquisadoras feministas nas universidades. No Brasil, a aliança entre o movimento Escola sem Partido e os setores religiosos investe contra professoras e professores, na tentativa de proibir qualquer debate sobre desigualdades de gênero e análises posicionadas da realidade social[54]. Mas é possível compreender o padrão atual das investidas no país também como reação à participação das mulheres e à atuação feminista no âmbito estatal, em um contexto que teve como componente a campanha marcadamente misógina contra a primeira mulher a exercer a presidência da República no país[55]. Também nesse caso, trata-se de uma dinâmica de ações, acomodações e reações pontuada por constrangimentos, como dito antes.

Os dispositivos de participação tornaram-se, ao mesmo tempo, uma oportunidade para os movimentos tirarem proveito de um contexto de maior abertura para algumas de suas pautas, um meio de engajamento nas controvérsias públicas correntes, mas também uma forma de restrição da radicalidade de suas agendas, uma vez que os segmentos conservadores tiveram possibilidades de estabelecer seus limites. Podemos considerar que a participação institucional serviu igualmente como forma de legitimação do governo diante dos movimentos, posicionados como "parceiros" menores no âmbito estatal e, como tal, pressionados pelo compromisso com a estabilidade dos arranjos políticos correntes. O peso crescente do conservadorismo moral no Congresso Nacional e nos partidos que compuseram as alianças políticas para a sustentação do governo no período levou a recuos e a compromissos antagônicos à agenda dos movimentos[56]. Mais uma vez, a concentração de recursos para campanhas eleitorais nas mãos de certos grupos – como os religiosos conservadores e os proprietários de terra, já mencionados, mas também a chamada "bancada da bala", que reúne militares, policiais e parlamentares ligados a empresas de segurança privada e à indústria armamentista – implica desequilíbrios no Congresso que incidem sobre a possibilidade de levar adiante as agendas no âmbito do Executivo, uma vez que os governos constituídos

[54] Luis Felipe Miguel, "Da 'doutrinação marxista' à 'ideologia de gênero'. Escola sem Partido e as leis da mordaça no parlamento brasileiro", *Direito & Práxis*, v. 7, n. 3, 2016, p. 590-621; Ana Lúcia Silva Souza et al., *Ideologia do Escola sem Partido* (São Paulo, Ação Educativa, 2017).

[55] Flávia Biroli, "Political Violence against Women in Brazil", cit.

[56] Lia Zanotta Machado, "Feminismos brasileiros na relação com o Estado: contextos e incertezas", *Revista Pagu*, n. 47, 2016.

dependem do apoio parlamentar. A agenda das mulheres e da população LGBT tem sido parte de barganhas nas quais os setores reacionários impuseram sua agenda.

Alguns dos principais avanços no período permitem compreender os diferentes espaços em que as ações dos movimentos tomaram forma e a articulação entre eles. A construção do projeto de lei que se transformaria, em 2006, na Lei Maria da Penha (Lei n. 11.340) é um dos exemplos. Remete às campanhas feministas nas ruas e nos meios de comunicação e à atuação no âmbito estatal contra a violência doméstica e os assassinatos de mulheres desde os anos 1970, ao ativismo no âmbito do Judiciário[57], assim como ao ativismo em espaços transnacionais, que resultou em documentos e compromissos firmados internacionalmente. Entre estes últimos, destacam-se a Convenção sobre a Eliminação de todas as formas de Discriminação contra as Mulheres e a Declaração sobre a Eliminação da Violência contra as Mulheres, aprovadas pela ONU, respectivamente, em 1979 e 1993, e, em especial, a Convenção para Prevenir, Punir e Erradicar a Violência contra as Mulheres, conhecida como Convenção de Belém do Pará, de 1994, elaborada pela Organização dos Estados Americanos (OEA) e ratificada pelo Brasil em 1995.

No que diz respeito à tramitação específica da Lei Maria da Penha, há pelo menos três outros elementos que precisam ser considerados. O primeiro é que, nesse ambiente internacional redefinido, um caso concreto de violência, o de Maria da Penha Maia Fernandes – que havia sofrido tentativas de assassinato e violência física e psicológica sistemáticas sem que o agressor tivesse sido punido – foi levado em 1998 à Comissão Internacional de Direitos Humanos da OEA pela própria vítima, com o apoio de organizações feministas. O segundo é que a responsabilização do governo brasileiro pela OEA, em 2001, acompanhada de recomendações para a elaboração de legislação adequada e reparação à vítima, criou um ambiente propício para o esforço conjunto de movimentos e organizações feministas, que se reuniram para o estudo e a elaboração de

---

[57] Jaqueline Pitanguy descreve as movimentações das mulheres organizadas junto aos tribunais superiores para sensibilizar os ministros. Vê influência dessa movimentação na sentença proferida pelo Superior Tribunal de Justiça (STJ), em 1991, que rejeitou o recurso de um homem que havia sido condenado em primeira instância pelo assassinato da mulher com o argumento de que "o corpo da mulher não é propriedade do homem e [que], portanto, sua honra não pode radicar-se na mulher". Jacqueline Pitanguy, "Mulheres, Constituinte e Constituição", cit., p. 26.

projeto de lei ao menos desde 2002[58]. A forma assumida pelo que viria a ser chamado de consórcio de ONGs feministas, coloca-nos diante da experiência acumulada de ativistas feministas desde os anos 1970 e do surgimento de organizações não governamentais atuantes nos anos 1990[59], algo que mencionei há pouco. A incorporação da agenda de combate à violência no âmbito da Secretaria Especial de Políticas para Mulheres (SPM), criada em 2003, foi também fundamental. O projeto de lei, de iniciativa da Presidência da República, foi apresentado à Câmara dos Deputados pela então ministra da SPM, Nilcéa Freire, e sua tramitação foi acompanhada pelo consórcio de ONGs, nas comissões pelas quais passou, até sua aprovação em 2006[60].

Outro caso interessante para se compreender como os movimentos atuaram nesse período é o da legislação referente aos direitos reprodutivos e, especificamente, ao aborto. Como já foi dito, a agenda do direito à saúde, numa perspectiva que considere a saúde integral da mulher e não a reduza ao papel de mãe, têm sido uma das principais frentes de atuação dos movimentos feministas desde os anos 1970. As ações para promover o direito ao aborto, por meio da descriminalização, mas também de garantias nos casos permitidos por lei (desde 1940, risco de morte da mulher e gestação resultante de estupro e, desde 2012, anencefalia fetal), partem do diagnóstico de que a criminalização é um problema de saúde pública e implica um déficit de cidadania para as mulheres. Embora também nesse caso haja uma longa trajetória de atuação dos

---

[58] Leila Linhares Barsted e Rosane Reis Lavigne, "Proposta de lei de violência doméstica contra as mulheres", *Carta da Cepia*, ano 8, n. 10, 2002, p. 8-9.

[59] Seis ONGs compuseram o consórcio: Advocaci (Advocacia Cidadã pelos Direitos Humanos), fundada em 2001, com agenda de direitos humanos e foco na intervenção nas políticas públicas; Agende (Ações em Gênero, Cidadania e Desenvolvimento), de 1998, voltada para o monitoramento de políticas públicas e *advocacy* feminista; Cepia (Cidadania, Estudo, Pesquisa, Informação e Ação), que, existente desde 1990, teve entre suas fundadoras a socióloga Jacqueline Pitanguy, primeira mulher a presidir o CNDM, atuando, desde então, sobretudo nas áreas de violência, direitos sexuais e direitos reprodutivos; Cfemea (Centro Feminista de Estudos e Assessoria), principal ONG de acompanhamento e *advocacy* feminista junto ao Executivo e ao Legislativo federal, criada em 1989; Cladem (Comitê da América Latina e Caribe para a Defesa dos Direitos das Mulheres), que começou a atuar no Brasil em 1995; e Themis (Gênero, Justiça e Direitos Humanos), que tem se destacado na formação de promotoras legais populares e na capacitação de lideranças populares e operadoras jurídicas, fundada em 1993. Para outras informações, ver Renata Rodrigues Carone, *Como o movimento feminista atua no Legislativo federal? Estudo sobre a atuação do consórcio de ONGs feministas no caso da Lei Maria da Penha* (Dissertação de Mestrado em Ciência Política, Campinas, IFCH-Unicamp, 2017).

[60] Renata Rodrigues Carone, *Como o movimento feminista atua no Legislativo federal?*, cit.

movimentos e muitos documentos internacionais que podem ser mobilizados como recursos na luta política em contexto nacional, as ações transcorrem num ambiente de disputas mais agudas e de maiores restrições do que o enfrentado pela agenda da violência contra as mulheres e da violência doméstica especificamente. Nesse caso, pode-se afirmar que as feministas que atuaram no âmbito estatal para promover avanços, sobretudo no desenho de políticas a partir do Ministério da Saúde, encontraram resistências cotidianas e estiveram em situação bastante delicada, entre, de um lado, os recuos e os vetos estabelecidos pelo governo federal para garantir alianças com os setores conservadores e, de outro, a agenda dos movimentos em que atuavam, nos quais acumularam experiências e realizaram suas trajetórias como ativistas[61].

Há considerável distância entre a agenda levada pelas mulheres ao âmbito estatal, por meio dos dispositivos e espaços de participação institucional, e as leis e as políticas de fato implementadas. Houve, também, uma adaptação dos próprios movimentos, no processo de ampliação de sua participação, mas cresceram em paralelo as reações a isso. Entre a Plataforma Política Feminista, lançada na Conferência de Mulheres Brasileiras ocorrida em junho de 2002, às vésperas da eleição que levaria o PT à Presidência da República, e o Plano Nacional de Políticas para Mulheres de 2013-2015, publicado depois de dez anos de governos petistas, houve um longo caminho e complexões de ações e adaptações. Pode-se dizer que o primeiro é uma carta de compromissos diante da expectativa concreta de maior acesso ao aparato público. Trata-se, assim, do registro da preocupação com a autonomia e a autodeterminação dos movimentos, ecoando as décadas anteriores, e de uma afirmação de independência, que

---

[61] Rebecca Naeara Abers e Luciana Tatagiba entrevistaram feministas que atuaram na área de Saúde da Mulher do Ministério da Saúde entre os anos 2011 e 2014 e lidaram cotidianamente com os efeitos de maiores restrições à temática do aborto e da saúde reprodutiva, à medida que a aliança com setores cristãos reacionários ganhava peso, durante o governo de Dilma Rousseff. A partir desse caso, propõem dois argumentos sobre a atuação de pessoas pertencentes a movimentos sociais no âmbito estatal, que iluminam as especificidades de sua posição em relação a outros atores da burocracia estatal: em primeiro lugar, a sobrevivência de ativistas no cotidiano da burocracia está diretamente ligada aos recursos provenientes das redes de ativismo de que fazem parte, com os quais enfrentam os constrangimentos existentes no âmbito estatal; em segundo lugar, o pertencimento a movimentos implica constrangimentos a sua ação, desta vez em direção distinta (e mesmo oposta) à daqueles que se definem no âmbito estatal, dando sustentação a suas ações e resistências. Ver Rebecca Naeara Abers e Luciana Tatagiba, "Institutional Activism: Mobilizing for Women's Health from Inside the Brazilian Bureaucracy", em Federico M. Rossi e Marisa von Bülow (orgs.), *Social Movement Dynamics: New Perspectives on Theory and Research from Latin America* (Londres, Ashgate, 2015), p. 73-101.

aparece na "crítica ao modelo neoliberal injusto, predatório e insustentável do ponto de vista econômico, social, ambiental e ético". O segundo documento foi elaborado depois de uma década de atuação mais sistemática no âmbito estatal, a partir sobretudo da Secretaria Especial de Políticas para Mulheres da Presidência da República (SPM), criada em 2003. A construção "de dentro" do Estado não implicou alheamento em relação aos movimentos, mas fluxos de informação e adensamento das agendas, em processos por vezes tensos. Trata-se, também, do registro da própria permeabilidade do Estado à agenda feminista, que se deu no trânsito constante entre o trabalho das mulheres na SPM e os espaços de participação institucionalizada, entre os quais destaco os conselhos e as quatro conferências nacionais de Políticas para Mulheres, ocorridas nos anos 2000 (2004, 2007, 2011 e 2016), que reuniram milhares de mulheres em Brasília. São também desse período as Marchas das Margaridas (2000, 2003, 2007 e 2011) – que levaram milhares de trabalhadoras rurais a Brasília e produziram documentos que demonstram a abrangência das reflexões e reivindicações nesse momento – e a Marcha Nacional das Mulheres Negras (2015) – que reuniu mais de 50 mil pessoas na capital do país, segundo os números divulgados então pela Secretaria Especial de Políticas de Promoção da Igualdade Racial (Seppir).

Nesse mesmo contexto, as pautas feministas se amplificaram na atuação de coletivos por todo o país, com participação significativa de mulheres jovens. Às marchas de que falava há pouco, acrescentaria como representativa dos novos influxos a Marcha das Vadias, inspirada na Slutwalk, ocorrida em Toronto, em 2011, em reação à declaração de um policial canadense de que o modo de vestir das mulheres poderia incitar ou evitar estupros. No Brasil, uma primeira marcha ocorreu no mesmo ano, em São Paulo, seguida em 2012 de marchas em 23 cidades[62]. A internet é um fator importante, por possibilitar a criação de blogs, sites e agências de notícias alternativas e por facilitar as conexões entre mulheres e os coletivos de diferentes partes do país. Há, também, uma expressão nada desprezível nos meios de comunicação comerciais, que incorporam (e filtram) o novo "boom" do feminismo no país.

A pluralidade dos feminismos brasileiros acentuou-se ao longo do tempo, aliada a formas de atuação política cada vez menos centralizadas. Por isso, Sonia

---

[62] Carla Gomes e Bila Sorj, "Corpo, geração e identidade: a 'Marcha das Vadias' no Brasil", *Revista Sociedade e Estado*, v. 29, n. 2; maio-ago. 2014, p. 437.

Alvarez propôs que se passasse a falar em "campo(s) discursivo(s) de ação", em vez de movimentos feministas[63]. Na fase atual do feminismo, "o racismo e a desigualdade em geral" seriam articuladores discursivos, em vez da noção enfraquecida de diversidade legada pelos anos 1990[64]. É nessa chave que a autora estabelece o contraste entre o *mainstreaming* dos feminismos dos anos 1990, em sua acomodação ao ideário neoliberal, e o *sidestreaming* que seria característico do conjunto amplo e plural dos "feminismos jovens", dos coletivos de espaços periféricos e universidades, dos núcleos "auto-organizados" em sindicatos e partidos políticos e das expressões da luta anticapitalista entre os movimentos negros e indígenas, em que a crítica anticolonial é ativada e constitui novas referências. Opto, aqui, pelo entendimento de que os movimentos se multiplicam e operam com diferentes padrões organizacionais e de expressão pública.

Acompanhando a caracterização da esfera pública feita por Nancy Fraser[65] em sua crítica a Habermas[66], entendo que suas fronteiras e suas hierarquias se desenham a partir da interação conflitiva entre diferentes públicos. A noção de contrapúblicos subalternos, mobilizada pela autora, pode ser útil para a compreensão da atuação política dos movimentos feministas no Brasil. Os contrapúblicos subalternos tomariam forma em "arenas discursivas paralelas onde membros de grupos sociais subordinados inventam e circulam contradiscursos para formular interpretações antagonistas de suas identidades, seus interesses e suas necessidades"[67]. Trata-se, ainda, de públicos que emergem em resposta a exclusões. Sua conformação apresenta, assim, caráter contestatório à configuração hegemônica da esfera pública. É por essa razão e não por alguma característica específica desses grupos que sua atuação pode levar à expansão do espaço discursivo, apresentando potencial emancipatório por colocar em cena corpos, experiências, problemas, interesses e necessidades que foram forçados ao silêncio ou estigmatizados. É, entendo, algo que vem

---

63 Sonia E. Alvarez, "Para além da sociedade civil: reflexões sobre o campo feminista", cit.

64 Ibidem, p. 37.

65 Nancy Fraser, "Rethinking the Public Sphere: A Contribution to the Critique of Actually Existing Democracy", em Craig Calhoum (org.), *Habermas and the Public Sphere* (Cambridge, The MIT Press, 1992).

66 Jürgen Habermas, *Mudança estrutural da esfera pública: investigações sobre uma categoria da sociedade burguesa* (trad. Denilson Luís Werle, São Paulo, Editora da Unesp, 2014 [1962]). Fiz referência a essa discussão antes, no capítulo 3, ao tratar da reconfiguração das famílias e da privacidade na modernidade europeia.

67 Nancy Fraser, "Rethinking the Public Sphere", cit., p. 123.

ocorrendo no Brasil, crescentemente, desde os anos 1970, se pensamos nos corpos e nas experiências de mulheres, de negras e negros, de gays, lésbicas, transexuais e travestis. A expansão do espaço discursivo é, em minha compreensão, um elemento sem o qual não podem ser explicadas as reações conservadoras de grupos organizados – nem talvez o "conservadorismo difuso" do presente. Trata-se de uma reação casada a essa expansão e à atuação dos movimentos e de suas representantes no âmbito estatal: o que se reconhece e, ao mesmo tempo, se questiona é a influência de novas perspectivas sobre o mundo, o cotidiano e o Estado. A ambivalência do conservadorismo reacionário está em reconhecer e dar destaque à materialização, na vida social, de perspectivas que quer caracterizar como "meramente ideológicas".

A visibilização dos contrapúblicos, no entanto, não implica nenhum tipo de romantismo. Os diferentes públicos estão situados em um mesmo ambiente, estruturado por regras que colocam alguns deles em desvantagem, impondo obstáculos à sua atuação. A efetividade dessa atuação é comprometida quando eles se mantêm na condição de "públicos fracos", que podem produzir opiniões e engajar pessoas, mas obtêm efeitos restritos por não atuarem em espaços decisórios[68]. É comprometida também quando, apesar de possibilitarem a interação e a definição de interesses compartilhados internamente a um público, encontram limites na difusão e no engajamento entre públicos mais amplos. Os problemas que assim emergem permitem refletir sobre os padrões de organização e atuação dos movimentos estabelecidos a partir dos anos 1970, mas também sobre o ativismo contemporâneo ou os novos feminismos que emergem no ambiente de trocas e difusão de informações e ideias propiciado pela internet. A multiplicação de coletivos, blogs, revistas e agências de notícia feministas atesta a existência de uma esfera pública plural, em que as controvérsias de gênero são agudas, o feminismo ganha novas formas, e as lutas, novas organizações. Mas multiplicidade e presença nas redes não significa, necessariamente, efetividade.

O fundamental é que a existência de uma diversidade de públicos não implica que estes tenham as mesmas condições de fazer valer suas experiências, politizando-as no debate mais amplo e transformando suas necessidades e seus interesses em normas e políticas. O controle sobre a agenda e a possibilidade que alguns grupos têm de barrar a entrada de temas e perspectivas no debate

---

68 Ibidem, p. 134.

público e nos espaços decisórios continuam sendo um problema central[69]. Alguns exemplos de como os feminismos têm incidido, com limites, na construção da agenda política são as disputas históricas para levar ao debate público temáticas como a violência contra as mulheres, o assédio sexual, a oferta de creches, o direito ao aborto, o exercício da maternidade e os direitos sexuais. Trata-se de temáticas que ganharam prioridade nos movimentos de mulheres e feministas ao longo do tempo, fortalecidas pelo compartilhamento de experiências entre elas, numa dinâmica que evoca a noção de contrapúblicos subalternos. Essa prioridade, no entanto, não é automaticamente transferida para o debate público mais amplo nem para os espaços decisórios, nos quais se definem normas, alocação de recursos e políticas. Constitui-se, assim, um viés de representação não propriamente calcado na ausência de ação política, mas na desigualdade no acesso a recursos para definir o que tem relevância no debate político e para fazer valer, de modo que seja vinculatório para todas as pessoas, interesses coletivos configurados a partir de trocas e ações políticas em outros espaços.

Existe um paralelo entre o grau de permeabilidade do Estado aos interesses populares e o grau de incorporação das pautas feministas na história recente do Brasil. É claro que a conquista de direitos pelas mulheres não se faz, necessariamente, na contramão dos interesses dominantes, como venho discutindo. Pode, por exemplo, haver avanços nos direitos sexuais e reprodutivos e nas exigências de equidade na remuneração de mulheres e homens, enquanto as taxas de exploração do trabalho e a concentração de renda se ampliam, aprofundando desigualdades de raça e de classe. Mas os "picos" da incorporação da agenda feminista e da atuação dos movimentos no âmbito estatal, que ocorreram durante a transição democrática e a elaboração da nova Constituição depois de duas décadas de regime ditatorial e, posteriormente, com a chegada de um partido de centro-esquerda ao governo federal, em 2003, mostram que no caso brasileiro tem havido conexão entre o alargamento da democracia e a participação das mulheres, entre o caráter social do Estado democrático e os passos para a construção de uma sociedade mais igualitária também segundo uma perspectiva de gênero.

Procurei mostrar que a atuação feminista no âmbito estatal precisa ser pensada no contexto de restrições e limitações. Os dois momentos que classifiquei

---

69 Peter Bachrach e Morton Baratz, "Duas faces do poder", *Revista de Sociologia e Política*, v. 19, n. 40, 2011, p. 149-57.

como "picos" foram seguidos por refluxos que acarretariam a redução drástica da porosidade do Estado aos movimentos e a suas agendas. Tratei do desmonte do Conselho Nacional dos Direitos da Mulher entre o fim dos anos 1980 e o início dos anos 1990. Em 2016, 31 anos após a criação do CNDM, a Secretaria Especial de Políticas para Mulheres, aos treze anos de idade, perderia o *status* de ministério e passaria a ser um órgão vinculado ao Ministério da Justiça, num processo representativo do desmonte das estruturas institucionais de combate às desigualdades de gênero e ao racismo em âmbito estatal. A perda de autonomia e de recursos apresenta-se de forma aguda, e a interrupção de políticas sedimentadas nas décadas anteriores se faz ver rapidamente[70]. O refluxo ecoa a crise do CNDM de 1989, uma vez que, agora também, têm sido nomeadas pelo Executivo mulheres sem identificação com os movimentos feministas e, em alguns casos, estreitamente ligadas a grupos conservadores e, portanto, à reação, como é o caso da própria secretária de Políticas para Mulheres, Fátima Pelaes, nomeada após a deposição de Dilma Rousseff.

O golpe parlamentar de 2016 pôs fim aos canais de diálogo entre governo e movimentos feministas que, com diferentes graus de institucionalização e efetividade, existiram desde a transição do regime ditatorial instaurado em 1964, nos anos 1980[71]. A complexidade desse processo exacerba-se porque a ruptura do diálogo com os movimentos ocorreu no momento em que os feminismos tinham ampliado sua presença, de forma capilar, na sociedade brasileira, como discuti aqui. Valores e *slogans* feministas nunca foram tão vocalizados, enquanto os obstáculos históricos para a participação política feminina se aprofundam em reações que contestam a posição das mulheres como sujeitos de direitos e de ação política e o feminismo como campo de luta e de conhecimento.

Nos anos 2016 e 2017, as investidas contra a agenda de gênero deram-se em conjunto com as investidas contra o "pacto solidário" mínimo instaurado na Constituição de 1988. No primeiro caso, os avanços da campanha contra a chamada "ideologia de gênero", o desmonte da SPM e a ausência de mulheres no ministério formado após a deposição de Dilma Rousseff são evidências do fechamento à participação e ao diálogo com os movimentos. No

---

[70] Lourdes Bandeira, "Que vont devenir les actions du Secrétariat de Politique pour les Femmes (SPM) au Brésil?", *Cahier du Genre: Analyse critique et féminismes matérialistes,* hors-série, 2016, p. 243-6.

[71] Ivana Jinkings, Kim Doria e Murilo Cleto, *Por que gritamos golpe?* (São Paulo, Boitempo, 2016).

segundo, destaca-se a redução drástica dos investimentos públicos e dos direitos trabalhistas, assim como a Proposta de Emenda à Constituição 287, em tramitação, que reduz o direito à aposentadoria, apontando para o desmantelamento do arcabouço institucional da seguridade social no Brasil e para a privatização do setor.

Como mencionado, as garantias para as trabalhadoras e o direito à aposentadoria fizeram parte da agenda dos movimentos desde os anos 1970 e tiveram destaque no período da Constituinte. O acesso à Previdência Social e à seguridade é um exemplo das conquistas e das mudanças que assim se estabeleceram, sobretudo se consideradas as trabalhadoras rurais e as parcelas mais pobres da população. A ampliação do acesso à Previdência entre trabalhadoras e trabalhadores rurais foi responsável pela redução da pobreza no campo, expondo o caráter distributivo da legislação[72]. Na área rural, as pessoas começam a trabalhar mais cedo do que na cidade, o trabalho infantil persiste em índices bastante superiores aos das áreas urbanas e há muitos indícios de que as condições de trabalho fragilizam mais a saúde ao longo da vida e reduzem a longevidade[73]. Entre as mulheres, como discuti nos capítulos iniciais deste livro, o tempo dedicado ao trabalho doméstico e de cuidado modula a inserção nas relações de trabalho remunerado que dá acesso a uma série de vantagens, da renda à possibilidade de contribuição para a Previdência. Assim, a dimensão distributiva das regras instauradas com a Constituição de 1988 implica necessariamente o reconhecimento das condições diferenciadas de exercício do trabalho ao longo da vida por trabalhadores e trabalhadoras, de um lado, e por trabalhadores/as urbanos/as e rurais, o que está sendo contestado hoje. Caso aprovada, a proposta corrente (PEC 287) instituirá a exigência de contribuição individual de trabalhadores/as rurais e aumentará a idade para o acesso à aposentadoria, equiparando o trabalho urbano e o rural e a idade mínima para a aposentadoria entre mulheres e homens.

As reações em curso podem desaguar na reprivatização de agendas que foram politizadas desde os anos 1980. Isso significa que experiências, necessidades e

---

[72] Marcelo Galiza e Alexandre Valadares, *Previdência rural: contextualizando o debate em torno do financiamento e das regras de acesso*, Brasília, Ipea, 2016, nota técnica n. 25.

[73] Associação Nacional dos Auditores Fiscais da Receita Federal do Brasil/Departamento Intersindical de Estatísticas e Estudos Socioeconômicos (ANFIP/Dieese), *Previdência: reformar para excluir? Contribuição técnica ao debate sobre a reforma da previdência social brasileira* (Brasília, ANFIP/Dieese, 2017), p. 155-6. Disponível em: <issuu.com/politicasocial/docs/documento_completo>; acessado em: fev. 2017.

interesses de segmentos inteiros da população podem ser despolitizados e definidos como questões pessoais. No limite, esse processo pode anular a legitimidade de suas demandas, ao colocar em xeque a validade de agendas de luta consolidadas. A cidadania vai sendo, assim, redimensionada no sentido oposto ao processo imperfeito, mas significativo, de democratização vivenciado nas últimas décadas. A cruzada "moral" dos grupos conservadores contra a agenda da igualdade de gênero e do respeito às diferenças canaliza as inseguranças das pessoas para as transformações na sexualidade, na conjugalidade e na vida familiar. A ameaça estaria nos valores, na moral. Enquanto isso, a remodelagem do Estado segundo os interesses rentistas, apresentados nas orientações para a "austeridade fiscal", afeta diretamente a alocação dos recursos e a possibilidade de proteção social, sobretudo das mais vulneráveis. No Brasil, a restrição dos gastos públicos em áreas fundamentais, como saúde, assistência social e educação, normatizada por uma Emenda Constitucional aprovada no fim de 2016 com validade de vinte anos, mostra claramente como a democracia vai sendo desmontada, à medida que se retiram do âmbito político democrático as decisões sobre o gasto público. Em conjunto com a redução dos direitos trabalhistas, seu efeito é o aumento da precariedade, lançando sobre as mulheres, mais uma vez, o peso do descuido coletivo com a integridade física e psíquica de cada uma e de cada um.

Espero ter mostrado que os limites à participação política das mulheres e os conflitos em torno das lutas feministas estão longe de ser problemas específicos de um grupo. Trata-se de questões fundamentais para a democracia e seu futuro. A permeabilidade relativa do Estado à atuação das mulheres e à agenda feminista remete a filtros que restringem a participação popular e, hoje, às redefinições dos limites da democracia com o adensamento da lógica econômica neoliberal.

CONCLUSÃO

Décadas de acúmulo de estudos de gênero e a pluralização e a multiplicação dos feminismos definem o ambiente acadêmico e social em que este livro foi escrito. As ambivalências desse contexto, em que a participação das mulheres na sociedade se alterou profundamente, são a matéria sobre a qual me debrucei em todos os capítulos. Há, hoje, mais conhecimento e mais debate, dentro e fora das universidades, mas também reações que têm como objetivo restringir os estudos e a crítica aos padrões correntes de opressão, exploração e violência. Embora o alvo explícito dessas reações sejam os estudos de gênero e os movimentos feministas e LGBT, o embate é com uma sociedade em transformação. Os códigos da moral sexual, a definição dos papéis no cotidiano, a conjugalidade, os vínculos com a comunidade, a organização do tempo de trabalho, do tempo do cuidado, do tempo dos afetos, do tempo de lazer, tudo isso se modificou de uma maneira que afeta profunda – e desigualmente – a vida das pessoas.

Novas instabilidades e novos receios parecem fazer parte do cenário atual. E há, de fato, razões para isso. Estamos lidando com o aprofundamento de uma racionalidade política e econômica – o neoliberalismo – que dilui os laços de solidariedade e torna a vida mais precária. Ao mesmo tempo, os sentidos do feminino e do masculino estão sendo recodificados. As relações de gênero sofreram transformações na vida afetiva, no universo familiar, nas relações de trabalho remunerado e na política. Não existe igualdade nesses espaços, o machismo e a homofobia não foram superados, mas os movimentos feministas, LGBT e antirracistas têm sido capazes de impor suas pautas ao debate público, ampliando as controvérsias onde antes predominavam silêncio e naturalização. Desse modo, põem em xeque visões arraigadas e privilégios. Algumas reações ao horizonte ético da igualdade de gênero remetem à fruição de vantagens corriqueiras, como, por exemplo, ter trânsito em ambientes nos quais os homens se referem a mulheres como complementos ou objetos; desfrutar do tempo de lazer e descanso apoiado na exploração do trabalho das mulheres da casa e de trabalhadoras domésticas mal remuneradas; tomar como norma a heterossexualidade, desvalorizando as pessoas que não vivem de acordo com seus preceitos.

O cinismo dos privilegiados[1] ancora-se na invisibilidade da opressão. Os embates tornaram-se mais agudos justamente porque os feminismos se tornaram mais visíveis e efetivos, o que pode ser tomado como um efeito político de ações e agendas radicais de transformação, mas também como resultado de um processo em que a ordem neoliberal incorporou e transformou, em vez de recusar, as pautas de gênero. Essa é uma das ambivalências no contexto de que trata este livro. Faz sentido, sem dúvida, a crítica à redução da potência política dos feminismos latino-americanos nos anos 1990, quando o "empoderamento" das mulheres e a noção de diversidade passaram a fazer parte dos organismos internacionais e foram *mainstreamed*, para retomar a análise de Sonia Alvarez[2]. Parece importante, no entanto, compreender que esse contexto gerou recursos simbólicos e materiais que permitiram ampliar a visibilidade das injustiças de gênero, com efeitos que não ficaram circunscritos à agenda hegemônica. Nos eventos acadêmicos, no cotidiano das universidades e das escolas, na internet, nos jornais e na mídia de entretenimento, mas também nas reações de setores religiosos e políticos conservadores, "gênero" passou a ser uma noção mobilizada e contestada. Ultrapassou os limites dos livros, dos artigos e dos movimentos e dos encontros feministas e LGBT, chegando ao centro das controvérsias políticas.

Ao mesmo tempo, o acúmulo das lutas e do conhecimento que vêm das mulheres negras, dos movimentos e dos estudos antirracistas, levou à redefinição da agenda acadêmica e da agenda política no campo feminista. Somado aos esforços de feministas socialistas e marxistas e, no Brasil, às experiências de enfrentamento com o regime ditatorial inaugurado em 1964, essas lutas recompuseram problemas, conceitos e a linguagem das análises e das reivindicações por justiça. A tematização do racismo pôs em xeque a ideia de sororidade, isto é, o entendimento de que a opressão das mulheres pelos homens seria definidora das opressões. As hierarquias entre as mulheres e as formas de

---

1 Joan C. Tronto, *Caring Democracy: Markets, Equality, and Justice* (Nova York, New York University Press, 2013.

2 Sonia E. Alvarez, "Para além da sociedade civil: reflexões sobre o campo feminista", *Cadernos Pagu*, n. 43, 2014, p. 13-56.

exploração em que gênero, classe e raça estão conjugados impuseram-se como problemas incontornáveis para a crítica feminista.

Na academia, os estudos de gênero desafiaram os limites das análises da democracia e estão hoje presentes nas mais diversas disciplinas. Também nesse caso, as ambivalências persistem. Na produção de conhecimento, tanto quanto na atuação das mulheres na esfera pública, é cada vez menos adequado falar em exclusão. Mesmo quando recuamos no tempo para pensar a composição do mundo moderno, a ideia de *inclusão em desvantagem* caracteriza melhor a posição da ampla maioria das mulheres. Uma de suas principais facetas é a *subinclusão* de problemas que estão diretamente relacionados à posição das mulheres, em especial das mulheres negras e das mais pobres[3]. Com isso, algumas perspectivas e certos interesses se universalizam, enquanto outros são vistos como específicos. As experiências e os interesses dos homens brancos definem o peso e a amplitude dos problemas que, por sua vez, informam os modelos teóricos com os quais a realidade é analisada. *Naturalmente*, seu olhar para o mundo conforma o próprio mundo.

Assim, é possível que se reconheçam e incorporem abordagens teóricas feministas e o gênero, como uma variável, sem que, necessariamente, as relações de gênero sejam compreendidas como algo que compõe as "dinâmicas básicas de poder"[4]. No campo político, para fazer mais uma vez referência aos conceitos mobilizados por Patricia Hill Collins, a *subinclusão* das mulheres e dos negros também corresponde à *superinclusão* das experiências e dos interesses de uma parcela minoritária da população, o que faz da superação da concentração de poder e de riqueza um desafio fundamental para que se possa produzir inclusão e redefinir os limites das democracias.

Tendo isso em mente, despolitização e privatização continuam sendo questões centrais, crescendo em importância em um contexto político em que o horizonte da democracia é reduzido e amplos espaços da vida são gradualmente colonizados pela lógica econômica concorrencial[5]. Uma das formas de compreendermos o que há de ficcional na dualidade entre a esfera pública e a esfera privada é observarmos como várias questões de grande significado e

---

[3] Patricia Hill Collins, *Black Feminist Thought: Knowledge, Consciousness, and the Politics of Empowerment* (Nova York/Londres, Routledge, 2009 [2000]).

[4] Judith Squires, *Gender in Political Theory* (Cambridge, Polity Press, 1999).

[5] Wendy Brown, *Undoing the Demos: Neoliberalism's Stealth Revolution* (Cambridge, Zone Books, 2015).

impacto para a vida das pessoas são isoladas e definidas como dilemas íntimos e problemas de cada um ou "de cada família". Ao mesmo tempo, "cada família" e os indivíduos, em diferentes arranjos cotidianos, fazem suas escolhas imersos em dilemas que a lógica de mercado esvazia de seu sentido político e compartilhado.

A sexualidade e os afetos, o cuidado com as crianças e os idosos, o trabalho necessário para que a vida siga seu curso – como limpar, preparar alimentos, zelar pelos espaços de convívio – são algumas das questões que emergem como que apartadas da ordem política, das decisões, das alocações de recursos e das omissões no âmbito estatal. Por isso, a linha divisória entre as esferas pode ser tratada como ficcional apenas até certo ponto. Melhor seria compreendê-la como uma ficção que se realiza e produz efeitos, como algo que é da ordem do ideológico. Trata-se de fronteiras que privatizam problemas e desvalorizam experiências, legitimam o controle seletivo sobre os corpos e justificam relações de autoridade que restringem a autonomia das mulheres, permitindo roubar-lhes tempo e voz.

Aderindo ao amplo conjunto de abordagens que desafiam essa dualidade e põem em xeque a ideia de que as questões de gênero são específicas, este livro trata de problemas fundamentais da democracia e da justiça. Para pensar esses temas, assume uma perspectiva de gênero, agregando ao debate a divisão sexual e racial do trabalho, o cuidado, as famílias, os direitos sexuais e reprodutivos e – em cada um dos capítulos, mas de modo específico apenas no último – a participação política. A reprodução das injustiças está arraigada no cotidiano e no ambiente político-institucional, tem dimensões materiais e simbólicas. Esse entendimento amplia o leque de problemas abordados na análise crítica dos limites da democracia e das tendências antidemocráticas da ordem liberal. A posição ético-política que orienta normativamente o debate pode ser resumida no postulado de que *nenhuma diferença pode ser mobilizada para justificar privilégios*.

A sub-representação feminina, questão de gênero que ganhou maior importância na área acadêmica em que atuo, a Ciência Política, não decorre de diferenças, mas, sim, de desigualdades que, por sua vez, ela atualiza. Trata-se, assim, de um problema da democracia, não de um problema das mulheres. Expõe padrões de seletividade em razão dos quais o exercício de influência é bastante desigual entre diferentes grupos da população. Por isso, além de compreender as causas dessa sub-representação, é preciso analisá-la como um elo importante na reprodução de outras injustiças. A legislação e as políticas públicas são produzidas em um ambiente amplamente masculino e branco. As mulheres são, também nesse sentido, posicionadas como objetos – seus corpos são regulados, e suas necessidades ganham sentido político na fala e nas ações de quem está em posição distinta da delas, em relações que implicam vantagens e desvantagens, vulnerabilidade, recursos para o exercício de poder no cotidiano.

Os capítulos iniciais deste livro discutiram padrões de relações que afetam diretamente a participação das mulheres na sociedade e, mais especificamente, na política. A divisão sexual do trabalho, pelo modo como é configurada, implica menor acesso das mulheres a recursos relevantes, como tempo. Também colabora para a reprodução do entendimento de que mulheres e homens têm competências diferenciadas, situando as diferenças assim pressupostas numa escala valorativa em que as características femininas são associadas ao mundo doméstico. Entendo que essa escala de valores é um *fundamento* cotidiano das desigualdades na participação política. E é, também, um problema em si, constituindo uma trama de barreiras para a autonomia e permitindo que, mesmo com os avanços da participação das mulheres na vida pública, estas tenham menor acesso a recursos capazes de reduzir sua vulnerabilidade relativa. Nesse domínio, gênero, classe e raça definem conjuntamente os padrões de exploração e as oportunidades.

A configuração das famílias e das relações de cuidado é construída em ambientes institucionais e de alocação de recursos específicos. A normatização, a ausência de regulação e de investimentos e os padrões assumidos pelas políticas públicas incidem diretamente nas possibilidades de organização da vida, além de tomarem a forma de incentivos ou barreiras à autonomia individual e coletiva. Como dito, essa regulação, que se faz afirmativamente ou pela ausência de marcos legais, como políticas e recursos para a superação da vulnerabilidade relativa das mulheres, é definida em um espaço em que predominam homens de determinados segmentos da sociedade. O tema do aborto, tratado no capítulo 4, é o que mais facilmente evidencia esses aspectos: o corpo feminino é regulado por regras e políticas produzidas por homens. Mas a privatização das relações familiares e de cuidado é o outro lado da moeda. O controle seletivo estabelece-se com foco na sexualidade e na reprodução, enquanto Estado e coletividade podem esquivar-se da responsabilidade pela vida e pelo bem-estar. Os corpos sobre os quais incidem os controles são definidos, diferenciadamente, também no tempo de trabalho que lhes é imposto, nas garantias para que recebam cuidado quando dele necessitam, na proteção a sua integridade física e psíquica. Entre as mulheres negras, a posição nas relações de trabalho é acrescida de outros elementos, como a sexualização de seu corpo e a violência contra homens com quem têm vínculos especiais, sejam eles maridos, sejam irmãos ou filhos, mostrando a centralidade do racismo nas dinâmicas de dominação e na experiência concreta do feminino[6].

Para compreender os problemas que se apresentam, não é necessário presumir uma conexão entre mulheres e determinadas posições ou sensibilidades. Mais uma vez, faz-se necessário deslocar o problema *das mulheres para o funcionamento das democracias*, indo das características que mulheres e homens assumem em dada configuração das relações raciais e de gênero à permeabilidade desigual da política. Os muros ou os tetos de vidro que delimitam a participação das mulheres na política são feitos da energia e do tempo que lhes é roubado pelo trabalho prestado aos mais próximos e à sociedade, trabalho que muitas vezes não é reconhecido como tal, reforçando sua desvalorização. São feitos, ainda, dos estereótipos que associam o feminino à instabilidade emocional, à fragilidade e à baixa competência, assim como da violência física e simbólica que constrange e pune aquelas que "ousam" participar dos espaços tradicionalmente masculinos do exercício político. São feitos também da barreira espessa que emerge da conjugação entre racismo e sexismo, abafando experiências, vozes e elaborações críticas das mulheres negras no debate público e na produção acadêmica.

Violência cotidiana e violência política interligam-se em práticas que pressionam as mulheres para permanecer naquele que seria "seu lugar" – ou a ele retornar –, isto é, os espaços doméstico-familiares, a aceitação de formas menos ou mais diretas de tutela masculina. Os obstáculos no acesso a recursos e a coerção mais direta, que a violência política põe em ato, não se misturam apenas aos estereótipos depreciativos. A qualificação do feminino como docilidade e domesticidade, que se intensifica nos estereótipos maternais e no "familismo", situa as mulheres no mundo de um modo que torna natural sua ausência dos espaços decisórios. É algo que pode ser também reproduzido nos

---

[6] Lélia Gonzalez, "Racismo e sexismo na cultura brasileira", *Revista Ciências Sociais Hoje*, Anpocs, 1984, p. 231.

meios de comunicação, que espelham e ao mesmo tempo colaboram para reproduzir essas relações.

As mulheres têm atuado politicamente de forma sistemática, apesar dessas barreiras e desses constrangimentos. A ação dos movimentos organizados de mulheres tem produzido efeitos no âmbito estatal, apesar da baixa representação feminina em cargos eletivos e no primeiro escalão dos governos, como mostro nos capítulos 4 e 5. Mesmo as reações à agenda de superação das desigualdades de gênero acabam por jogar luz sobre essa ação.

Na resistência ao golpe de 2016, que depôs Dilma Rousseff, os movimentos feministas e antirracistas mostraram ser fundamentais, ainda que também então tenha ficado claro o custo da sub-representação nos espaços formais. O desequilíbrio de recursos é patente e, por isso, os efeitos da ação são relativamente enfraquecidos quando se comparam esses movimentos aos setores reacionários que têm promovido o fechamento da democracia no Brasil. É o caso de setores do empresariado da indústria e do campo, dos representantes dos interesses dos rentistas e de segmentos religiosos conservadores, bem munidos de assentos no Congresso Nacional. A agenda de retrocessos apresenta-se no casamento ruidoso e trágico entre o neoliberalismo econômico, em sua produção de indivíduos isolados e em condição de constante precariedade, e o conservadorismo moral, "funcional" porque justifica a alocação desigual de responsabilidades para as mulheres e atribui às famílias o dever de produzir indivíduos competitivos e cuidar das dimensões da vida de que o Estado e a coletividade se desresponsabilizam.

"Família" é, assim, palavra-chave. Por isso também atravessa o livro, embora ganhe no capítulo 3 uma análise mais sistemática. Injustiças intra e interfamiliares aprofundam-se com a privatização e a moralização promovidas por neoliberais e conservadores. Da crítica feminista, em seus vários matizes, emergem contestações radicais às concepções convencionais de família, que expõem ao mesmo tempo os efeitos da divisão sexual do trabalho e da heteronormatividade, da violência e da falta de solidariedade social. Trata-se de uma crítica que confronta, simultaneamente, o individualismo e o conservadorismo moral. O horizonte de transformações radicais que se estabelece nas lutas e nas teorias feministas não encontra guarida na lógica competitiva nem nas ilusões comunitaristas, que apontam para o passado ao confrontar os problemas do presente. Não falo, é certo, de todo o espectro feminista, mas das frentes em que a superação da dominação de gênero aparece conectada à abolição de todos os privilégios[7]. Se a promoção de mais espaço para as mulheres não for feita em conjunto com a crítica à mercantilização, para muitas restará uma vida precarizada.

O feminismo tem, por outro lado, pressionado também os limites do campo da esquerda. Em sua crítica a matrizes de dominação em que se combinam capitalismo, racismo, sexismo, misoginia, homofobia e colonialismo, mostra as conexões entre impedimentos estruturais, regras formais e obstáculos informais cotidianos. As barreiras cumulativas à sua participação convergem com a posição desigual dos grupos no cotidiano da vida, no acesso a tempo e a recursos para cuidar e receber cuidado, assim como para o lazer e o cultivo das disposições criativas e das relações amorosas. Do mesmo modo, o acesso desigual à renda e a um trabalho que faça sentido está vinculado às garantias, também desiguais, de integridade física e psíquica. Não é pouco comum que uma agenda economicamente progressista seja promovida sem levar em conta as desvantagens a que corresponde convencionalmente a posição das mulheres na vida cotidiana, sem enfrentar as dinâmicas de apropriação de seus corpos e até, pelo contrário, afirmando concepções de família e das relações amorosas que colaboram para reproduzir essas condições. Nesse caso, mesmo que pelo silêncio, privilégios importantes estariam sendo preservados, minando de dentro o horizonte de transformações.

Há muito, ainda, por investigar. Termino este livro envolvida em esforços para compreender a investida reacionária à agenda de gênero na América Latina. É suficientemente claro, para mim, o critério para a escolha dos feminismos como alvo dessa investida, tornando mais agudas as disputas. Foram tomados por alvo porque encarnam a potência de projetos e discursos emancipatórios que confrontam a ordem corrente e põem em xeque o infeliz casamento entre neoliberalismo e conservadorismo moral. São, também por isso, atores de destaque para uma renovação efetiva do campo da esquerda. De modo semelhante, as teorias feministas da política permitem incorporar a dimensão da experiência e pôr no centro das discussões a produção cotidiana das desigualdades, da dominação e das resistências. Suas contribuições são inegáveis, mas há muito ainda por avançar para que sejam incorporadas aos debates "gerais" sobre democracia, dentro e fora da academia.

---

[7] Aleksandra Kollontai, "O dia da mulher" (17 fev. 1913), em Graziela Schneider (org.), *A revolução das mulheres: emancipação feminina na Rússia soviética* (trad. Cecília Rosas, São Paulo, Boitempo, 2017), p. 160-3.

BIBLIOGRAFIA

ABERS, Rebecca Naeara; SERAFIM, Lizandra; TATAGIBA, Luciana. Repertórios de interação Estado-sociedade em um Estado heterogêneo: a experiência na Era Lula. *Dados*, v. 57, n. 2, 2014, p. 325-57.

ABERS, Rebecca Naeara; TATAGIBA, Luciana. Institutional Activism: Mobilizing for Women's Health from Inside the Brazilian Bureaucracy. In: ROSSI, Federico M.; BÜLOW, Marisa von (orgs.). *Social Movement Dynamics*: New Perspectives on Theory and Research from Latin America. Londres, Ashgate, 2015, p. 73-101.

ABGLT. *Pesquisa nacional sobre o ambiente educacional no Brasil 2015*: as experiências de adolescentes e jovens lésbicas, gays, bissexuais, travestis e transexuais em nossos ambientes educacionais. Curitiba, Associação Brasileira de Lésbicas, Gays, Bissexuais, Travestis e Transexuais, 2016.

ADORNO, Sérgio. História e desventura: o III Programa Nacional de Direitos Humanos. *Novos Estudos*, n. 86, 2010, p. 5-20.

AGUIAR, Neuma. Patriarcado, sociedade e patrimonialismo. *Sociedade & Estado*, v. 15, n. 2, 2000, p. 303-30.

AGUIRRE, Rosario; FERRARI, Fernanda. *La construcción del sistema de cuidados en el Uruguay*: en busca de consensos para una protección social más igualitaria. Santiago, Cepal, 2014. (Série Políticas Sociales, n. 193.)

ALVAREZ, Sonia E. *Engendering Democracy in Brazil*: Women's Movement in Transition Politics. Princeton, Princeton University Press, 1990.

_______. Latin American Feminisms "Go Global": Trends of the 1990's and Challenges for the New Millennium. In: ________; DAGNINO, Evelina; ESCOBAR, Arturo (orgs.). *Cultures of Politics, Politics of Culture*: Re-Visioning Latin American Social Movements. Boulder/Oxford, Westview Press, 1998.

________. Para além da sociedade civil: reflexões sobre o campo feminista. *Cadernos Pagu*, n. 43, 2014, p. 13-56.

ANDERSON, Elizabeth. What Is the Point of Equality? *Ethics*, v. 109, n. 2, 1999, p. 287-337.

ANFIP/DIEESE. *Previdência*: reformar para excluir? Contribuição técnica ao debate sobre a reforma da previdência social brasileira. Brasília, Associação Nacional dos Auditores Fiscais da Receita Federal do Brasil/Departamento Intersindical de Estatísticas e Estudos Socioeconômicos, 2017. Disponível on-line.

ARAÚJO, Ângela M. C.; LOMBARDI, Maria Rosa. Trabalho informal, gênero e raça no Brasil do início do século XXI. *Cadernos de Pesquisa*, v. 43, 2013, p. 452-77.

ARAÚJO, Clara. Partidos políticos e gênero: mediações nas rotas de ingresso das mulheres na representação politica. *Revista de Sociologia e Política*, n. 24, 2005, p. 193-215.

_______; ALVES, José Eustáquio Diniz. Impactos de indicadores sociais e do sistema eleitoral sobre as chances das mulheres nas eleições e suas interações com as cotas. *Dados*, v. 50, n. 3, 2007, p. 535-77.

_______; SCALON, Céli. Gênero e a distância entre a intenção e o gesto. *Revista Brasileira de Ciência Política*, v. 21, n. 62, 2006, p. 45-68.

ARRUZZA, Cinzia. *Dangerous Liaisons*: The Marriages and Divorces of Marxism and Feminism. Pontypool, Merlin Press, 2013.

BACHRACH, Peter; BARATZ, Morton. Duas faces do poder. *Revista de Sociologia e Política*, v. 19, n. 40, 2011, p. 149-57.

BADINTER, Elisabeth. *O amor incerto*: história do amor maternal do século XVII ao século XX. Trad. Miguel Serras Pereira, Lisboa, Relógio d'Água, 1985 [1980].

________. *O conflito*: a mulher e a mãe. Rio de Janeiro, Record, 2011 [2010].

BANDEIRA, Lourdes. Que vont devenir les actions du Secrétariat de Politique pour les Femmes (SPM) au Brésil? *Cahier du Genre*: Analyse critique et féminismes matérialistes, hors-sèrie, 2016, p. 243-6.

BARRETT, Michèle. *Women's Opression Today*: The Marxist/Feminist Encounter. Londres, Verso, 1988 [1980].

BARSTED, Leila Linhares; LAVIGNE, Rosane Reis. Proposta de lei de violência doméstica contra as mulheres. *Carta da Cepia*, ano 8, n. 10, 2002, p. 8-9.

BEAUVOIR, Simone. *O segundo sexo*, v. 1: *Os factos e os mitos.* Lisboa, Bertrand, 2008 [1949].

________. *O segundo sexo*, v. 2: *A experiência vivida.* Lisboa, Bertrand, 2008 [1949].

BENHABIB, Seyla. The Generalized and the Concrete Other: The Kohlberg-Gilligan Controversy and Feminist Theory. In: ________; CORNELL, Drucilla (orgs.). *Feminism as Critique*. Minneapolis, University of Minnesota Press, 1987.

BERNARDINO-COSTA, Joaze. Intersectionality and Female Domestic Worker's Unions in Brazil. *Women's Studies International Forum*, n. 46, 2014, p. 72-80.

BIROLI, Flávia. Gênero e política no noticiário das revistas semanais brasileiras: ausências e estereótipos. *Cadernos Pagu*, n. 34, 2010, p. 269-99.

_______. Gênero e família em uma sociedade justa: adesão e crítica à imparcialidade no debate contemporâneo sobre justiça. *Revista de Sociologia e Política*, v. 18, n. 36, 2010, p. 51-65.

_______. *Autonomia e desigualdades de gênero*: contribuições do feminismo para a crítica democrática. Niterói/Valinhos, Eduff/Horizonte, 2013.

_______. Autonomia e justiça no debate teórico sobre aborto: implicações teóricas e políticas. *Revista Brasileira de Ciência Política*, n. 15, 2014, p. 37-68.

_______. *Família*: novos conceitos. São Paulo, Fundação Perseu Abramo, 2014.

_______. O público e o privado; justiça e família. In: MIGUEL, Luis Felipe; BIROLI, Flávia, *Feminismo e política*: uma introdução. São Paulo, Boitempo, 2014.

_______. Autonomia, preferências e assimetria de recursos. *Revista Brasileira de Ciências Sociais*, v. 31, n. 90, 2016, p. 39-56.

_______. Political Violence Against Women in Brazil: Expressions and Definitions. *Direito & Práxis*, v. 7, n. 15, 2016, p. 557-89.

_______. A PEC 247 contra as mulheres. *O blog do Demodê*, 22 fev. 2017. Disponível on-line.

_______; MIGUEL, Luis Felipe. Gênero, raça, classe: dominações cruzadas e convergências na reprodução das desigualdades. *Mediações*, v. 20, n. 2, 2015, p. 27-55.

BISCAIA, Cristina Ninô. Um golpe chamado machismo. In: PRONER, Carol et al. (orgs.). *A resistência ao golpe de 2016*. Bauru, Práxis, 2016.

BLANCARTE, Roberto. El por qué de un Estado laico. In: _______ (org.). *Los retos de la laicidad y la secularización en el mundo contemporáneo*. Cidade do México, Centro de Estudios Sociológicos, 2008.

_______. *Las leyes de reforma*: importancia histórica y validez contemporánea. México, El Colegio de México/Universidad Nacional Autónoma de México, 2013.

BOBBIO, Norberto. *Liberalismo e democracia*. Trad. Marco Aurélio Nogueira. São Paulo, Brasiliense, 1988.

BOND, Toni M. Reproductive Justice and Women of Color. In: *Reproductive Justice Briefing Book*: A Primer on Reproductive Justice and Social Change. Atlanta/Nova York, SisterSong – Women of Color Reproductive Health Collective/Pro-Choice Public Education Project, 2007, p. 15-6.

BRADEN, Maria. *Women Politicians and the Media*. Lexington, The University Press of Kentucky, 1996.

BRENNER, Johanna. *Women and the Politics of Class*. Nova York, Monthly Review Press, 2000.

BRITES, Jurema Gorski. Afeto e desigualdade: gênero, geração e classe entre empregadas domésticas e seus empregadores. *Cadernos Pagu*, n. 29, jul.-dez. 2007, p. 91-109.

_______. Trabalho doméstico: questões, leituras e políticas. *Cadernos de Pesquisa*, v. 43, n. 149, maio-ago. 2013, p. 422-51.

BROWN, Wendy. *Undoing the Demos*: Neoliberalism's Stealth Revolution. Cambridge, Zone Books, 2015.

BRUSCHINI, Cristina. Trabalho feminino: trajetória de um tema, perspectiva para o futuro. *Estudos Feministas*, v. 2, n. 3, 1994, p. 17-32.

_______. Trabalho doméstico: inatividade econômica ou trabalho não remunerado? *Revista Brasileira de Estudos Populacionais*, v. 23, n. 2, 2006, p. 331-53.

_______; LOMBARDI, Maria Rosa. A bipolaridade do trabalho feminino no Brasil contemporâneo. *Cadernos de Pesquisa*, n. 110, 2000, p. 67-104.

_______; _______. Instruídas e trabalhadeiras: trabalho feminino no final do século XX. *Cadernos Pagu*, n. 17-18, 2001-2002, p. 157-96.

BRUSCHINI, Cristina et al. *Banco de dados sobre o trabalho das mulheres*. São Paulo, Fundação Carlos Chagas, 2010. Disponível em: <http://www.fcc.org.br/bdmulheres/>.

BUTLER, Judith. *Gender Trouble*: Feminism and the Subversion of Identity. Nova York, Routledge, 1999 [1990].

_______. O fantasma do gênero: reflexões sobre liberdade e violência. *Folha de S.Paulo*, *Ilustríssima*, 19 nov. 2017.

CAL, Danila Gentil R. *Comunicação e trabalho infantil doméstico*. Salvador, Edufba, 2016.

CAMARANO, Ana Amélia; KANSO, Solange. Tendências demográficas mostradas pela PNAD 2008. In: CASTRO, Jorge Abrahão; VAZ, Fábio Monteiro (orgs.). *Situação social brasileira*: monitoramento das condições de vida. Brasília, Ipea, 2011, p. 11-32.

CARNEIRO, Sueli. Mulheres em movimento. *Estudos Avançados*, v. 17, n. 49, 2003, p. 117-32.

_______. *Racismo, sexismo e desigualdade no Brasil*. São Paulo, Selo Negro, 2011.

CARONE, Renata Rodrigues. *Como o movimento feminista atua no Legislativo federal?* Estudo sobre a atuação do consórcio de ONGs feministas no caso da Lei Maria da Penha. Campinas, IFCH--Unicamp, 2017. Dissertação de Mestrado em Ciência Política.

CARRARA, Sérgio; VIANNA, Adriana. "Tá lá o corpo estendido no chão...": a violência letal contra travestis no município do Rio de Janeiro. *Physis: Revista de Saúde Coletiva*, v. 16, n. 2, 2006, p. 233-49.

CELIBERTI, Lilián. La izquierda en los gobiernos y la dimensión cultural y política de los cambios. In: DEIBERT, Brigit (org.). *La izquierda en el gobierno*: comparando América Latina y Europa. Bruxelas, Fundação Rosa Luxemburgo, 2009, p. 137-46.

CERNA, Daniela Cerva. Participación política y violencia de género en México. *Revista Mexicana de Ciencias Políticas y Sociales*, v. 59, n. 222, 2014, p. 105-24.

CHANETON, July; VACAREZZA, Nayla. *La intemperie y lo intempestivo*: experiencias del aborto voluntario en el relato de mujeres y varones. Buenos Aires, Marea, 2011.

CHODOROW, Nancy. *The Reproduction of Mothering*. Berkeley/Los Angeles, University of California Press, 1999 [1978].

COHEN, Jean. Rethinking Privacy: Autonomy, Identity, and the Abortion Controversy. In: WEINTRAUB, Jeff; KUMAR, Krishan (orgs.). *Public and Private in Thought and Practice*. Chicago, University of Chicago Press, 1997.

COLLINS, Patricia Hill. *Black Feminist Thought*: Knowledge, Consciousness, and the Politics of Empowerment. Nova York/Londres, Routledge, 2009 [2000].

_______. Intersecctionality's Definitional Dillemas. *Annual Review of Sociology*, n. 41, 2015, p. 1-20.

COLLOURIS, Daniella Georges. *A desconfiança em relação à palavra da vítima e o sentido da punição nos processos judiciais de estupro*. São Paulo, FFLCH-USP, 2010. Tese de Doutorado em Sociologia.

COMISSÃO NACIONAL DA VERDADE. *Violência sexual, violência de gênero e violência contra crianças e adolescentes*. Brasília, Comissão Nacional da Verdade, v. I, cap. 10, 2014.

CORDEIRO, Janaína Martins. *Direitas em movimento*: a campanha da mulher pela democracia e a ditadura no Brasil. Rio de Janeiro, Editora da FGV, 2009.

CORNEJO-VALLE, Mónica; PICHARDO J. Ignacio. La ideología de género frente a los derechos sexuales y reproductivos: el escenario español. *Cadernos Pagu*, n. 50, 2017.

CORNELL, Drucilla. *At the Heart of Freedom*: Feminism, Sex, and Equality. Princeton, Princeton University Press, 1998.

CORRÊA, Sonia; PETCHESKY, Rosalind. Direitos sexuais e reprodutivos: uma perspectiva feminista. *Physis: Revista de Saúde Coletiva*, v. 6, n. 1-2, 1996, p. 147-77.

_______; _______; PARKER, Richard. *Sexuality, Health and Human Rights*. Nova York, Routledge, 2008.

CRENSHAW, Kimberlé. Documento para o encontro de especialistas em aspectos da discriminação racial relativos ao gênero. *Revista Estudos Feministas*, ano 10, 2002, p. 171-88.

DAHLERUP, Drude (org.). *Women, Quotas and Politics*. Londres/Nova York, Routledge, 2006.

DAVIS, Angela Y. *Women, Race, & Class*. Nova York, Vintage, 1983 [1981]. [Ed. bras.: *Mulheres, raça e classe*. Trad. Heci R. Candiani, São Paulo, Boitempo, 2016.]

DEERE, Carmem Diana. Os direitos da mulher à terra e os movimentos sociais rurais na reforma agrária brasileira. *Revista Estudos Feministas*, v. 12, n. 1, 2004, p. 175-204.

_______; LEÓN, Magdalena. Diferenças de gênero em relação a bens: a propriedade fundiária na América Latina. *Sociologias*, n. 10, 2003, p. 100-53.

DELGADO, Fernando Ribeiro et al. (org.). *São Paulo sob achaque:* corrupção, crime organizado e violência institucional em maio de 2006. Cambridge, Human Rights Program at Harvard Law School/International Human Rights Clinic/Justiça Global Brasil, 2011. Disponível on-line.

DELPHY, Christine. *L'Ennemi principal*, v. 1: *Économie politique du patriarcat*. Paris, Syllepse, 2013 [1997].

_______. *L'Ennemi principal*, v. 2: *Penser le genre*. Paris, Syllepse, 2013 [2001].

_______; LEONARD, Diana. *Familiar Exploitation*: A New Analysis on Marriage in Contemporary Western Societies. Cambridge, Polity Press, 2004 [1992].

DICKENSON, Donna (org.). *Property in the Body*: Feminist Perspectives. Cambridge, Cambridge University Press, 2007.

DIETZ, Mary. Citizenship with a Feminist Face: The Problem with Maternal Thinking. In: LANDES, Joan B. (org.). *Feminism, the Public and the Private*. Oxford, Oxford University Press, 1998, p. 45-64.

DINIZ, Débora. *Zika: do sertão nordestino à ameaça global*. Rio de Janeiro, Civilização Brasileira, 2016.

_______; MEDEIROS, Marcelo. Itinerários e métodos do aborto ilegal em cinco capitais brasileiras. *Ciência & Saúde Coletiva*, v. 17, n. 7, 2012, p. 1.671-81.

_______; _______; MADEIRO, Alberto. Pesquisa Nacional do Aborto – 2016. *Ciência & Saúde Coletiva*, v. 22, n. 2, 2017.

DUARTE, Tatiana. *A casa dos ímpios se desfará, mas a tenda dos retos florescerá*: a participação da Frente Parlamentar Evangélica no Legislativo brasileiro. Brasília, Universidade de Brasília, 2011. Dissertação de Mestrado em Antropologia.

DUMONT, Louis. *Essais sur l'individualisme*: une perspective anthropologique sur l'idéologie moderne. Paris, Editions du Seuil, 1983.

DUTRA, Délia. Marcas de uma origem e uma profissão: trabalhadoras domésticas peruanas em Brasília. *Cadernos CRH*, Salvador, UFBA, v. 28, n. 73, jan.-abr. 2015, p. 181-97.

DWORKIN, Gerald. *The Theory and Practice of Autonomy*. Cambridge, Cambridge University Press, 2001 [1988].

_______. *Virtude soberana*. São Paulo, Martins Fontes, 2005 [2000].

ELEY, Geoff. Nations, Publics, and Political Cultures: Placing Habermas in the Nineteenth Century. In: CALHOUM, Craig (org.). *Habermas and the Public Sphere*. Cambridge, The MIT Press, 1992, p. 289-339.

ELSHTAIN, Jean Bethke. *Public Man, Private Woman*: Women in Social and Political Thought. 2. ed. Princeton, Princeton University Press, 1981.

_______. The Power and Powerlessness of Women. In: BOCK, Gisela; JAMES, Susan (orgs.). *Beyond Equality and Difference*: Citizenship, Feminist Politics, Female Subjectivity. Londres/Nova York, Routledge, 1992.

ESPING-ANDERSEN, Gøsta. *The Incomplete Revolution*: Adapting to Women's New Roles. Cambridge, Polity Press, 2009.

FALQUET, Jules. *Por las buenas o por las malas*: las mujeres en la globalización. Bogotá, Universidad Nacional de Colombia/Pontificia Universidad Javeriana, 2011.

FAUR, Eleonora. El cuidado infantil desde la perspectiva de las mujeres-madres. Un estudio en dos barrios populares del Area Metropolitana de Buenos Aires. In: ESQUIVEL, Valéria; FAUR, Eleonor; JELIN, Elizabeth (orgs.). *Las logicas del cuidado infantil*: entre las familias, el Estado y el mercado. Buenos Aires, Ides, 2012.

FINEMAN, Martha Albertson. *The Autonomy Myth*: A Theory of Dependency. Nova York/Cambridge, The New Press/Polity Press, 2004.

FINZI, Silvia Vegetti. Female Identity between Sexuality and Maternity. In: BOCK, Gisela; JAMES, Susan (orgs.). *Beyond Equality and Difference*: Citizenship, Feminist Politics, Female Subjectivity. Londres/Nova York, Routledge, 1992, p. 126-45.

FOLBRE, Nancy. *Who Pays for the Kids?* Gender and the Structures of Constraint. Londres/Nova York, Routledge, 1994.

FONSECA, Cláudia. Homoparentalidade: novas luzes sobre o parentesco. *Revista Estudos Feministas*, v. 16, n. 3, 2008, p. 769-83.

FONTOURA, Natália et al. Pesquisas de uso do tempo no Brasil: contribuições para a formulação de políticas de conciliação entre trabalho, família e vida pessoal. *Revista Econômica*, v. 2, n. 1, jun. 2010, p. 11-46.

FOUCAULT, Michel. *História da sexualidade*, v. 1: *A vontade de saber*. Trad. Maria Thereza da Costa Albuquerque e J. A. Guilhon Albuquerque. 16. ed. Rio de Janeiro, Graal, 2005 [1976].

_______. *História da sexualidade*, v. 2: *O uso dos prazeres*. Trad. Maria Thereza da Costa Albuquerque e J. A. Guilhon Albuquerque. 11. ed. Rio de Janeiro, Graal, 2006 [1984].

FRASER, Nancy. Rethinking the Public Sphere: A Contribution to the Critique of Actually Existing Democracy. In: CALHOUM, Craig (org.). *Habermas and the Public Sphere*. Cambridge, The MIT Press, 1992, p. 109-42.

_______. *Justice Interruptus*: Critical Reflections on the "Postsocialist" Condition. Nova York, Routledge, 1997.

_______. Feminism, Capitalism, and the Cunning of History. In: *Fortunes of Feminism*: From State--Managed Capitalism to Neoliberal Crisis. Nova York, Verso, 2013, p. 209-26.

_______; LEONARD, Sarah. Interview with Nancy Fraser: Capitalism's Crisis of Care. *Dissent Magazine*, 2016. Disponível on-line.

FREITAS, Viviane Gonçalves. Mulheres negras na imprensa feminista brasileira: um recorte de duas décadas. *X Encontro da Associação Brasileira de Ciência Política*, Belo Horizonte, set. 2016.

________. *De qual feminismo estamos falando?* Desconstruções e reconstruções das mulheres, via imprensa feminista brasileira, nas décadas de 1970 a 2010. Brasília, Universidade de Brasília, 2017. Tese de Doutorado em Ciência Política.

FRIEDAN, Betty. *The Feminine Mystique*. Nova York, Norton, 2001 [1963].

FRIEDMAN, Marilyn. Beyond Caring: The Demoralization of Gender. In: HELD, Virginia (org.). *Justice and Care*. Oxford, Westview Press, 1995.

GALIZA, Marcelo; VALADARES, Alexandre. *Previdência rural*: contextualizando o debate em torno do financiamento e das regras de acesso. Brasília, Instituto de Pesquisa Econômica Aplicada, nota técnica n. 25, 2016.

GELEDÉS. Esterilização: impunidade ou regulamentação. *Cadernos Geledés*, São Paulo, Geledés – Instituto da Mulher Negra, v. 2, 1991.

GIACOMINI, Sonia Maria. *Mulher e escrava*. Rio de Janeiro, Appris, 2012.

GILLIGAN, Carol. *In a Different Voice*: Psychological Theory and Women's Development. Cambridge-MA, Harvard University Press, 1982.

GIUMBELLI, Emerson. Religião, Estado e modernidade: notas a propósito de fatos provisórios. *Estudos Avançados*, v. 18, n. 52, 2004, p. 47-52.

GOLDMAN, Wendy. *Mulher, Estado e revolução*: política familiar e vida social soviéticas, 1917-1936. Trad. Natália Angyalossy Alfonso. São Paulo, Boitempo, 2014 [1993].

GOMES, Carla; SORJ, Bila, Corpo, geração e identidade: a "Marcha das Vadias" no Brasil. *Revista Sociedade e Estado*, v. 29, n. 2; maio-ago. 2014, p. 433-47.

GONZALEZ, Lélia. Racismo e sexismo na cultura brasileira. *Revista Ciências Sociais Hoje*, Anpocs, 1984, p. 223-44.

GORZ, André. *Paths to Paradise*: On the Liberation from Work. Londres, Pluto Press, 1985 [1983].

________. *Metamorfoses do trabalho*: crítica da razão econômica. Trad. Ana Montóia Formato. São Paulo, Annablume, 2003.

GREEN, James; QUINALHA Renan. *Ditadura e homossexualidades*: repressão, resistência e a busca da verdade. São Carlos, EdUFSCar, 2015.

GUYER, Paul. Kant on the Theory and Practice of Autonomy. In: PAUL, Ellen Frankel; MILLER Jr., Fred D.; PAUL, Jeffrey (orgs.). *Autonomy*. Cambridge, Cambridge University Press, 2003, p. 70-98.

HABERMAS, Jürgen. *Mudança estrutural da esfera pública*: investigações sobre uma categoria da sociedade burguesa. Trad. Denilson Luís Werle. São Paulo, Editora da Unesp, 2014 [1962].

HAGUE, Ros. *Autonomy and Identity*: The Politics of Who We Are. Londres/Nova York, Routledge, 2011.

HARTMANN, Heidi. The Family As the Locus of Gender, Class and Political Struggle: The Example of Housework. *Signs*, v. 6, n. 3, 1981, p. 366-94.

________. The Unhappy Marriage of Marxism and Feminism: Towards a More Progressive Union. In: NICOLSON, Linda (org.). *The Second Wave*: A Reader in Feminist Theory. Nova York, Routledge, 1997.

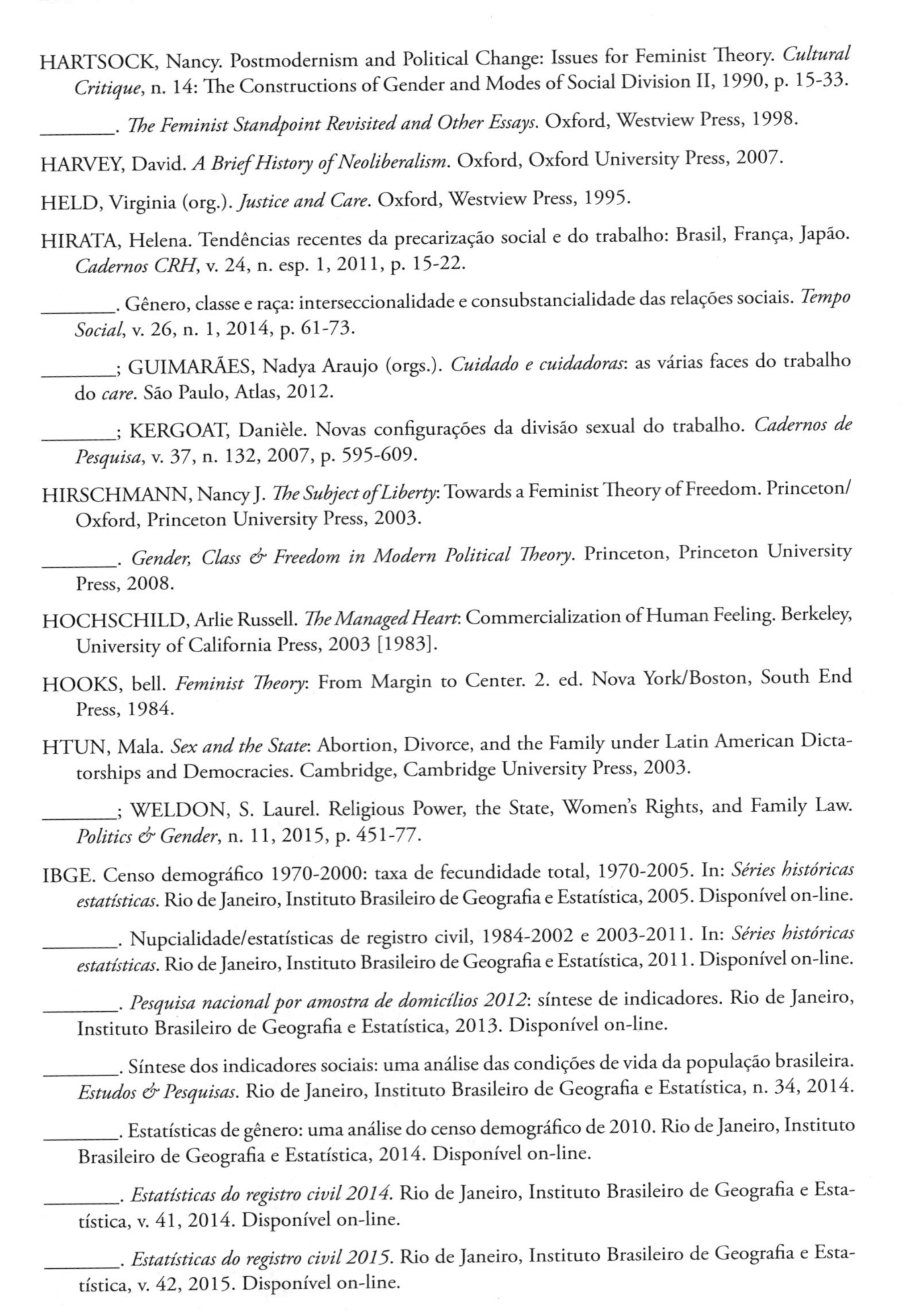

HARTSOCK, Nancy. Postmodernism and Political Change: Issues for Feminist Theory. *Cultural Critique*, n. 14: The Constructions of Gender and Modes of Social Division II, 1990, p. 15-33.

_______. *The Feminist Standpoint Revisited and Other Essays*. Oxford, Westview Press, 1998.

HARVEY, David. *A Brief History of Neoliberalism*. Oxford, Oxford University Press, 2007.

HELD, Virginia (org.). *Justice and Care*. Oxford, Westview Press, 1995.

HIRATA, Helena. Tendências recentes da precarização social e do trabalho: Brasil, França, Japão. *Cadernos CRH*, v. 24, n. esp. 1, 2011, p. 15-22.

_______. Gênero, classe e raça: interseccionalidade e consubstancialidade das relações sociais. *Tempo Social*, v. 26, n. 1, 2014, p. 61-73.

_______; GUIMARÃES, Nadya Araujo (orgs.). *Cuidado e cuidadoras*: as várias faces do trabalho do *care*. São Paulo, Atlas, 2012.

_______; KERGOAT, Danièle. Novas configurações da divisão sexual do trabalho. *Cadernos de Pesquisa*, v. 37, n. 132, 2007, p. 595-609.

HIRSCHMANN, Nancy J. *The Subject of Liberty*: Towards a Feminist Theory of Freedom. Princeton/Oxford, Princeton University Press, 2003.

_______. *Gender, Class & Freedom in Modern Political Theory*. Princeton, Princeton University Press, 2008.

HOCHSCHILD, Arlie Russell. *The Managed Heart*: Commercialization of Human Feeling. Berkeley, University of California Press, 2003 [1983].

HOOKS, bell. *Feminist Theory*: From Margin to Center. 2. ed. Nova York/Boston, South End Press, 1984.

HTUN, Mala. *Sex and the State*: Abortion, Divorce, and the Family under Latin American Dictatorships and Democracies. Cambridge, Cambridge University Press, 2003.

_______; WELDON, S. Laurel. Religious Power, the State, Women's Rights, and Family Law. *Politics & Gender*, n. 11, 2015, p. 451-77.

IBGE. Censo demográfico 1970-2000: taxa de fecundidade total, 1970-2005. In: *Séries históricas estatísticas*. Rio de Janeiro, Instituto Brasileiro de Geografia e Estatística, 2005. Disponível on-line.

_______. Nupcialidade/estatísticas de registro civil, 1984-2002 e 2003-2011. In: *Séries históricas estatísticas*. Rio de Janeiro, Instituto Brasileiro de Geografia e Estatística, 2011. Disponível on-line.

_______. *Pesquisa nacional por amostra de domicílios 2012*: síntese de indicadores. Rio de Janeiro, Instituto Brasileiro de Geografia e Estatística, 2013. Disponível on-line.

_______. Síntese dos indicadores sociais: uma análise das condições de vida da população brasileira. *Estudos & Pesquisas*. Rio de Janeiro, Instituto Brasileiro de Geografia e Estatística, n. 34, 2014.

_______. Estatísticas de gênero: uma análise do censo demográfico de 2010. Rio de Janeiro, Instituto Brasileiro de Geografia e Estatística, 2014. Disponível on-line.

_______. *Estatísticas do registro civil 2014*. Rio de Janeiro, Instituto Brasileiro de Geografia e Estatística, v. 41, 2014. Disponível on-line.

_______. *Estatísticas do registro civil 2015*. Rio de Janeiro, Instituto Brasileiro de Geografia e Estatística, v. 42, 2015. Disponível on-line.

IPEA. *Retrato das desigualdades de gênero e raça*. 4. ed. Brasília, Instituto de Pesquisa Econômica Aplicada, 2011.

________. *Retrato das desigualdades de gênero e raça*. Brasília, Instituto de Pesquisa Econômica Aplicada, 2014.

IPU. *Women in National Parliaments*: World and Regional Averages. Genebra, Inter-Parliamentary Union, 2017.

IVANESCU, Carolina. Politicised Religion and the Religionisation of Politics. *Culture and Religion*, v. 11, n. 4, 2010, p. 309-25.

JESUS, Carolina Maria de. *Quarto de despejo*: diário de uma favelada. São Paulo, Ática, 2014 [1992].

JINKINGS, Ivana; DORIA, Kim; CLETO, Murilo. *Por que gritamos golpe?* Para entender o *impeachment* e a crise política no Brasil. São Paulo, Boitempo, 2016.

KAHN, Kim Fridkin. *The Political Consequences of Being a Woman*. Nova York, Columbia University Press, 1996.

________. *The Changing Face of Representation*. Ann Arbor, University of Michigan Press, 2014.

KERGOAT, Danièle. *Les Ouvrières*. Paris, Le Sycomore, 1982.

________. Dinâmica e consubstancialidade das relações sociais. *Novos Estudos*, n. 86, 2010, p. 93-103.

KERNER, Ina. Tudo é interseccional? *Novos Estudos*, n. 93, 2012, p. 45-58.

KOHLBERG, Lawrence. *Essays on Moral Development*: The Philosophy of Moral Development. São Francisco, Harper & Row, 1981.

KOLLONTAI, Aleksandra. O dia da mulher (17 fev. 1913). In: SCHNEIDER, Graziela (org.). *A revolução das mulheres*: emancipação feminina na Rússia soviética. Trad. Cecília Rosas. São Paulo, Boitempo, 2017, p. 160-3.

________. Working Woman and Mother. In: *Selected Writings*. Nova York, Norton, 1977 [1914], p. 127-39.

________. Communism and the Family. In: *Selected Writings*. Nova York, Norton, 1977 [1920], p. 250-60.

________. Theses on Communist Morality in the Sphere of Marital Relations. In: *Selected Writings*. Nova York/Londres, W. W. Norton, 1977 [1921], p. 225-31.

KROOK, Mona Lena. *Quotas for Women in Politics*: Gender and Candidate Selection Reform Worldwide. Oxford, Oxford University Press, 2009.

________; MACKAY, Fiona. *Gender, Politics, and Institutions*: Towards a Feminist Institutionalism. Londres, Palgrave Macmillan, 2015.

________; SANIN, Juliana Restrepo. Gender and Political Violence in Latin America. *Política y Gobierno*, v. 23, n. 1, 2016, p. 125-57.

KULCZYCKI, Andrzej. Abortion in Latin America: Changes in Practice, Growing Conflict, and Recent Policy Developments. *Studies in Family Planning*, v. 42, n. 3, set. 2011, p. 199-220.

LAVALLE, Adrian; SZWAKO, José. Sociedade civil, Estado e autonomia: argumentos, contra-argumentos e avanços no debate. *Opinião Pública*, v. 21, n. 1, 2015, p. 157-87.

LAVINAS, Lena. As mulheres no universo da pobreza: o caso brasileiro. *Revista Estudos Feministas*, v. 4, n. 2, 1996, p. 464-79.

LAWLESS, Jennifer L.; FOX, Richard L. *It Takes a Candidate*: Why Women don't Run for Office. Cambridge, Cambridge University Press, 2005.

LUNA, Naara. A polêmica do aborto e o III Programa Nacional de Direitos Humanos. *Dados*, v. 57, n. 1, 2014, p. 237-75.

MACEDO, Stephen; YOUNG, Iris Marion (orgs.). *Child, Family, and State*. Nova York, New York University Press, 2003. (Nomos XLIV).

MACHADO, Lia Zanotta. Feminismos brasileiros na relação com o Estado: contextos e incertezas. *Revista Pagu*, n. 47, 2016.

MACHADO, Maria das Dores C. Discursos pentecostais em torno do aborto e da homossexualidade na sociedade brasileira. *Cultura y Religión*, v. 7, n. 2, 2013, p. 48-68.

_______. Ideologia de gênero: discurso cristão para desqualificar o debate acadêmico e os movimentos sociais. *X Encontro da Associação Brasileira de Ciência Política*, Belo Horizonte, set. 2016.

_______. Pentecostais, sexualidade e família no Congresso Nacional. *Horizontes Antropológicos*, v. 23, n. 47, 2017, p. 351-80.

MACKINNON, Catherine A. *Feminism Unmodified*. Cambridge-MA, Harvard University Press, 1987.

_______. *Toward a Feminist Theory of the State*. Cambridge-MA, Harvard University Press, 1989.

MADALOZZO, Regina. Teto de vidro e identificação. São Paulo, Insper/IBMEC, 2010.

MADEIRO, Alberto Pereira; DINIZ, Débora. Induced Abortion among Brazilian Female Sex Workers: A Qualitative Study. *Ciências & Saúde Coletiva*, v. 20, n. 2, 2015, p. 587-93.

MANO, Maíra Kubík T. Contradições e limites da Bancada Feminina na Câmara dos Deputados: uma análise da 54ª Legislatura (2011-2014). XL Encontro Anual da Anpocs, Caxambu, 2016.

MARIANO, Rayani; BIROLI, Flávia. O debate sobre aborto na Câmara dos Deputados (1991-2014): posições e vozes das mulheres parlamentares. *Cadernos Pagu*, n. 51, 2017.

MARIANO, Silvana Aparecida; CARLOTO, Cássia Maria. No meio do caminho entre o privado e o público: um debate sobre o papel das mulheres na política de assistência social. *Revista Estudos Feministas*, v. 18, n. 2, 2010, p. 451-71.

MATOS, Marlise; PARADIS, Clarisse Goulart. Desafios à despatriarcalização do Estado brasileiro. *Cadernos Pagu*, n. 43, 2014, p. 57-118.

McCLAIN, Linda C. *The Place of Families*: Fostering Capacities, Equality, and Responsibility. Cambridge/Londres, Harvard University Press, 2006.

McCLUSKEY, Martha T. Efficiency and Social Citizenship: Challenging the Neoliberal Attack on the Welfare State. *Indiana Law Journal*, v. 78, n. 2, 2003, p. 783-876.

MEC/INEP. Censo escolar 2015: notas estatísticas. Brasília, Ministério da Educação/Instituto Nacional de Estudos e Pesquisas Educacionais, mar. 2016.

MEDEIROS, Marcelo; BRITTO, Tatiana; SOARES, Fábio. Programas focalizados de transferência de renda no Brasil: contribuições para o debate. Brasília, Instituto de Pesquisa Econômica Aplicada, 2007, texto para discussão n. 1.283.

MELLO, Luiz. Familismo (anti-)homossexual e regulação da cidadania no Brasil. *Revista Estudos Feministas*, v. 14, n. 2, 2006, p. 497-508.

_______; BRITO, Walderes; MAROJA, Daniela. Políticas públicas para a população LGBT no Brasil: notas sobre alcances e possibilidades. *Cadernos Pagu*, n. 39, 2012, p. 403-29.

MIGUEL, Luis Felipe. Política de interesses, política de desvelo: representação e "singularidade feminina". *Estudos Feministas*, v. 9, n. 1, 2001, p. 253-67.

_______. *Democracia e representação:* territórios em disputa. São Paulo, Editora da Unesp, 2014.

_______. Autonomia, paternalismo e dominação na formação das preferências. *Opinião Pública*, v. 21, n. 3, dez. 2015, p. 601-25.

_______. Da "doutrinação marxista" à "ideologia de gênero". Escola sem Partido e as leis da mordaça no parlamento brasileiro. *Direito & Práxis*, v. 7, n. 3, 2016, p. 590-621.

_______; BIROLI, Flávia. Práticas de gênero e carreiras políticas: vertentes explicativas. *Revista Estudos Feministas*, v. 18, n. 3, 2010, p. 653-79.

_______; _______. *Caleidoscópio convexo*: mulheres, política e mídia. São Paulo, Editora da Unesp, 2011.

_______; _______. MARIANO, Rayani. O debate sobre aborto na Câmara dos Deputados, de 1990 a 2014. In: BIROLI, Flávia; MIGUEL, Luis Felipe. *Aborto e democracia*. São Paulo, Alameda, 2016.

MILL, John Stuart. *On Liberty*. Sioux Falls, New Vision Publications, 2008 [1859].

MILLS, Charles W. *The Racial Contract*. Ithaca/Londres, Cornell University Press, 1997.

MINISTÉRIO DA SAÚDE. *Magnitude do aborto no Brasil*: aspectos epidemiológicos e socioculturais. Brasília, Secretaria de Atenção à Saúde-Ministério da Saúde, 2008.

_______. *Indicadores e dados básicos (IDB)*. Brasília, Rede Interagencial de Informações para a Saúde-Ministério da Saúde, 2012.

MOHANTY, Chandra Talpade. *Feminism without Borders*: Decolonizing Theory, Practizing Solidarity. Durham, Duke University Press, 2003.

MOLINIER, Pascale. Cuidado, interseccionalidade e feminismo. *Tempo social*, v. 26, n. 1, 2014, p. 17-33.

MORAES, Lígia Quartim de. O sistema judicial brasileiro e a definição do melhor interesse da criança. *Estudos de Sociologia*, v. 19, n. 36, 2014, p. 21-39.

MOTTA, Flávia de Mattos. Não conta pra ninguém: o aborto segundo mulheres de uma comunidade popular urbana. In: AREMD, Silvia Maria Fávero et al. (orgs.). *Aborto e contracepção*: histórias que ninguém conta. Florianópolis, Insular, 2012.

NATIVIDADE, Marcelo; LOPES, Paulo Victor Leite. Os direitos das pessoas GLBT e as respostas religiosas: da parceria civil à criminalização da homofobia. In: DUARTE, Luiz Fernando Dias et al. (orgs.). *Valores religiosos e legislação no Brasil*. Rio de Janeiro, Garamond, 2009, p. 71-100.

NEVES, Magda. Anotações sobre gênero e trabalho. *Cadernos de Pesquisa*, v. 43, n. 149, 2013, p. 404-21.

NUNES, Maria das Dores; MADEIRO, Alberto; DINIZ, Débora. Histórias de aborto provocado entre adolescentes em Teresina, PI. *Ciência & Saúde Coletiva*, v. 18, n. 8, 2013, p. 2.311-8.

OKIN, Susan Moller. *Justice, Gender, and the Family*. Nova York, Basic Books, 1989.

_______. Reason and Feeling in Thinking about Justice. *Ethics*, v. 99, n. 2, 1989, p. 229-49.

_______. *Women in Western Political Thought*. Princeton/Oxford, Princeton University Press, 1992 [1979].

ORO, Ari Pedro. A política da Igreja Universal e seus reflexos nos campos religioso e político brasileiros. *Revista Brasileira de Ciências Sociais*, v. 18, n. 53, 2003, p. 53-69.

_______; ALVES, Daniel. Renovação Carismática Católica: movimento de superação da oposição entre catolicismo e pentecostalismo. *Religião e Sociedade*, v. 33, n. 1, 2013, p. 122-44.

_______; URETA, Marcela. Religião e política na América Latina: uma análise da legislação dos países. *Horizonte Antropológico*, v. 13, n. 27, 2007, p. 281-310.

OSIS, Maria José Martins Duarte. PAISM: um marco na abordagem da saúde reprodutiva no Brasil. *Cadernos de Saúde Pública*, v. 14, suplemento 1, 1998, p. 25-32.

PAPERMAN, Patricia. Travail et responsabilités du care: questions autour du handicap. *Théories et Pratiques du Care: Comparaisons Internationales*, Paris, 13-14 jun. 2013.

PATEMAN, Carole. *The Problem of Political Obligation*: A Critique of Liberal Theory. Berkeley, University of California Press, 1985 [1979].

_______. *The Sexual Contract*. Stanford, Stanford University Press, 1988.

_______. Soberania individual e propriedade na pessoa [2002]. *Revista Brasileira de Ciência Política*, n. 1, 2009, p. 171-218.

PEDRO, Joana. A experiência com contraceptivos no Brasil: uma questão de geração. *Revista Brasileira de História*, v. 23, n. 45, 2003, p. 239-60.

PHILLIPS, Anne. *Our Bodies*: Whose Property? Princeton/Oxford, Princeton University Press, 2013.

PIERUCCI, Antonio Flávio; PRANDI, Reginaldo. *A realidade social das religiões no Brasil*. São Paulo, Hucitec, 1996.

PIMENTA, Fabrícia Faleiros. *Políticas feministas e os feminismos na política*: o Conselho Nacional dos Direitos da Mulher (1985-2005). Brasília, Universidade de Brasília, 2010. Tese de Doutorado em História.

PINHEIRO, Luana Simões et al. Mulheres e trabalho: breve análise do período 2004-2014. Brasília, Instituto de Pesquisa Econômica Aplicada, nota técnica n. 24, 2016, p. 3-28.

PINTO, Céli. *Uma história do feminismo no Brasil*. São Paulo, Fundação Perseu Abramo, 2003.

_______. Feminismo, história e poder. *Revista de Sociologia e Política*, v. 18, n. 36, 2010, p. 15-23.

PITANGUY, Jacqueline. Mulheres, Constituinte e Constituição. In: ABREU, Maria Aparecida. *Redistribuição, reconhecimento e representação*: diálogos sobre igualdade de gênero. Brasília, Instituto de Pesquisa Econômica Aplicada, 2011, p. 17-46.

_______. As mulheres e a Constituição de 1988. Rio de Janeiro, Cepia Cidadania, s/d. Disponível on-line.

QUINTAL, Débora F. *Maternidade e ativismo político*: a luta de mães por democracia e justiça. Brasília, Universidade de Brasília, 2017. Dissertação de Mestrado em Ciência Política.

RAWLS, John. *A Theory of Justice*. Cambridge-MA, Harvard University Press, 1971.

_______. *Justice As Fairness*: A Restatement. Cambridge/Londres, The Belknap Press of Harvard University Press, 2001.

ROBERTS, Dorothy. *Killing the Black Body: Race, Reproduction, and the Meaning of Liberty.* Nova York, Pantheon, 1997.

ROCHA, Luciane de Oliveira. *Ultraged Motherhood*: Black Women, Racial Violence and the Power of Emotion in Rio de Janeiro's African Diaspora. Austin, Universidade do Texas, 2014. Tese de Doutorado em Filosofia.

RUBIN, Gayle. Thinking Sex: Notes for a Radical Theory of the Politics of Sexuality. In: PARKER, Richard; AGGLETON, Peter (orgs.). *Culture, Society and Sexuality*: A Reader. Nova York, Routledge, 1999, p. 150-187. [Ed. bras.: Pensando o sexo: notas para uma teoria radical das políticas da sexualidade. Trad. Felipe Bruno Martins Fernandes. *Cadernos Pagu*, n. 21, 2003, p. 259-88.]

RUDDICK, Sara. *Maternal Thinking*: Toward a Politics of Peace. Boston, Beacon Press, 1989.

RYAN, Mary P. Gender and Public Access: Women's Politics in Nineteenth-Century America. In: CALHOUM, Craig (org.). *Habermas and the Public Sphere*. Cambridge-MA, The MIT Press, 1992, p. 259-88.

SAFFIOTI, Heleieth. *A mulher na sociedade de classes*: mito e realidade. 3. ed. São Paulo, Expressão Popular, 2013 [1969].

SAGOT, Monserrat. Um paso adelante y dos atrás? La tortuosa marcha del movimiento feminista en la era del neointegrismo y del "fascismo social" en Centroamérica. In: CAROSIO, Alba (org.). *Feminismo y cambio social en América Latina y el Caribe*. Buenos Aires, Clacso, 2012.

SANDEL, Michael J. *Liberalism and the Limits of Justice*. Cambridge, Cambridge University Press, 1998 [1982].

SARTI, Rafaella. Domestic Service: Past and Present in Southern and Northern Europe. *Gender & History*, v. 18, n. 2, 2006, p. 222-45.

SARTI, Cynthia. *A família como espelho*: um estudo sobre a moral dos pobres. 7. ed. São Paulo, Cortez, 2011.

SATZ, Debra. *Why Some Things Should not be for Sale:* The Moral Limits of Markets. Oxford, Oxford University Press, 2010.

SCHEFFLER, Samuel. What is Egalitarianism? *Philosophy & Public Affairs*, v. 31, n. 1, 2003, p. 5-39.

SCHOEN, Johanna. *Choice and Coertion*: Birth Control, Sterilization, and Abortion in Public Health and Welfare. Chapel Hill, University of North Carolina Press, 2005.

SCHWENKEN, Helen. The Challenges of Framing Women migrants' Rights in the European Union. *Revue Européenne des Migrations Internationales*, v. 21, n. 1, 2005, p. 177-94.

________. Mobilisation des travailleuses domestiques migrantes: de la cuisine à l'Organization Internationale du Travail. *Cahiers du Genre*, v. 2, n. 51, 2011, p. 113-33.

SECRETARIA ESPECIAL DE DIREITOS HUMANOS. *Relatório de violência homofóbica no Brasil, ano 2013*. Brasília, Ministério das Mulheres, da Igualdade Racial e dos Direitos Humanos, 2016.

SECRETARIA DE POLÍTICAS PARA MULHERES. Relatório Anual Socioeconômico da Mulher, 2014. Brasília, SPM, 2015.

SEDGH, Gilda et al. Abortion Incidence between 1990 and 2014: Global, Regional, and Sub-Regional Levels and Trends. *Lancet*, v. 388, n. 10.041, 2016, p. 258-67.

SEGATO, Rita Laura. *La guerra contra las mujeres*. Madri, Traficantes de Sueños, 2016.

SORJ, Bila; FONTES, Adriana. O *care* como um regime estratificado: implicações de gênero e classe social. In: HIRATA, Helena; GUIMARÃES, Nadya Araujo (orgs.). *Cuidado e cuidadoras*: as várias faces do trabalho do *care*. São Paulo, Atlas, 2012, p. 103-16.

_______. Arenas do cuidado nas interseções entre gênero e classe social no Brasil. *Cadernos de Pesquisa*, v. 43, n. 149, 2013, p. 478-91.

SOUZA, Ana Lúcia Silva et al. *Ideologia do Escola sem Partido*. São Paulo, Ação Educativa, 2017.

SOUZA, Dayane Santos de. *Entre o Espírito Santo e Brasília*: mulheres, carreira política e o Legislativo brasileiro a partir da democratização. Vitória, Universidade Federal do Espírito Santo, 2014. Dissertação de Mestrado em Ciências Sociais.

SOUZA-LOBO, Elizabeth. *A classe operária tem dois sexos*: trabalho, dominação e resistência. São Paulo, Fundação Perseu Abramo, 2011 [1991].

SPELMAN, Elizabeth. *Inessential Woman*: Problems of Exclusion in Feminist Thought. Boston, Beacon Press, 1988.

SQUIRES, Judith. *Gender in Political Theory*. Cambridge, Polity Press, 1999.

STACEY, Judith. *In the Name of Family*: Rethinking Family Values in the Postmodern Age. Boston, Beacon Press, 1996.

_______. *Brave New Families*: Stories of Domestic Upheaval in Late-Twentieth-Century America. Berkeley, University of California Press, 1998 [1990].

_______. The Families of Man: Gay Male Intimacy and Kinship in a Global Metropolis. *Signs*, v. 30, n. 3, 2005, p. 1.911-35.

SUNSTEIN, Cass R. Preferências e política. *Revista Brasileira de Ciência Política*, n. 1, 2009 [1991], p. 219-54.

TAMAYO, Giulia. *Nada Personal*: Reporte de Derechos Humanos sobre la Aplicación de la Anticoncepción Quirúrgica en el Perú, 1996-1998. Lima, Comité de América Latina y el Caribe para la Defensa de los Derechos de la Mujer, 1999.

TELES, Maria Amélia de Almeida. A construção da memória e da verdade numa perspectiva de gênero. *Revista Direito GV*, São Paulo, Editora da FGV, v. 11, n. 2, 2015, p. 505-22.

_______. *Breve história do feminismo no Brasil e outros ensaios*. São Paulo, Alameda, 2017.

THOMSON, Judith Jarvis. A Defense of Abortion. *Philosophy & Public Affairs*, v. 1, n. 1, 1971, p. 47-66.

TRONTO, Joan C. Beyond Gender Difference to a Theory of Care. *Signs*, v. 12, n. 4, 1987, p. 644-63.

_______. *Caring Democracy*: Markets, Equality, and Justice. Nova York, New York University Press, 2013.

_______. There is an Alternative: *Homines Curans* and the Limits of Neoliberalism. *International Journal of Care and Caring*, v. 1, n. 1, 2017, p. 27-43.

TRUTH, Sojourner. Ain't I a woman? [1851]. *Modern History Sourcebook*. Nova York, Fordham University, 1997. Disponível on-line.

TURK, Katherine. To Fulfill an Ambition of [her] Own: Work, Class, and Identity in *The Feminine Mystique*. *Frontiers: A Journal of Women Studies*, v. 36, n. 2, 2015, p. 25-32.

VÉLEZ, Sergio Estrada. Familia, matrimonio y adopción. *Revista de Derecho*, n. 36, 2011, p. 126-59.

VITA, Álvaro de. Liberalismo, justiça social e responsabilidade individual. *Dados*, v. 54, n. 4, 2011, p. 569-608.

WAISELFISZ, Julio Jacobo. *Mapa da violência 2015*: homicídios de mulheres no Brasil. Brasília, Flacso Brasil, 2015.

_______. *Mapa da violência 2016*: homicídios por armas de fogo no Brasil. Brasília, Flacso Brasil, 2016.

WALBY, Sylvia. *Theorizing Patriarchy*. Oxford, Basil Blackwell, 1990.

WELLEK, Alisa; YEUNG, Mirian. Reproductive Justice and Lesbian, Gay, Bisexual, and Transgender Liberation. In: *Reproductive Justice Briefing Book*: A Primer on Reproductive Justice and Social Change. Atlanta/Nova York, SisterSong – Women of Color Reproductive Health Collective/ Pro-Choice Public Education Project, 2007.

WILLIAMS, Joan C. *Reshaping the Work-Family Debate*: Why Men and Class Matter. Cambridge--MA, Harvard University Press, 2010.

WOLLSTONECRAFT, Mary. *Reinvindicação dos direitos da mulher*. Trad. Ivania Pocinho Motta, São Paulo, Boitempo, 2016 [1792].

WOOD, Ellen M. *Democracia contra capitalismo*: a renovação do materialismo histórico. Trad. Paulo Castanheira, São Paulo, Boitempo, 2003 [1995].

YOUNG, Iris Marion. *Intersecting Voices*: Dilemmas of Gender, Political Philosophy, and Policy. Princeton, Princeton University Press, 1997.

_______. Taking the Basic Structure Seriously. *Perspectives on Politics*, v. 4, n. 1, 2006 p. 91-7.

_______. *Responsibility for Justice*. Oxford, Oxford University Press, 2011.

ZARIAS, Alexandre. A família do direito e a família no direito: a legitimidade das relações sociais entre a lei e a justiça. *Revista Brasileira de Ciências Sociais*, v. 25, n. 74, 2010, p. 61-76.

SOBRE A AUTORA

Flávia Biroli nasceu em São José do Rio Preto, São Paulo, em 1975. É doutora em História pela Unicamp e, desde 2005, professora do Instituto de Ciência Política da Universidade de Brasília, onde coordena o Grupo de Pesquisas sobre Democracia e Desigualdades (Demodê). É pesquisadora do CNPq. Foi editora da *Revista Brasileira de Ciência Política* de 2009 a 2016. Foi diretora da Anpocs (2011-2012). Atualmente, coordena a área de trabalho "Gênero, Democracia e Políticas Públicas" da Associação Brasileira de Ciência Política e é membro do grupo de assessoras da Sociedade Civil da ONU-Mulheres no Brasil. Organizou, com Luis Felipe Miguel, os livros *Mídia, representação e democracia* (Hucitec, 2010), *Teoria política e feminismo: abordagens brasileiras* (Horizonte, 2012), *Teoria política feminista: textos centrais* (UFF/Horizonte, 2013), *Aborto e democracia* (Alameda, 2016) e *Encruzilhadas da democracia* (Zouk, 2017). Entre os livros de sua autoria estão *Caleidoscópio convexo: mulheres, mídia e política* (Unesp, 2011, com Luis Felipe Miguel), *Autonomia e desigualdades de gênero: contribuições do feminismo para a crítica democrática* (UFF/Horizonte, 2013), *Família: novos conceitos* (Perseu Abramo, 2014), *Feminismo e política: uma introdução* (Boitempo, 2014, com Luis Felipe Miguel) e *Notícias em disputa: mídia, democracia e formação de preferências* (Contexto, 2017, com Luis Felipe Miguel).

I ENCONTRO NACIONAL DA MULHER NEGRA

SETEMBRO DE 1988 — INFORMATIVO — ANO 1 Nº 1

O ENCONTRO É NOSSO.
PARTICIPE!

- EDITORIAL .... Pág. 2
- O SEMINÁRIO "MULHER NEGRA CEM ANOS DEPOIS" .... Pág. 2
- O I ENCONTRO NACIONAL DA MULHER NEGRA .... Pág. 3
- CRITÉRIOS DE PARTICIPAÇÃO .... Pág. 4
- ACONTECEU... ACONTECENDO ...

Capa do primeiro Boletim Informativo do IENMN, publicado em setembro de 1988.

Publicado 30 anos depois do I Encontro Nacional da Mulher Negra, importante marco na história do movimento, que teve como uma de suas participantes a intelectual Lélia Gonzalez (1935-1994), este livro foi composto em Adobe Garamond Pro, corpo 11,5/15,5, e reimpresso em papel Avena 80 g/m² pela gráfica Rettec, para a Boitempo, em março de 2019, com tiragem de 1.500 exemplares.